PASEOS COLONIALES

UNIVERSIDAD NACIONAL AUTÓNOMA DE MÉXICO

INSTITUTO DE INVESTIGACIONES ESTÉTICAS

MANUEL TOUSSAINT

Paseos Coloniales

MÉXICO

IMPRENTA UNIVERSITARIA

1962

UNIVERSIDAD NACIONAL AUTÓNOMA DE MÉXICO

RECTOR
Dr. Ignacio Chávez

SECRETARIO GENERAL
Dr. Roberto L. Mantilla Molina

INSTITUTO DE INVESTIGACIONES ESTÉTICAS
DIRECTOR
Dr. Justino Fernández

Primera edición: 1939

Segunda edición: 1962

ADVERTENCIA

EL COLEGIO de Investigadores del Instituto de Investigaciones Estéticas acordó la publicación de tres obras del doctor don Manuel Toussaint, con objeto de rendir homenaje a su memoria y poner algunas de sus principales obras en manos de los estudiosos del arte colonial mexicano. Esas obras son: *Arte Colonial en México, Paseos Coloniales* y *Pintura Colonial;* las dos primeras salen ahora en nuevas ediciones, esperamos que la última salga, en su primera edición, en breve plazo.

Los *Paseos Coloniales* aparecieron en forma de libro en 1939 (México, Imprenta Universitaria); esa edición contiene solamente diez y nueve de ellos; la presente incluye muchos más, hasta llegar al número de cuarenta, es decir, todos los que don Manuel escribió. Y es que a lo largo de su fecunda labor de investigación en nuestro arte colonial, no dejó de seguir consignando por escrito el objeto específico de cada una de sus visitas a monumentos de la época en que México se llamó la Nueva España. Algunos de los *Paseos Coloniales* fueron publicados en revistas de diversos tipos, pero sólo ahora se reúnen todos por primera vez. Sería difícil precisar las fechas exactas en que principió y terminó de escribirlos, mas puede decirse que fue a lo largo de treinta o treinta y cinco años; por eso el lector advertirá diferencias entre unos y otros, entre los de la primera serie publicada en 1939 y los de la segunda, que ahora se han incorporado al resto.

Cuando Manuel Toussaint empezó sus "paseos coloniales", por los años veintes, México era un país distinto en muchos aspectos del que es ahora y, sobre todo, las comunicaciones eran difíciles, pues no existían las magníficas carreteras en que hoy día se puede viajar cómodamente en automóvil; así, en aquellos tiempos resultaba heroico trasladarse en ferrocarril, a caballo, o a pie, para visitar algunos de los monumentos que estudió. Uno o dos ejemplos bastan para dar idea de lo que va de ayer a hoy: Yanhuitlán, en Oaxaca, y Epazoyucan, en Hidalgo. Pero es inútil insistir sobre ello, pues el lector pronto caerá en cuenta de las incomodidades por que tuvo que pasar el autor, cuyo entusiasmo, amor, y —diría yo— avidez, por conocer nuestro arte colonial le hacían desdeñar cualquier molestia y dominar toda fatiga. Hay que tener en cuenta que el tema del arte colonial era nuevo para el historiador y para el público, y Toussaint fue uno de sus principales descubridores y uno de los que dio a conocer sus valores más amplia y documentadamente. Su actitud pertenece a esa conciencia aguda por comprender a México que se despertó al unísono con la Revolución Mexicana y que puso en relieve multitud de nuevos aspectos en el campo del arte.

El prólogo de la primera edición de *Paseos Coloniales,* de 1939, es válido aun para el presente volumen. Allí explica el autor cuáles son los insentivos, los métodos y los objetivos del investigador, así como otros aspectos en que no es necesario insistir. El título del libro existió antes que el volumen mismo, pues a él se refiere Molinari en relación con la novela de Genaro Estrada *Pero Galín.* Ya se ve desde cuándo eran famosos estos Paseos Coloniales. Su combinación de sentido literario, de información documental y de crítica, les da un interés particular, así como cierto romanticismo que proviene de su sentido estético.

v

Ciertamente no todos estarán de acuerdo con muchas de las opiniones o interpretaciones que expresó el autor, e inclusive habrá puntos que han sido superados por investigaciones posteriores, pues no en balde pasan los años y surgen nuevas generaciones de estudiosos, pero nada resta su valor original a los *Paseos Coloniales* de Manuel Toussaint, que en parte tienen una poesía evocadora muy atractiva. En verdad, de paseos como éstos y del profundo interés en el tema, acabó por escribir su obra *Arte Colonial en México,* de carácter distinto, puesto que fue elaborada con rigor sistemático de conjunto. Así, a mi juicio, hay que leer los *Paseos Coloniales* para comprender el *Arte Colonial en México . . .* y viceversa.

Esperamos que estos *Paseos Coloniales* sigan sirviendo de inspiración para los estudiosos y de amable e interesante lectura para aquellos que pretenden ampliar su cultura y el conocimiento de México.

La señora Margarita Latapí viuda de Toussaint ha contribuido a la empresa que representan estas ediciones proporcionando los materiales que conservaba, por lo que le expresamos nuestro agradecimiento. Desde que se propuso el proyecto, en 1956, el Instituto contó con la cooperación de las autoridades universitarias de entonces. Ahora ha tenido la ayuda decidida del Rector, doctor Ignacio Chávez, del Secretario General, doctor Roberto L. Mantilla Molina, y han colaborado eficazmente el Director General de Publicaciones, licenciado Rubén Bonifaz Nuño; el Subdirector, señor Enrique Reyes Pérez; el Regente de la Imprenta Universitaria, señor Manuel T. Moreno, y el Jefe del Departamento de Corrección, señor Ramón Luna.

Se encargó de la preparación del original el profesor Xavier Moyssén Echeverría, investigador en el Instituto de Investigaciones Estéticas, quien revisó y puso en orden el material fotográfico necesario para las ilustraciones, del que sólo existía una mínima parte. Para realizar la edición trabajó, en estrecha relación con quien esto escribe, en preparar la maqueta, en revisar las pruebas y en la supervisión del trabajo de imprenta. Al profesor Moyssén se debe en buena parte esta edición completa de *Paseos Coloniales.* En los márgenes del texto se advertirán unos números que corresponden a los de las ilustraciones y que facilitan la consulta. Por otra parte se decidió no agregar a los textos sino las notas indispensables, para que aparezcan tal y como su autor los concibió.

El original fue puesto en limpio por la señorita Luz Gorráez Arcaute. El volumen lleva un índice de nombres de personas, organizado por el señor Danilo Ongay Muza.

El Director del Instituto

Dr. Justino Fernández

PRÓLOGO

Si ALGUNA VEZ *fue necesario ese aditamento que precede, y en muchas ocasiones es barrera que impide la entrada, a los libros y que se llama prólogo, es ahora. Este libro, mosaico de artículos escritos en más de veinte años de trabajo, presenta un aspecto tan abigarrado que es necesario, si no justificar, al menos definir qué es lo que se pretende con su publicación. Sus diversos componentes han corrido varia fortuna: algunos citados y reproducidos numerosas veces; otros olvidados en el oscuro callejón de una de esas revistas que apenas llegan al tercer número. Y el conjunto, caso curioso, aun antes de aparecer con su traje de arlequín frente al público, ha sido ya mencionado como si existiese realmente.**

El título, aunque impropio, encierra justamente el propósito que persigue cada uno de los capítulos que forman la obra: visitar un monumento, una ciudad, un recuerdo histórico. Desarrollar ante los ojos del lector el aspecto general y los detalles de cada sitio visitado, a manera de cicerone que procura no importunar con una voz desagradable. Un guía que pueda conducir al viajero sin moverse del mismo sitio reposado de una biblioteca o de un salón, a la luz de una lámpara que parece el único centro de vida en el silencio callado de la estancia, a visitar templos remotos cuya visión sólo se logra tras largos días de cabalgatas abominables, recorriendo países montañosos, atravesando barrancas, cruzando ríos; o después de viajes tediosos de ferrocarril o automóvil en que la ilusión por descubrir algo es lo único que alimenta el espíritu. Después vemos coronados nuestros anhelos por la satisfacción de recorrer todo un día el monumento ambicionado, husmeando sus menores detalles en pos de una pintura oculta tras burdos enjarrados, de las firmas que aparecen en los cuadros, de los detalles arquitectónicos del edificio, de las avaras inscripciones que ocultan muchas veces su significado, de todo aquello que puede servirnos para apreciar aquel producto de artistas pretéritos que dejaron su sangre en esas viejas piedras. Entonces hacemos el estudio del conjunto, la apreciación del estilo, la síntesis. Y a este deliciosamente fatigoso trabajo, sigue más tarde la investigación histórica, el acopio de datos, su confronta para definir la historia del monumento descrito. ¿Qué gozo tan intenso encontrar en viejos libros, en manuscritos cuya lectura ha sido casi borrada por el tiempo, los nombres de los que trabajaron en aquella obra, las fechas en que fue construida, en que fue ornamentada con retablos y esculturas? Otras veces el secreto se resiste a entregársenos; tenemos que envolver nuestras descripciones en el velo de la incógnita todavía no descifrada, y así el monumento guarda aún cierto interés de esfinge.

Comunicar a quienes gustan de nuestras viejas cosas el resultado de las anteriores exploraciones y las subsecuentes investigaciones es el final del trabajo, y así, hemos podido ser guías sin que el turista se mueva de su cómodo sillón y permitirle que guarde en uno de los anaqueles de su librería todo un conjunto de paisajes y monumentos y obras de arte que para él hemos capturado.

La vida es insaciable: en veinte años nuestro modo de ser sufre modificaciones que por fuerza se reflejan en nuestros escritos y ¡cómo añoramos después los sentimientos y aun las frases ro-

---

* En una crítica a la deliciosa novela de Genaro Estrada, *Pero Galín*, que publicó en Buenos Aires el señor Ricardo E. Molinari, *Paseos Coloniales*, figura entre los libros de la biblioteca del protagonista. (*Martín Fierro*, junio 10-julio 10 de 1927.)

mánticas que hemos usado en los primeros artículos! Entonces se presenta grave dificultad: si rehacemos todo nuestro trabajo para darle la uniformidad gris de nuestros tiempos maduros, o dejamos que cada articulillo corra su propia suerte, desentendiéndonos de sus hermanos y, aun acaso, riéndose de ellos. Si lo segundo, el trabajo carece de unidad estilística mas en cambio presenta algo de variedad y frescura, junto a pensamientos más graves y consideraciones críticas más profundas. El autor se somete como reo de diversos delitos, pero trae en su abono pasajes menos imperfectos que, si no logran que se le absuelva del todo, por lo menos hacen tolerable la obra.

Cuando se trata de artículos de carácter histórico, es necesario, empero, modificar a veces algunos de sus párrafos. Un nuevo dato hace cambiar en un todo la hipótesis que antes habíamos apuntado: una fecha modifica totalmente nuestra crítica acerca del estilo, de manera que es indispensable el cambio o la corrección en algunos de los trabajos hechos.

Tal ha sido la necesidad en este caso: artículos hay que van rehechos en casi la mitad de su extensión, otros completados con algunos datos faltantes, y la mayor parte tal y como salieron a la luz pública, vistiendo los pobres harapos de una fantasía, hilvanados con el tosco hilo de la erudición. Así se presentan ante la crítica severa o benévola del discreto lector.

1. La primitiva catedral de México

Si LA fatiga del cotidiano bullicio, del tráfago ruidoso de los días metropolitanos, os agobia hasta dejaros rendidos, retroceded conmigo en una pequeña excursión arqueológica, a través del tiempo. Os llevaré a visitar la primitiva Catedral de México, anterior a nuestra magnífica catedral de hoy, orgullo de propios y extraños.

Todo el mundo ha visto en un ángulo del jardín que ciñe el atrio del templo mayor, rodeando el busto del último señor azteca, unas enormes piedras labradas en forma de basas de pilares y que por su parte inferior presentan extraños relieves. Pues bien, en este sitio se levantaba la primera catedral y esas piedras formaban parte de ella.

Las investigaciones del sabio don Joaquín García Icazbalceta nos enseñan que dicha iglesia fue edificada en 1525; que no se sabe de fijo si esa primera iglesia es la misma de San Francisco pero sí, con toda certeza, el sitio que ocupaba, entre la Plaza Mayor y la placeta del Marqués, así llamada por estar frente a las casas de Hernán Cortés, hoy Monte de Piedad. Estaba orientada de Este a Oeste, con la puerta principal, llamada del Perdón como en la catedral nueva, hacia el Occidente. Venía pues a dividir la gran plaza, que hoy es una sola con el recodo del Empedradillo. Se sabía, además, que dicho templo había sido levantado en el sitio que ocupaba el gran *teocali* de México, y que las piedras sagradas de los indios habían servido de cimientos a la iglesia católica y hasta de pedestales a sus columnas.

Don Antonio García Cubas exploró el sitio cuando fue arreglado el piso de la plaza y hasta trazó un croquis del plano del edificio que con ligeras modificaciones se reproduce en este artículo. Admirábase García Cubas, y con razón, de la certeza crítica de Icazbalceta al fijar el sitio de la iglesia, sin más apoyo que documentos escritos.[1]

1

Esta iglesia pequeña, pobre, vilipendiada por todos los cronistas que la juzgaban indigna de una tan grande y famosa ciudad, prestó bien que mal sus servicios durante largos años. Bien pronto se ordenó que se levantase nuevo templo, de proporcionada suntuosidad a la grandeza de la Colonia, mas esta nueva fábrica tropezó con tantos obstáculos para su comienzo, con tantas dificultades para su prosecución, que el templo viejo vio pasar en sus naves estrechas suntuosas ceremonias del virreinato; y sólo cuando el hecho que las motivaba revestía gran importancia, preferíase otra iglesia, como la de San Francisco, para levantar en su enorme capilla de San José de los Indios el túmulo para las honras fúnebres de Carlos V.

Viendo que la conclusión de la iglesia nueva iba para largo, ya comenzada su fábrica, el año de 1584 se decidió reparar totalmente la catedral vieja, que sin duda estaría poco menos que ruinosa, para celebrar en ella el tercer Concilio Mexicano. El libro de cuentas de dicha reparación, que duró más de un año, se guarda en el Archivo General, nos permite saber ahora cómo era el templo en esa fecha, y nos enseña curiosas noticias acerca del arte de la época.[2]

La iglesia tenía de largo poco más que el frente de la catedral nueva; sus tres naves no alcanzaban treinta metros de ancho y estaban techadas, la central con una armadura de media tijera, las de los lados con vigas horizontales. Además de la puerta del Perdón había otra llamada de los Canónigos, y quizás una tercera que daba a la placeta del marqués.

[1] Puede verse el estudio de García Cubas en el libro *México pintoresco, Antología de artículos descriptivos del país, arreglada por Adalberto A. Esteva.* México, 1905, p. 13.

[2] Es el tomo de *Historia* núm. 112.

1

Un velo de tragedia ciñó esta reparación de 1584: el arquitecto que dirigía la obra, que también lo era de la catedral nueva, cayó de un andamio y el golpe le privó de la vida. Llamábase el capitán Melchor de Ávila, y su sobrino Rodrigo le sucedió en sus puestos. Esta noticia, consignada por don Eugenio Llaguno y Amírola con datos de los archivos españoles,[3] se halla confirmada en los anales indígenas; véase cómo reseña la noticia el llamado *Códice Aubin*: "1584 (1 Pedernal). . .cuando cayó el mayordomo de la iglesia mayor, Melchior Dávila, era martes, a las 7, del 12 de diciembre 1584. . ."

Mas tiempo es ya de que emprendamos la visita. Si el "cicerone", acaso impertinente, consigna demasiados detalles, pensad que son éstas noticias que por primera vez salen a luz. Como entramos por la puerta del Perdón, vemos la fachada principal del templo. La portada es de estilo "clásico" obra de los oficiales de cantería Alonso Pablo, Juan de Arteaga y Hernán García de Villaverde, auxiliados por el cantero Martín Casillas. Compónese de dos pilastras estriadas con sus capiteles y "vn alquitrabe con su friso y trillifos y cornija". Además tiene "dos pedestales que se dizen por otro nombre acroteras para rremate de los pilares quebrados". La portada fue tasada por Claudio de Arciniega, maestro mayor de la obra y Sebastián López, aparejador, en 264 pesos de oro común. Arriba de la puerta, a los lados, hay dos ventanas redondas con vidrieras enceradas donde están San Pedro y San Pablo, obras ambas de Nicolás de Texeda; y al centro otra ventana con un encerado en que estaba una imagen de Nuestra Señora, pintada, la cual imagen fue mandada quitar de ahí por el señor arzobispo, "por dezir ser yndecencia q. stuviese allí y se quitó y dizen está en la sacristía de la dha. yglesia bieja y pintóse esta figura".

La reja de la puerta del Perdón era demasiado pequeña: se mandó agrandarla a Gaspar de los Reyes, herrero. Quedó repartida en un tramo grande y dos pequeños; veisla ahora muy dorada debido a los afanes del pintor Cristóbal de Almería.

Pero henos ya dentro de la iglesia; la nave central está cubierta con artesón de tijera, acaso de estilo mudéjar, como otros de la Nueva España, que es hechura del carpintero mayor de la obra, Juan Salzedo de Espinosa, y está dorado por Andrés de la Concha, que remató el trabajo en 3,000 pesos, y fue auxiliado por Francisco de Zumaya, con veinticuatro oficiales pintores y doradores. Las naves colaterales tienen sus vigas pintadas de amarillo jalde, por industria de los pintores indios de Tlaltelolco, Texcoco y México. Como no hablan español, sírvense del intérprete Diego de León para sus tratos. Las ventanas, en vez de vidrios, llevan encerados con pinturas, como hemos visto.

Las capillas principales son, aparte de la mayor, la del Bautisterio y Sacramento, encalada por Juan Xaramillo, albañil español, y tiene cuatro encerados de Francisco de Zumaya, y una reja de madera hecha por Tomás de Matienzo, ensamblador, pintada por Diego de Becerra; la del Santo Crucifijo que es muy suntuosa, con su reja de hierro, obra de Andrés de Herrera, dorada por Cristóbal de Almería y en la capilla trabajó Zumaya con Martín García y otros indios pintores y doradores.

Ocupando dos intervalos entre los pilares, a los pies del templo, se halla el coro. El coro es de las obras más suntuosas de esta catedral, que sólo compite con el retablo. Ciérralo una reja de madera hecha por el carpintero mayor con herrajes y cerrojo que dio el cerrajero Juan Sánchez por 46 pesos. Las sillas son cuarenta y ocho, más la del arzobispo; están talladas en madera de ayacahuite y pulidas; se les dio color con agalla fina y caparrosa y luego se les barnizó. Su autor fue el escultor Juan Montaño, que trabajó en ellas 303 días con Adrián Suster, ensamblador flamenco que se ocupó 358 en la obra, ayudados por muchos oficiales indios. Montaño cobró 924 pesos y Suster 895. Este último hizo también los púlpitos de la iglesia, con diez y nueve oficiales; púlpitos que fueron dorados por Francisco de Zumaya por remate que hizo de la obra en 350 pesos. Hay en el coro un fascistol de hierro, con pie triangular apoyado en sus bolas de metal; hízolo Alonso de Salas.

[3] *Noticias de los arquitectos y arquitectura de España* . . . Madrid, 1829, t. III, p. 71.

El retablo mayor fue obra de Andrés de la Concha, y se le pagaron mil pesos, "por la solicitud y maestría" que en él puso, según tasación hecha por Pedro de Brizuelas y Juan Montaño, escultores y entalladores, Adrián Suster, ensamblador, y Nicolás de Texeda, Pedro Ríos y Simón Pereyns pintores, doradores y estofadores. El retablo tenía seis lienzos de Pereyns, que al parecer vivía ya olvidado del Santo Oficio. Al decir lienzos no hemos de creer que sus pinturas estuvieran hechas precisamente en tela, y acaso de este retablo pasaron a la catedral nueva las pinturas del flamenco que en ésta se conservan.

Además del gran retablo que llena el ábside del templo, se miran los que a seguidas reseñamos.[4]

En otro altar el retablo antiguo que solía estar en el altar mayor, de talla, renovado, dorado y estofado. Está en él una imagen de Nuestra Señora, de talla, grande, con su manto de damasco y corona de plata. Le llaman el altar de Nuestra Señora de la Asunción.

En la capilla que dicen del Crucifijo, ya mencionada, está el Cristo grande y antiguo que tiene esta iglesia, acaso el que fue llamado más tarde de los conquistadores.

En el altar de Santa Ana está un retablo de talla, dorado y estofado, con la imagen y la historia de la santa, de pincel.

Otro retablo en el altar de los Ángeles. Su advocación es la de San Miguel, con imagen de talla, y dorado y estofado.

San Bartolomé tiene otro retablo, en el altar a él dedicado, con su imagen y la de otros santos, de pincel.

Hay otro altar, llamado de las Indulgencias, y en él un retablo de talla, dorado y estofado, con imágenes asimismo de pincel.

En el altar de San Jerónimo otro retablo de talla, dorado y estofado.

Otro retablo que está en el altar de San Cristóbal, de talla, dorado y estofado, y la imagen del santo, de pincel, que la dio el Maestrescuela don Sancho Sánchez de Muñón, y es, seguramente, la que hoy se ve en el altar de San José y está firmada por Simón Pereyns.

En el altar que está junto a la sacristía hay un retablo de Nuestra Señora de la Concepción, San Antonio de Padua y San Andrés, todos en lienzo.

En el interior de la Sacristía, que está humildemente encalado y pintado "de romano" por Martín García y tres indios, hay un retablo de Nuestra Señora, el cual solía formar parte del retablo viejo que estaba en el altar mayor.

Este mismo retablo viejo se mira ahora en el Salón de Cabildos; es grande, de madera, con pilares y molduras doradas y estofadas y la imagen de en medio pintada al óleo en un tablón grande. Representa a Nuestra Señora de los Remedios. En la peana aparecen los cuatro Evangelistas de media talla, dorados y estofados. Hízole Simón Pereyns, igualmente.

Aparte de estos retablos menciónase, como cosa notable, una imagen de Flandes en tabla, con el Descendimiento de la Cruz; tiene sus puertas y una moldura de oro y negro alrededor. Acaso era un tríptico.

Vemos pues que, a pesar de que todos se quejan de la pobreza y poquedad de este templo, algo y bueno había que admirar en él. Aun, empero, puedo mostraros objetos que constituyen una verdadera riqueza: las joyas de la sacristía. Seguidme.

El padre sacristán abre los cajones y desfilan ante nuestros ojos los ornamentos toledanos ricamente bordados con historias, en que cada figura es un modelo: la aguja parece haber acariciado estos rostros y estas manos, así de suaves son sus puntadas. Más parecen de pintura o de un delicadísimo mosaico de plumas, a la manera de los indios, que obra de bordadores. Las capas pluviales

[4] Descripciones tomadas de los Inventarios de la Catedral de México del año de 1588.

3

extienden la enormidad de su vuelo; las dalmáticas con sus alas, las casullas con sus cabos redondeados; las estolas, los manípulos, los collarines, los frontales.

La ropa blanca es una delicia en su albura y limpieza. Vemos las albas, los amitos, los sobrepellices.

Después nos enseñan la orfebrería: hay riqueza de cálices, incensarios con sus navetas, copones, vinajeras y relicarios. Y ¿custodias? Las hay y soberbias. Comparables con las que forman el orgullo de las catedrales españolas, de aquellas que hicieron los Arfes, famosos artífices del metal.

Las principales custodias son tres. Una, la vieja, pertenece ya a esa modalidad artística que han dado en llamar plateresca. Es seisavada, de tres cuerpos que van en disminución, y pesa cuatrocientos doce marcos de plata. La adornan numerosas figuras de plata cincelada y como remate una *Resurrección* de una tercia de alto. El tercer cuerpo tiene seis pirámides a la redonda y seis pilares, y, en el interior, el *Descendimiento* con cinco figuras, y alrededor los cuatro *Doctores* de la Iglesia, del tamaño de un jeme cada figura. El segundo cuerpo presenta seis columnas redondas, rematada cada una por un niño desnudo con las insignias de la Pasión. En este segundo cuerpo está el relicario, con los doce *Apóstoles* y la luneta para el Santísimo Sacramento. El primer cuerpo, el más ancho, se sostiene sobre seis grupos de tres columnas cada uno, entre los cuales se ve la figura de un *Profeta* de una tercia de altura. Cada grupo de columnas está coronado por dos remates redondos y detrás una *Virtud*. Cada uno tiene, además, una campanilla. En los entablamientos hay historias de relieve sobrepuestas y en el interior una *Santa Cena* con los doce apóstoles cincelados.

El señor arzobispo Moya de Contreras hizo otras dos custodias, una grande y otra pequeña. La grande pesa quinientos marcos de plata. Es cuadrada, de dos cuerpos, y en el remate tiene ocho figuras desnudas que sustentan la media caña, metidos en sus cartelas con ocho pirámides y, coronándolo todo, la figura de *San Miguel* con su demonio, cincelada. El cuerpo alto se sustenta sobre doce columnas vaciadas con sobrepuestos cincelados y cada tres columnas llevan por remate un ángel de a jeme, con las insignias de la Pasión, y atrás de cada ángel dos pirámides. En este cuerpo se pone la luneta de oro con el Santísimo, y arriba cuelga la campanilla. El cuerpo grande lleva sus columnas pareadas, con sus niños, y sus frutas y capiteles; entre columna y columna una pirámide de media vara, y ante cada una de dichas columnas un *Profeta* de a palmo con su pedestal y en éstos, otros profetas de relieve, sobrepuestos, y, como remate, los cuatro *Doctores* y los cuatro *Evangelistas* en sus banquillos. Dentro de este cuerpo se ven cuatro tarjas sobrepuestas con la imagen de Nuestra Señora, las armas de San Pedro y las otras dos el escudo del señor Moya de Contreras.

Dentro de este cuerpo bajo hay una caja de plata con sus vidrieras de cristal, de media vara de largo y un jeme de alto, con doce términos vaciados y por remate de ellos cuatro pirámides en cuadro que forman un túmulo, donde se pone una cruz de oro, y que tiene arriba otras cuatro pirámides.

La custodia pequeña que hizo el arzobispo Moya es de oro y está embutida de ámbar. Pesa en total, con su armazón de hierro, su pedestal y sus berruecos, 904 castellanos y cinco tomines.

No era pues tan pobre nuestra primitiva catedral. A estas preseas debemos agregar los tapices que, a igual de sus compañeras españolas, guarda para decorar sus muros en las grandes festividades. Representan asuntos bíblicos y se registran del modo siguiente en los inventarios:

"Una tapicería de la ystoria del Rey Saúl que tiene ocho paños."

"Otra tapicería de la ystoria de Judith y Olofernes que tiene seis paños."

"Una tapicería de la ystoria de Salomón que tiene ocho paños."

"Vn paño de tapicería de seda de la Encarnación."

Desgraciadamente, lo deleznable de la materia de que están elaborados estos tapices, en clima tan húmedo como el de México, hará que estas joyas de arte se vayan perdiendo con el tiempo. Para

1632 se registran: "22 paños de corte, viejos y maltratados." Después desaparecen del todo y no es sino ahora cuando evocamos su recuerdo: el tejido con sus coloraciones, mortecinas de siglos, nos llega como la supervivencia de un perfume antiguo.

Si queréis más noticias todavía, puedo deciros que los colores y aceite para diversas cosas, fueron vendidos por el boticario Rodrigo Nieto, y el oro en panes para el dorado, por el batihoja Diego de Dueñas que llevó 270 pesos por 18,000 de ellos. ¿Qué más? Otro cerrajero, Melchor Banegas, vendió los herrajes para el púlpito y el pregonero público que remató la obra del dorado de la nave central se llamaba Melchor Ortiz y cobró tres pesos por su encargo.

Así quedó la catedral vieja, para resistir otros cuarenta años de vida. Hasta que la nueva, surgida al fin del sopor que en un principio opacaba su fábrica, la absorbió, la arrasó en 1626, dejando enterrados en el sitio los basamentos de sus columnas, en un mismo sueño con las piedras del gran teocali de que ellas propias habían formado parte.

Y sólo unos amarillentos papeles, sumergidos en la muerte de los archivos que parece querer borrar hasta la vida de las palabras, nos permite retroceder en el tiempo, reconstruir lo perdido, rememorar los nombres de los artífices hoy ignorados los más, conocer otras obras de aquellos cuya existencia sabíamos, y fijarlos dentro de la historia de nuestro arte y de nuestras costumbres.

Archivo General de México, 1915.
Laboratorio de Arte, 1937.

2. Una casa de México en el siglo xvi

ESTAMOS en México, por los años de 1595. Con el progreso de la Colonia los edificios van perdiendo su rudeza primitiva para adquirir, en cambio, gracia, estilo. En un principio más parecían fortalezas que casas al decir de un cronista, y de ese carácter algo había de trascender al través de los siglos; tales, por ejemplo, los torreones almenados que resistirán al roer de los años, si bien no serán ya sino elementos decorativos en la azotea. Aún en el siglo xx, tres de las cuatro esquinas de las casas del ínclito Marqués del Valle ostentarán un reflejo de los primitivos torreones.

Frente a nosotros se levanta una casa que, muy al contrario de lo que ocurre con edificios militares, es artística y parece confortable: es de dos pisos; en el inferior se admira la portada que es una bella pieza arquitectónica: su arco es adintelado y se abre entre columnas; sobre éstas hay otras que ya pertenecen a la planta superior y escudan una gran reja de hierro forjado, cuyas labores complicadas más parecen de encajería que de fragua. A ambos lados se miran rejas de carácter renacentista. Sobre la parte central se levanta un remate y allí se ven esculpidas en piedras las armas del dueño. La casa está limitada en sus esquinas por dos torrecillas sobre columnas. Esta casa, así como va descrita, pertenece ya de pleno al estilo artístico que llaman plateresco por decir que sus labores imitan el trabajo delicado de los orfebres, la finura de la plata y el oro en joyas. Yo tengo para mí que los plateros son ajenos a esta manera de edificar que ahora está en boga; creo que son las costumbres de Italia las que nos han traído esta elegancia, este refinamiento. Me han dicho que fue el señor emperador Carlos V quien favoreció este estilo en España y que de allá nos vino, como antes nos habían venido otros. Si esto fue así, bien tarde es para que siga floreciendo, porque ya en España se gusta de otro estilo.

Entremos a la casa. No es sino un patio rodeado de amplios corredores arriba y de piezas en los dos pisos. En el bajo, gran parte ocupan las bodegas; está además, la cuadra, en ella hay un potro rosillo. Subimos, y nos hallamos ya en la casa, en el hogar. El aposento en que se celebran tertulias está adornado con dos espejos medianos; el piso tiene alfombra; las puertas, unos a manera de doseles de tafetán amarillo, carmesí y azul; sobre el encalado luciente del muro se destaca una pintura que representa a Judith en el momento de degollar a Holofernes. Los asientos son ocho sillas de nogal imperial, francesas, de las que hoy se usan; las sillas francesas son caras: Juan Gordillo Carvajal, carpintero de esta ciudad, llevó veinticuatro pesos de oro común por la madera y hechura de tres sillas de nogal que hizo para el Santo Oficio, y aun creo que cobró barato por ser quien es su cliente y deshacerse de él. Hay también cojines de figuras llenos de lana.

En el dormitorio, es notable el gran lecho: es de madera, con columnas hechas a torno, pintado de colorado y oro, tiene cortinas y cielo de tafetán carmesí, con flecadura y alamares de seda de igual color y su rodapié del mismo tafetán. Su aderezo consiste en dos colchones de brin llenos de lana, una almohada grande que llaman travesero o travesaño, dos acericos de lana, o sean almohadas pequeñas, dos sábanas de ruan, una frezada de Castilla y una sobrecama de paño verde de Castilla con su fleco de seda también verde. Luce esta alcoba una antepuerta de guadamecil, dorada, con dos medallas; guadamecil es un cuero de cabritilla adobado y estampado de colores y oro, que nos viene de Córdoba.

En esta casa no hay armarios. La ropa y los utensilios se guardan en cofres, los objetos menudos en cajas o cajuelas. He aquí un cofre con su cerradura y llave; contiene la ropa femenina; abridlo: se ven las sayas de terciopelo negro, las basquiñas, los juboncillos, un capillejo de mujer, de oro y seda azul, las riquísimas medias de seda de Toledo, los puños bordados, las tocas de lino finas, los guantes de olor en un cofrecillo de madera de China... Este otro cofre perulero tendrá la ropa del hombre; vemos, en efecto, un coleto de badana, unos calzones balones de jergueta, otros de rajeta azul con pasamanería de seda parda, un herreruelo de lo propio y con la misma guarnición, puños bordados, gorgueras balonas, camisas de ruan de cofre... Aparte yacen los zapatos de cordobán —los pobres los usan de vaqueta—, el sombrero de fieltro con plumas de Mechoacán, un talabarte de terciopelo con sus pretinas, guarnecido de cordoncillo de seda. Hay en esta pieza una mesilla con su sobremesa de tafetán de China.

Pasemos adelante; este mueble, sobre el que está un cristo con su peana es un escritorio; tiene hasta ocho cajoncillos y gavetas; en éstas se guardan los papeles, en aquéllos las joyas y los objetos chicos. Las joyas son: una sarta de aljófar menudo con una poma de oro pendiente de ella y en la poma una perla; unos sarcillos de perlas, una sortija de oro con piedra azul. Este escritorio de vivos colores es hecho en Mechoacán; anda muy valido por el mundo todo lo que de Mechoacán nos viene; no sólo las jícaras con sus platillos, las cajuelas de colores con su llave, los rosarios; más las escribanías, las mesas con sus bancos y hasta los lechos. Esto aparte de las cerraduras y labores de pluma.

Aquí veis un retablito de tabla con la imagen de Nuestra Señora; tiene sus puertas y parece de mano de indio; en otras casas hay imágenes hechas de pluma; yo he visto una de San Jerónimo, pero son tan deleznables que el tiempo las muda fácilmente.

Henos en el comedor: lo ocupa una gran mesa de cedro con sus bancos; suele haberlas de Mechoacán, como os dije, o de madera blanca de pino; hay varias tablas de manteles y pañuelos de mesa alimaniscos —las casas pobres los tienen de manta de la tierra— y hay fruteros para platos, lisos o labrados de red, y cuadros de lienzo. Para ver la plata tenemos que abrir otro cofre: un jarro de hechura antigua como de dos marcos y medio, cubiletes pequeños, tazas llanas, un salero de tres piezas, seis cucharas y seis cuchillos guarnecidos con coral —otras veces con los cabos de marfil—, las cucharas con nácar. Dos porcelanas pequeñas de la China y unos platillos de vidrio, es la mejor loza, lo demás es de la tierra.

En los trastos de la cocina abundan el barro y el azófar, que es la liga metálica que ha de llamarse latón más tarde. Son de azófar los almireces, las calderetas, los perolcillos y también los candeleros, cuando no de plata. Hay asimismo un asador y una gran tinaja colorada. Mas ¿qué risa y bullicio es ese que se escuchó levemente? Sería el negro que oyó voces y se habrá puesto en cobro.

Recorrimos ya la casa cuya paz sólo turban nuestro paso y nuestra plática. Tornemos. Da envidia la serenidad de esta vida, en estos corredores, bajo este cielo que no conoce tormentas. Llegará, presto, la tarde con los rubores de su crepúsculo y si el dueño de la casa se consume de tedio, que no se consumirá, pues anda muy hallado con su vida, todo será tañer el arpa que visteis allá en su caja de ébano, o el clavicordio, que también suele haberlos, o la vihuela. Mas ¿los libros, la sabiduría? No nos piquemos de letrados que así acrecentaremos nuestro caudal. Libros, sólo hay dos: uno de Fray Luis de Granada, acaso la *Guía de pecadores,* y otro en romance, impreso en México (1585 o 1586) *sobre el arco que se hizo a la entrada del Virrey, Marqués de Villamanrique:* éste servirá de entretenimiento y solaz.

De nuevo en la calle, os disponéis a alejaros de aquí. ¿No me preguntáis si todo ha sido embelecos del bazar de mi fantasía, o la pura historia? En verdad que no puedo decir que la dicha casa está en la calle de Celada, en la de los Oidores, o en la de los Bergantines; mas de seguro os digo que mi casa existe, y que me cuesta pintarla hartos días de registrar infolios sin dejar cosa por ver, y que podéis creerlo todo, cual si por vuestros propios ojos lo vierais.[1]

1915-1939.

---

[1] La documentación para este artículo está tomada de dos fuentes: 1a. En el plano de la ciudad de México, que data de 1596 y se conserva en el Archivo de Indias, donde aparecen ya las casas en la forma descrita. Fue publicado en el volumen II de la obra *Iglesias de México* en 1924. 2a. El Archivo General de la Nación. Las noticias de muebles, ropas, adornos, utensilios, etcétera, rigurosamente exactas, son de diversos tomos del ramo de *Real Fisco de la Inquisición, Siglo* XVI. De allí también la noticia del libro impreso en México; es uno de tantos que hay que añadir a la lista de obras desconocidas, publicadas en México antes de 1601.

3. La iglesia de Santa Cruz Atoyac

INCREÍBLE parece que todavía en estos tiempos, en pleno Distrito Federal, en zona de ampliación de la ciudad de México, existan joyas de arte arquitectónico desconocidas o ignoradas. Así es en efecto: ¿quién conoce las ruinas de San Simón? ¿Quién ha ido a Míxquic? ¿Quién a Sanctórum? ¿Quién, siquiera, ha admirado los frescos del claustro de Azcapotzalco? Pero si de esos monumentos, por referencia siquiera, se sabe que existen, más curioso es que de otros ni la existencia se sospecha. Y así es también. Nadie hasta ahora ha hablado de un pequeño pueblo, Santa Cruz Atoyac, perteneciente a la delegación de General Anaya, que tiene, nada menos, que un templo que data del siglo XVI. Fue el arquitecto Mendiola, si no he sido mal informado, quien descubrió esta pequeña joya. Ahora es conocida y estudiada gracias a que los vecinos de la localidad, con muy buen acuerdo, han solicitado de la Dirección de Bienes Nacionales, permiso e instrucciones para hacer a su templo las reparaciones necesarias a fin de conservarlo. Ojalá que este ejemplo sirva de incentivo para organizar juntas de vecinos caracterizados que cuiden de la conservación de los templos, único medio de salvarlos de la ruina. Los templos son de la nación, del pueblo; el gobierno está imposibilitado para repararlos, tanto más cuanto que esas propiedades son improductivas. El clero no dispone de recursos para llevar a cabo la reparación de los inmuebles que ocupa. Son pues los fieles, que usan del edificio los que deben, dentro de sus posibilidades, reparar los templos. Por eso es digna de encomio la iniciativa de un distinguido grupo de vecinos de Santa Cruz Atoyac para gastar en la compostura de la iglesia, los dineros colectados para la fiesta, dineros que se disiparían en humo; en humo de cohetes, en humo de pulque y tequila, en humo de alegría pasajera.

Siguiendo la carretera nueva que conduce a Coyoacán por la Colonia del Valle, en el punto en que los tranvías llegan al lugar llamado, si mal no recuerdo "Quinta Rosa", torciendo a la izquierda, se llega, en diez minutos de camino, al pueblo. Nada nos indica la existencia de un monumento; los frecuentes hornos de ladrillo dicen de la ocupación principal de los habitantes y, si vemos un mapa del Distrito, encontraremos que Santa Cruz viene a ser como una prolongación de la Ladrillera. Pero aquí la vegetación es más fresca y abundante: hay pequeños huertos: "el maicito", las membrilleras, los perales y perones, uno que otro capulín, y flores; flores de esmalte que blasonan con sus vivos colores la gris uniformidad de la arcilla.

La cerca que encierra el atrio del templo es moderna, del ladrillo que llaman "tabique" formando grecas como las de las citarillas. Desde luego, al entrar nos llama la atención una gran cruz de piedra, rematada en su cabeza y sus brazos por grandes flores de lis como la de Cuautitlán. Es menos ornamentada que ésta, pero también del siglo XVI como ella. Su base es un bloque cuadrangular que presenta en tres de sus caras los escudos franciscanos de las cinco llagas en vigoroso relieve y en la que mira al templo un cráneo y dos fémures de sabor primitivo. Recuerdan estos relieves los de Cuernavaca, por su carácter y primitivismo. Es de notar que la cruz se halla muy cerca de la entrada al atrio y, si recordamos que estas cruces ocupaban precisamente el centro, debemos admitir que a este atrio se le ha cercenado cerca de la mitad.

Pero ya el templo nos atrae con su magnífica portada, magnífica no porque los adornos la cubran
7 y la suntuosidad la exalte. Magnífica de sobriedad, de sencillez, de casticismo. Enmárcala un alfiz
con sus escudos que ostentan cruces flordelisadas en sus cabos. El arco de la portada es de medio
punto, moldurado con grueso baquetón en el que se enrolla una banda doble; en la imposta del arco
y en las basas de las jambas, gruesa moldura igual con grandes flores o rosas, semejantes a las que
existen en la portadita del atrio del templo de Xochitepec en Morelos. En el centro del espacio cobijado por el alfiz, un ventanillo o tronera y en la parte más alta, inmediatamente abajo de la moldura superior una bella inscripción: A XXIX DÍAS DEL MES DE DICIEMBRE, MDLXIIII AÑOS, desatando la
abreviatura de diciembre. Corona toda la portada, descansando sobre el alfiz, un hermosísimo escudo franciscano en relieve, enmarcado en una corona de espinas estilizada, al nivel de la moldura
alta del alfiz, corre una pequeña cornisa formada de un solo baquetón, ornado de pomas, características, como es bien sabido, del estilo español llamado gótico-isabelino, del cual buenas muestras
tenemos. La transición de ese estilo al del Renacimiento es clara y de ese momento data esta portadita. Su importancia es grande, pues además de su belleza propia, va a permitirnos datar otras
muchas portadas, semejantes a ella y que carecen de fecha. El campanario es posterior: hállase cubierto de relieves en argamasa de dibujo geométrico; acaso date del siglo XVII.

El interior ha sido modernizado en gran parte. Los techos de viguería fueron sustituidos por las
vulgares viguetas de acero con bóveda de ladrillo. De su aspecto original quédale sólo el arco de
triunfo que separa un ábside rectangular de una nave también rectangular, pero más ancha, y una
puertecilla de bello cerramiento que conduce a la sacristía. Pocos son los objetos de interés que encierra: una pila de agua bendita, esculpida en piedra, que descansa sobre una basa de columna. Una
virgen de Guadalupe con ramos de flores, pajarillos y mariposas en sus ángulos, en vez de las tradi-
cionales "apariciones"; un San José, aceptable, al parecer colonial del siglo XVII, y, en la sacristía,
un fragmento de fuste de columna original, seguramente, del retablo abalaustrado y con relieves característico de 1500. Existe también el comienzo de una inscripción de tiempo del arzobispo virrey
Vizarrón y Eguiarreta.

Así debieron de ser los pequeños templos del primer siglo de la Colonia: sencillos llenos de tranquilidad y reposo. Fue éste hecho por los franciscanos, pero no hubo convento; fue simplemente
"visita" como hoy es visita el de Coyoacán.

Salimos satisfechos de haber visto cuanto se conserva, con calma y cariño, y nos disponemos al
regreso. Admiramos por última vez la portada, con respeto contemplamos los vetustos olivos, año-
sos de siglos, que ostentan troncos informes; nuestro amable guía nos muestra una curiosidad natural: un "Pirú" que se ha injertado en la horquilla de un viejo huizache, con el que crece en amor y
compañía, y, henchido nuestro anhelo artístico, retornamos de prisa, aguijoneados por el hambre,
después de una buena mañana de sol, de trabajo y de plenitud.

24 de abril de 1931.

4. Tepetlaóztoc y el ermitorio del padre Betanzos

CUENTA fray Jerónimo de Mendieta, en su *Historia eclesiástica indiana*, que, así como don fray Juan de Zumárraga, obispo de México, recibió las bulas que lo promovían al palio archiepiscopal, temeroso de que "los ciudadanos de México no le fuesen a importunar que aceptase la nueva dignidad, acordó de partirse para un pueblo que se llama Tepetlaóztoc, que dista de México ocho leguas, donde a la sazón era morador su muy íntimo amigo y siervo de Dios fray Domingo de Betanzos, de la orden de los predicadores, en cuyas manos (como lo decía el bendito pontífice) deseaba morir". Salió de México recatadamente "después de media noche, y diose tanta prisa a caminar en un jumento harto humilde de que siempre usaba, que llegó a las nueve del día a Tepetlaóztoc, donde fue alegremente recibido de los religiosos del monasterio". Sea de resultas de tan fatigoso viaje, o bien de haber confirmado allí, en cuatro días a catorce mil quinientos indios, su viejo mal de orina, "de que era apasionado", diole con tal furia, que lo puso en el trance de volver a su casa, ya arzobispal, donde murió en brazos de fray Domingo, que le había acompañado. Así desbarataba la muerte la trinidad de amigos que —únicos dignos de serlo— habían vivido en comunión espiritual inefables entretenimientos: fray Martín de Valencia, muerto en 1533, el señor Zumárraga en 1548. Quedaba fray Domingo, sin más compañía que su obra, huérfano de la amistad. Habría de morir en España, un año más tarde, lejos de sus criaturas, pero no olvidado: Tepetlaóztoc respira su memoria.

Pasma recordar la energía de aquel viejo de más de ochenta años, que cruzó estos caminos aguijoneando afanoso a su asno en la tremenda ansiedad de la noche. Los ángeles le prestarían sus alas; las estrellas sus fuegos. Desde Texcoco, en automóvil, es una hora de camino. Atravesamos Tulantongo, después Chiautla, después otro pueblo que cruzamos en zig-zag, por sus calles de adobes y órganos hieráticos, entre zambras de perros y ausencia de aborígenes. Luego los campos, los campos que se ahuecan a nuestro alrededor para acoger el rumor importuno en la mañana y aniquilarlo.

Es domingo (¡domingo arqueológico, de horizontes desconocidos; un lodazal, un ford; una meta como una esperanza; un triunfo o un desencanto y un retorno tedioso al tedio cotidiano!) Es domingo, los hombres que van de paseo se han cambiado de limpio; las mujeres, almidonadas, saludan sonriendo; ellos también, sin volver la cabeza.

El fango encadena las ruedas, que luchan por libertarse; el esqueleto del automóvil cruje; los escuálidos H. P. de nuestro fordcito desvencijado piafan, ¿de impotencia? —¡Eh, no! Un último arranque y salimos libres—. Indudablemente estamos ya cerca porque, después del postrer lodazal, cambia la estructura del terreno: es aquí pétreo, amarillento, como de tepetate. Por eso digo que estamos cerca, vamos a llegar al sitio que se llama "en la cueva del tepetate": Tepetlaóztoc.

Del gran convento dominicano que, al decir de Dávila Padilla, fue fundado por el propio padre Betanzos, no quedan sino despojos sin interés. La iglesia es grande; acaso fue reconstruida en el siglo XVII, pues nos muestra ya la estructura característica de esa centuria: gran nave con amplio crucero sobre el que descansa una cúpula chaparrona. La portada se abre entre dos grandes pilastras que la encuadran y es de ambiciones clásicas, del siglo XIX ya. Vagamente nos recuerda la de Chalma, que pertenece al mismo siglo. Para llegar a ella hay que ascender una amplia escalinata, que acaso sea lo único que nos queda del *teocali* sobre el cual deben haber sido edificadas la iglesia y casa primitivas, costumbre obligatoria de los primeros tiempos del cristianismo en México.

A la derecha de la gran portada y perpendicular a ella, cosa singular, está la portería del monasterio. Penetramos por dos arcos rebajados a la agreste rusticidad del claustro: todo su centro está ocupado por enormes aljibes y afuera se forman setos en los que crecen frescas y abundantes plantas, que hacen del sitio un oasis delicioso. En los muros, dentro de la arquería del claustro, hay vestigios de pinturas decorativas: grandes círculos que se enlazan geométricamente. En las estancias abandonadas del convento deben quedar restos de pinturas murales; busquémoslos. Y vamos, pero ante un ejército de pulgas, que en escuadrón cerrado sí que saltante nos ataca, huimos en la más vergonsosa y reconocida derrota.

¿Qué hay de interesante en estos edificios muertos, a los que el cambio de gusto arrebató su mérito primitivo? Sólo quedan huellas que muestran lo que un tiempo pudo haber sido; en la sacristía, lastimosa construcción del siglo XIX, como lo indican las fechas que en ella se leen, hay restos de ornamentos antiguos: dalmáticas y frontales del siglo XVI, casullas del XVII, paños de cálices y bolsas de corporales, ¡despojos de esplendores pasados!

¡Y pensar que este convento fue de los primeros que fundaron los padres dominicanos en el país! Cuando, en 1535, se verificó el primer capítulo provincial, sólo había siete conventos, y el de Tepetlaóztoc ocupaba el cuarto lugar, después de los de México, Puebla y Oaxaca. Los otros tres eran los de Oaxtepec, Coyoacán y Chimalhuacán Chalco. Su advocación era la de Santa María Magdalena, y se conoce que, una vez muerto fray Domingo de Betanzos que era su alma y su vida, el monasterio vino a menos rápidamente, pues cuando fray Alonso Franco hace la relación de casas de la orden, en el siglo XVII, Tepetlaóztoc ocupa ya el décimocuarto lugar.

El desencanto del fracaso nos invade; la imaginación, que aguza las ansias del viaje creando conventos góticos o románicos se vuelve contra nosotros, víctimas de ella y del desengaño. Pero he aquí que alguien nos saca de nuestra cavilación: ¡Aún hay algo que ver en Tepetlaóztoc y eso sí puede ser interesante!: El ermitorio del padre Betanzos. Dice, en efecto, Dávila Padilla que la huerta del convento fue obra del mismo padre, quien enmedio de ella "hizo un oratorio devotísimo, donde gastaba lo más del día y de la noche", y adelante lo describe de la manera siguiente:

Está el oratorio rodeado de altos cipreses, que le escurecen algo y le hacen más devoto. Tiene luego entrando un claustrico pequeño, de seis pies de ancho, y en medio de él un huertecico de doce pies en cuadro, todo angosto y recogido, representado el encogimiento y recogimiento que el alma debe tener con Dios. De este claustrico se pasa a una capilla pequeña, que a la mano izquierda tiene un altar con una imagen del Crucifixo y Ntra. Señora y S. Juan, y a la derecha está una celdilla, tan chica, que apenas cabe en ella más de la tabla en que el santo dormía, sin más abrigo que el que agora tiene desnuda.

Y vamos en busca del ermitorio y vemos que aún se conserva y que, a pesar de las reparaciones
8 que debe haber sufrido, según dos fechas que en él se ven, todavia respira el mismo ambiente. En la huerta anchurosa hay un pequeño espacio cercado y allí está. Su ingreso forma una especie de pórtico cubierto con un techo envigado. Encima se alza una espadaña de bellas curvas. Entramos y allí están los cipreses de que nos habla el cronista. Ponen un toque de melancolía romántica y su fantástica vida secular, echando raíces en la misma muerte, nos asombra. Allí está el claustrillo, diminuto: la capillita, cubierta con una graciosa cúpula, la celda del padre Betanzos, ¡todo! Y para que nada falte y tengamos la sensación de vida pretérita, intensificada alrededor de un espíritu, allí está su re-
9 trato, pintado por los indios, que tanto lo amaban, y que lograron conservarlo así en efigie y completar la supervivencia de su alma, inmortal en el recuerdo.

12

Y aquí sí nuestra admiración se desborda, ferviente. No porque creamos estar ante una obra maestra, sino por el cúmulo de emociones. Mide el retrato como una vara de alto. Está el padre en pie, ante una especie de nicho rematado en concha. Ha sido copiado seguramente de uno de esos retratos de frailes que existían en las porterías de los conventos, como aún puede verse, por ejemplo, en el de Azcapotzalco, que también fue de dominicos. Aparece el santo varón avellanado de rostro, que numerosas arrugas le surcan. En la mano derecha tiene un crucifijo y en la izquierda una filacteria con su nombre y una disciplina colgante. Está pintado al parecer al temple sobre una tela basta, quizá de maguey. No creo que sea contemporáneo del padre, porque eso nos obligaría a aceptar para este cuadro una fecha anterior a 1549, año en que murió, pero sí creo que es copia, hecha por indios, de algún retrato de Betanzos en el mismo siglo XVI. Es admirable por su ingenuidad, por su parecido, por la manera infantil como se han interpretado los detalles europeos de la arquitectura del nicho.

Y satisfechos de nuestro trabajo y rendidos por la fatiga de esta mañana candente vamos en busca de alimentos que nutran nuestra humanidad corpórea, ya que el espíritu se ha dado un hartazgo de emociones, de gozo unas, de desconsuelo otras, pero intensas todas. Y hallamos, para colmo de nuestras satisfacciones y regalo de nuestro apetito, que existe en este pueblo, Tepetlaóztoc, algo que no es frecuente hallar: una hospitalidad generosa. Y así fue como concluyó la jornada.

Tepetlaóztoc, 1925.

5. El templo de Sanctorum

Como a dos kilómetros de Tacuba se recata en un ángulo del camino un pequeño cementerio coronado por vetustísima iglesia. Es Sanctorum. El templo, en ruinas, debe de ostentar vestigios arquitectónicos dignos de ser admirados o, por lo menos, conocidos. ¡Vamos a Sanctorum! "Seguid la ruta que conduce al Panteón Español y, luego, otra bardeada por magueyales que se aparta de la primera por el lado izquierdo." Eso es cuanto nos servirá de guía. Y partimos, dejándonos conducir, más que por la breve indicación, por nuestro *sentido de lo colonial* que podría, como otro hilo de Ariadna, desintrincarnos el dédalo de las modernas vulgaridades, y descubrirnos el celado tesoro.

En el ancho camino, a la húmeda claridad de este domingo de septiembre, no son ideas alegres, hijas gozosas de la vida, las que tejen el sartal de sus danzas. Los perfiles del horizonte, esfumándose bajo el nublado, dan al paisaje la melancolía de lo indeterminable y la crudez de colorido en las plantaciones, inicia una mueca doliente. Pasan tres hombres enlutados. Luego dos mujeres y una chiquilla. A lo lejos se presiente la negra peregrinación de otros seres enlutados. Y todos ellos, caminantes de la tristeza, componen fúnebre blasón —levemente sentimental, un poco severo— sobre el amplio cuadro de otoñal incipiencia . . .

Pero en el fondo, a la izquierda, ha surgido una pequeña iglesia roja, de contorno elegante. Sin duda es Sanctorum. Y con la obsesión de Edipo, en su anhelo de leer los enigmas, a fuerza de mirar los ojos a la Esfinge, olvidamos todo por el secreto de la nuestra, más callada, más misteriosa, no menos sufriente.

Mas ella retrocede tras el espesor de la bruma, queriendo añadir el obstáculo de la distancia. Al cabo va dejándose ceñir por nuestras miradas y, vencida, extiende su forma que es como un desgarramiento. Podemos apreciar un ábside almenado que se distingue del cuerpo de la iglesia por ser más angosto. El campanario, cuyo perfil se destaca sobre el plúmbago celeste, parece añadido posteriormente al templo; es de dos cuerpos, muy parecido a los campanarios de mediados del siglo XVII, que abundan en la ciudad de México.

Llegados al cementerio, hay que bordear su tapia de blancura deslumbradora para alcanzar el interior. Más que la morada de la muerte, semeja el jardín de la melancolía; pero jardín salvaje en que la exuberancia de su vegetación quisiera ocultar las tumbas infamantes.

La iglesia se levanta en el fondo. Sus muros poderosos sostenidos por contrafuertes enormes, el *11* corte de su fachada principal, las huellas que restan del envigado, la concentración del ornato en la portada; son todos indicios de que la construcción del templo data, acaso, del comienzo del siglo XVII. Pero, lo que sobre todo hace presumirlo, es el carácter de los ornatos. Los de la fachada os-*12* tentan, a la par que un medievalismo visible, prolongación de los estilos del XVI, como los ángeles que a ambos lados de la puerta exhalan su dibujo anguloso, cierta tendencia del Renacimiento que pretendía sugerir en cada pórtico el orgullo de un escudo de armas.

El interior nos enseña la disposición de una de las primitivas iglesias que se construyen en la Nueva España. Compónese de una sencilla nave, alargada, con techo pleno de vigas y un ábside en el fondo, opuesto a la puerta. Dentro del tipo de iglesia pueblerina a que pertenece es acaso de las más suntuosas, pues presenta el ábside separado de la nave por un arco, el antiguo *arco triunfal* de las *13* basílicas, y arcos de descarga a lo largo de los muros. Los ornatos que cubren el arco triunfal son de lo más rico que pueda imaginarse, e interesantísimos como muestra de los relieves en argamasa

14

que se hacían en México desde el siglo XVII. En sus dibujos se ven mezclarse los elementos europeos del Renacimiento con los motivos indígenas de ornato, a la par que los trazados geométricos recuerdan los adornos mudéjares que recubren muchos edificios de España. Es asimismo de técnica netamente prehispánica el carácter del relieve muy poco profundo, como el de los dos monolitos donde grabaron las hazañas de sus héroes y los arcanos de su ciencia aquellos hombres de hierro.

La iglesia de Sanctorum es una ruina.[1] Y no la acompaña ni un pequeño ademán preservativo; la yerba, invadiéndola, simboliza el afán de la naturaleza por arrebatarla del dominio del hombre. De sus múltiples escudos —que indican, seguramente, la intervención directa de algún noble de la Colonia en la vida de Sanctorum— el más hermoso ha sido llevado al Museo Nacional. Allí espera su suerte, como símbolo mudo de inconformidad, tan hermético en sus signos que parece uno de los monolitos que a su alrededor se agrupan. Nadie ha podido descifrarlo o, mejor dicho, identificar la familia a quien pertenecía, pero nos basta admirarlo como obra de arte y comprobar cómo se han amalgamado la índole europea de la obra con el indigenismo evidente de la técnica. Si alguien dudase —y hay quien duda— de este fenómeno interesante de la mezcla de las dos culturas, esta piedra, a menos de que se trate de un *parti pris* obcecado, bastaría a convencerlo.

A dos pasos de Sanctorum se halla otra reliquia colonial: San Joaquín. Quizá monasterio, pues tiene el mismo carácter que los conventos campesinos de los alrededores de México, como los de Churubusco, San Ángel y el Desierto de los Leones. Pero éste ha sido transformado actualmente en Hospital Militar.

Dejémosle que guarde sus habitantes, los hijos del dolor y de la sangre, y sigamos nuestro paseo dominical. Otra vez admiraremos sus ruinas, su estanque hermosísimo de colorida arquitectura, enmedio de un parque majestuoso, sus prolíficos rosales, de flores como bocas de fuego.

El cielo continúa adormecido bajo la hopalanda de la bruma. La melancolía del ambiente absorbe los rayos solares, dejando la tierra entregada al ensueño de su propio calor. Y recito mentalmente aquellos versos de Rodenbach, hechos, al parecer a este propósito:

> ... Dimanche, c'était le jour des lentes promenades
> par des quais endormis, de vastes esplanades,
> au long d'un mur d'hospice, au long d'un canal mort
> ou le brouillard, a peine une heure, se dissipe ...

El camino, al regreso, es más triste porque no hay un afán de curiosidad que nos guíe, incitándonos en la ruta. Escúchanse a lo lejos, lentas y cansadas, las voces del campanario; se presiente un entierro:

> ... Le dimanche est le jour oú l'on entend les cloches!
> Le dimanche est le jour oú l'on pense á la mort!

[1] Esta admirable obra de arte se ha salvado de la ruina total. La iglesia ha sido reconstruida y está abierta nuevamente al culto. X. M.

6. El convento franciscano de Zacatlán de las Manzanas

A LA ORILLA de la barranca gigantesca, cuyos contornos se pierden tras la lejanía de la bruma, Zacatlán se esfuma adormecida bajo el escalofrío de sus tejas. Por sus calles quebradas, de pavimento primitivo y terribles escalones, hay un tráfago incesante de hombres con musculatura de bronce, homérica; cubre sus torsos un capotillo azul de corte peculiar y, bajo el ala caída de los anchos sombreros, atisban rostros de fuerte relieve; aguileños y terrosos como de hombres arcaicos: herméticos, con un hermetismo oriental, más legendario que el Asia de Buhda, de Confucio y de Gandhi; son indios zacapoaxtlas. Vienen al mercado con sus espuertas atestadas de naranjas y de flores silvestres, yerbas olorosas y medicinales de sus campos: regresan con la cera para sus muertos, con mil bujerías para sus mujeres y sus hijas; detiénense de paso en las tenduchas a echar un trago, o a comprar panes con que aliviar la fatiga de la ruta, porque sus pueblecitos quedan en la lejanía de la sierra y es tarde, la niebla comienza a descolgar la ceniza de su manto sobre la felpa del monte, y los caminos se tornan más fragosos, más duros de andar.

Antes de llegar a la plaza, nuestra curiosidad tropieza con infinidad de casitas arrimadas a las aceras: de arquitectura típica serrana, con grandes aleros volados para proteger al viandante de la lluvia insistente. ¡Aleros magnánimos! Algunas son de madera casi en su totalidad, escasos ejemplos de esta clase de arquitectura dignos de ser estudiados en México.

La plaza de Zacatlán, pueblerina, con un ancho portal de arcos esbeltos para pasear en él todos los atediados crepúsculos que desgarra el perfil de las iglesias, con sus torres como lanzas ambiciosas de cielo. Desde el último arco, enclavado en su curva como bajo un pequeño mundo sideral, se nos ofrece un interesante rincón: amplio edificio encalado cierra por ese punto la plaza y tuerce a la derecha formando un resalto en el que hay un portal edificado con delicioso primitivismo.

Las dos iglesias de Zacatlán son la parroquia y la del antiguo convento de San Francisco. La primera forma parte del cuerpo del edificio blanco de la plaza; su fachada, en la forma habitual de retablo, con adornos de argamasa de factura popular, brilla entre el follaje de la plaza, reverbera al sol en un espejeo de cal. En la sotabanca de cada columna hay esculpido un angelucho, a manera de cariátide.

La iglesia del convento franciscano es mucho más interesante: de pesada arquitectura exterior, hay que imaginarla sin el aditamento tardío de los campanarios que la flanquean, para concebirla en su primitivo estado. También parece posterior el muro, hoy clareado a balazos, que por fuera corresponde a la nave central; sólo la recia muralla coronada de almenas primitivas evoca los tiempos arcaicos de nuestra arquitectura. La sencilla portada clásica con su frontón triangular, reminiscencia acaso del herrerianismo en México, ¿pertenecerá al siglo XVI? Sobre la arquivuelta, una inscripción nos enseña la fecha de la bendición del templo; mas no es posible asegurar que corresponda al actual edificio.

El interior de esta iglesia es de un sorprendente italianismo; es una basílica italiana, transparente, de tres naves con techo plano, más elevado el de la central que los de las laterales; miden éstas como siete varas de ancho y la otra el doble. Las separan dos danzas de columnas esbeltísimas que sostienen arcos de medio punto, y en el fondo de la nave mayor, tras el arco triunfal, está el ábside. Una serie de pequeños resaltos, a modo de ménsulas, colocados al mismo nivel que las soleras de la nave grande, hacen presumir que la iglesia tuvo acaso un techo de dos aguas en el centro, un alfarje, como la iglesia de San Francisco en Tlaxcala, por ejemplo; esas mensulillas que ahora carecen de objeto, servirían de apoyo a los tirantes. No por la decoración que carece de valor (aunque al hacerla se tuvo el buen sentido de pintar medallones en los muros que sostienen la techumbre de la nave de enmedio, sobre los arcos, en los sitios en que debería haber ventanas como en los originales italianos, y estos medallones hacen magnífico efecto), sino por la pureza de su estructura general, esta iglesia es admirable.

El antiguo claustro del convento, en su parte baja, está formado por gruesas columnas de altura *15* ligeramente mayor que la de un hombre, sobre las cuales descansan arcos rebajados; la parte alta, de recio sabor español, recuerda la arquitectura de madera, las columnas formadas por troncos, las zapatas en que se apoyan las soleras horizontales que sostienen las vigas. Por su robustez, por la proporción del arco, el claustro bajo a primera vista parece como supervivencia románica de mediados del siglo XVI, en que sin duda fue edificado.

Es un deslumbramiento de plata la luz matinal que se desliza entre la niebla, acariciante. En la plaza pululan los mercaderes; tienen prisa, hablan en voz baja, como para no desperdiciar energía en gritos; hay un zumbido que surge de un punto, se va desarrollando, nos envuelve, envuelve al pueblo entero, como el volar de un gigantesco coleóptero, cuyos élitros fuesen la infinidad de tejados, rojos y brillantes los unos, enmohecidos y verdegueantes de intemperie los más; bellos todos, en un paisaje rústico, sincero, de leve sugestión cubista.

Zacatlán, 28–29 de octubre de 1924.

Inscripción colocada en la portada de la iglesia

7. Santo Domingo de Yanhuitlán

PARA ir a la Mixteca alta hay que apearse en la estación del Parián, como vamos camino de Oaxaca en el Ferrocarril Mexicano del Sur, y de allí internarse en aquel recóndito mundo. Yanhuitlán dista como cuarenta y siete kilómetros de esta pobre estación, alrededor de la cual unas cuantas casas se apiñan.

Partimos a buena hora de la tarde, un aborigen de pura sangre me sirve de escudero y guía y yo, caballero de la arqueología andante, en un rocín trasijado y sucio.

El camino se cuelga en la ladera de los cerros, por la misma cañada que sigue el ferrocarril tanto tiempo, y busca un intersticio para horadar la montaña. Penetra por un gran barranco, en cuyo fondo un arroyo va a engrosar el río que corre en la cañada; la sequía los ha enflaquecido, para gozo de los viajeros que van por caminos peligrosos en tiempo de lluvias.

¡Qué delicia, de tarde, este sendero tortuoso que desciende hasta el agua, cruza el arroyo repetidas veces, trepa a uña caballo por la enriscada pendiente, para volver a descender y a subir! Las yerbas aromáticas —estas infinitas yerbas aromáticas de la Mixteca—, quieren entregarnos en su aroma su espíritu, y los arbustos se cruzan para detener nuestra prisa. ¡Tienen razón! Aspiremos a todo cuerpo el espectáculo de esta naturaleza orgullosa. Al buscar las obras de los hombres, escondidas en el riñón de esta tierra, sepamos también gozar de las bellezas naturales, que aquellos infelices trataron de imitar vanamente.

A las seis de la tarde había oscurecido casi por completo: el monte cantaba en sordina una lenta canción acompañada por infinidad de organitos. La sombra del barranco era acribillada por mil luciérnagas rojizas; el trozo de cielo pálido, demarcado por los montes, arriba, se dejaba vencer por la debilidad de las estrellas nacientes.

Y en aquella sombra en que no podíamos contar con la luna —que sólo apareció después, al subir la cuesta, como de compromiso, pues andaba todavía pensando en devaneos de eclipse— la ruta se tornaba difícil. A veces las herraduras se aferraban sobre el basalto, como garras: o, al borde del abismo, más profundo a causa de la oscura incertidumbre, se estremecían las patas del caballo que se plantaba en seco. La subida fue penosa: la oscuridad aumentaba rodeándonos de monstruos y dificultando el paso de la bestia. Íbamos a hacer noche en Huauclilla, pueblo que ocupa la parte alta de una loma, y que se alejaba, se alejaba frente a la impaciencia del viajero, devorado por sus pensamientos.

Huauclilla es uno de los pueblos más originales que conozco: a lo largo de una sola calle, eterna, cincuenta casas se reparten de trecho en trecho. "Es tan grande como México, habíame dicho un simpático agente viajero conocido en el tren: se tarda uno el mismo tiempo en atravesarlo a caballo." Las casas se acercaban disformes, con su negro techo puntiagudo, o a veces la luz interior se colaba por las ramas de que está formada la puerta, y quedaban atrás. ¿En cuál de estas casas vamos a pasar la noche?, me preguntaba yo frente a cada una. Mi caballo, sin preguntarse nada, barruntando pesebres dondequiera, dirigía sus pasos hacia toda puerta abierta que encontraba. Y llegamos a una venta miserable, junto a la cual las de don Quijote realmente eran castillos, y representamos en ella la comedia de gentes que van a dormir. En el cuarto que me dieron había un escritorio y sobre él, la historia del *Periquillo Sarniento*. Del techo colgaban enormes coronas de velas de cera y sobre las paredes todos los héroes de la Independencia y la Reforma, confortaban al espíritu. En esta estancia

18

patriótica pasé una de las noches más malas de mi vida, sobre un vil petate que envidiara aun al camastro de Sancho.

A las cuatro de la mañana estábamos a caballo. El camino serpeaba entre la oscuridad: todo era cielo desbordante de estrellas y, como si sus parpadeos no bastaran, infinitas estrellas errantes entretejían sus huellas. Amaneció lentamente y hubo necesidad de hacer un rodeo para buscar otro caballo, porque al mío con el día le entró una pereza mortal. A las diez de la mañana entrábamos triunfantes en Nochixtlán, con hambre de vestiglo y curiosidad de mujer.

Pero Nochixtlán es insignificante. Su iglesia es del tipo habitual de iglesia que hemos visto, iglesia oaxaqueña, pesada, de proporciones bajas; iglesia para resistir temblores: en ella la fe de sus fieles está segura. Su construcción, salvo la portada de cantería amarillenta, denota el tipo popular que también abunda aquí: su cúpula sin linternilla recuerda de lejos las cúpulas bizantinas de España —catedral de Zamora o catedral vieja de Salamanca—. Una de tantas reminiscencias casuales, y absurdas. En las casas, el arco que da acceso del zaguán al patio, presenta en este pueblo una serie de curvas y ángulos que le prestan curioso aspecto.

De Nochixtlán a Yanhuitlán son tres horas de camino llano. Se cruzan varios pueblos, se pasa el río y al fin se llega a San Mateo Yocucuí. La pequeña iglesia de este pueblo tiene en su ábside la fecha de 1662 y es un delicioso tipo de arquitectura popular. Las bóvedas irregulares compiten con la torre cuadrada en cuyos ángulos han labrado cuatro santos, esculturas primitivas de perfil chato, esculturas arquitectónicas en la más ceñida acepción del término, que de lejos parecen pilastras o contrafuertes, o cualquier otro aditamento puramente constructivo.

Al salir de este pueblo se ve Yanhuitlán en el fondo de un valle, al pie de unos cerros manchados de caliza. Y ya no se le pierde de vista y, mientras más caminamos, más se aleja. Su aspecto obsede: quisiéramos que se ocultase para aparecer de improviso junto a nosotros en una vuelta del camino; pero no. Distinguimos perfectamente la mole de la iglesia, gris sobre los campos, y este irritante ofrecerse sin entregarse nos acompaña hora y media.

De su pasado magnífico quédale apenas la amplitud de sus calles, anchas y largas como las de una ciudad, si bien cubiertas de yerba, y la maravilla de su convento dominicano cuya iglesia es hoy parroquia.

La iglesia de Yanhuitlán consérvase hoy exactamente como la describe el padre Burgoa el año de *17* 1669. El tiempo la ha maltratado sin lograr abatirla. Desde la plaza, subiendo los peldaños que conducen al atrio, atravesando el arco de medio punto que en él se abre, nos parece llegar a un edificio románico; el ábside de la iglesia, en forma semicilíndrica, sin una ventana, hasta la cornisa; el *18* formidable botarel que la ciñe en toda su altura perforado por un arco; todo el edificio de piedra de sillería perfectamente labrada, adquiere un aspecto peculiar. Acostumbrados a las iglesias oaxaqueñas, pesadas y macizas, esta mole altísima nos asombra; no es una fortaleza como los templos franciscanos porque hasta la cerca almenada del atrio ha desaparecido.

La primitiva iglesia fue comenzada a edificar en 1541 por fray Domingo de Santa María con licencia del provincial, fray Domingo de la Cruz, electo en el capítulo de ese año. "Hízose la fábrica con tanta estrechez como desaliño", dice el padre Burgoa, a causa de "la mala disposición de oficiales y cortedad de un caballero que asistía a quien había dado en encomienda" el pueblo.[1] A su muerte pasó la encomienda a Francisco de las Casas, caballero de Trujillo, deudo del Marqués del Valle. A la magnificencia de este encomendero debemos la iglesia de Yanhuitlán, por más que no haya sido él, sino su hijo Gonzalo quien dio cima a la obra. Escogióse sitio en el fértil valle; fue

---

[1] *"Geográfica Descripción de la parte Septentrional del polo Ártico de la América y nueva iglesia de las Indias Occidentales*... Conságrala a su esclarecido patriarca... Fr. Francisco de Burgoa". México, 1674. Escribía su obra en 1669. La historia de Yanhuitlán está en el capítulo XXII, Fols. 133 vto. a 139. En él se encuentran todos los párrafos que cito entre comillas.

bendecido por los religiosos y abriéronse los cimientos de la nueva iglesia sobre un terraplén preparado, de más de quinientas varas en cuadro. Aún existen las escaleras que a él suben: son tres y la de los lados oriente y norte conservan su arco de medio punto. Con toda solemnidad fue puesta la primera piedra por el prelado, la segunda por el encomendero; mientras los frailes y los feligreses rezaban de rodillas la letanía de todos los Santos, "esculpiendo cruces en las piedras y arrojando preseas de oro, plata y piedras preciosas entre ellas". ¿Cuándo fue puesta la primera piedra? Ningún cronista lo dice, pero fue antes de 1550, porque ese año se quejaron los indios de Yanhuitlán de haber sido atacados a mano armada por los de Teposcolula, cuando iban a la obra del templo que estaban edificando.[2] El año siguiente el virrey don Antonio de Mendoza habla de la fábrica de Yanhuitlán: "Se hace una buena casa y de muy ruin mezcla, habiendo mucha cal y muy buenos materiales, sólo por falta de oficiales."[3]

¿No habían pues venido del Escorial el arquitecto y el pintor como dice nuestro cronista? ¿De dónde tomaría el bueno del padre Burgoa esta leyenda? Porque además de lo incompatible de las fechas, basta ver este edificio de piedra amarillenta con sus bóvedas de crucería, con su portada plateresca, con sus ventanas de tradición gótica de gracia incomparable, para estar convencidos de que nada tiene que ver con la helada tumba de los reyes de España, de arquitectura severa como un dogma, lógica como un silogismo.

La construcción tardó veinticinco años y en ella trabajaron seis mil indios, remudándose de seiscientos en seiscientos. Así lo aseguraron a Burgoa indios antiguos del pueblo. Las canteras de donde se extrajo la piedra para la obra distan dos kilómetros al noreste, en un paraje denominado Yucudú.

La iglesia está formada por una gran nave sin crucero, con el altar mayor al oriente y la portada principal al poniente. Esta portada no me parece contemporánea del templo, pues presenta la disposición habitual que después tomaron las portadas de las iglesias dominicanas: se compone de tres cuerpos, el primero lo forman cuatro columnas dóricas sobre un basamento, embebidas en el muro, dos a cada lado de la puerta que tiene arco de medio punto; las del segundo son corintias y en el tercero pilastras almohadilladas. Sobre la puerta, un relieve, y, arriba, una ventana rectangular: la ventana del coro. Entre columnas y pilastras nichos con estatuas, éstas de ningún valor artístico. Cada pilastra tiene sobre la cornisa final un remate o pináculo.

La portada del lado norte es una espléndida muestra del arte plateresco. No parece haber sido concluida, pues presenta partes en que han dejado la piedra lisa, preparada para ser esculpida, como los medallones de las enjutas del arco de la puerta. Es éste en asa de canasta, con su arquivuelta ornada de casetones y encuadrado por dos columnas con capiteles renacentistas; sobre la cornisa, un ático, y, arriba de cada columna, perillones esbeltos. Sobre el ático hay una gran concha en relieve, orlada de pequeñas salientes y, entre ella y los perillones, dos relieves circulares. Toda esta gran portada está encuadrada por dos altísimas columnas abalaustradas con su entablamento y su ático, y que terminan en pináculos piramidales. En la parte más alta, una ventana ajimezada, admirable, con tracerías caladas de piedra. No es un ajimez morisco sino más bien una ventana de tradición gótica; más que española parece italiana. Menos adornadas, con más sabor gótico, pues tienen curvas flamígeras, son las otras ventanas del templo; sus lacerías de piedra se han roto en parte. Desgraciadamente esta bella cantera de color amarillento, que se patina en verde y se oxida en rojo, es muy alterable bajo la acción del tiempo. Véase cómo las grandes columnas de la portada lateral están partidas: se han abierto en grietas enormes.

2 Gay. *Historia de Oaxaca*; I. 349.
3 *Instrucciones que los virreyes de Nueva España dejaron a sus sucesores.* México, 1867. p. 239.

A la altura de las ventanas hay una moldura que rodea el edificio, salvo la portada principal que se ve sobrepuesta. Si la iglesia tuvo alguna crestería en su parte alta, ha desaparecido; sólo hay una cornisa que no es muy volada y que la distancia hace invisible.

Correspondiendo con el botarel del ábside hay otro que sostiene lateralmente la fachada por el costado del norte. Sólo que éste es perpendicular a dicho costado, mientras aquél es oblicuo al án- *18* gulo de la iglesia. Burgoa cuenta así la historia de estos contrafuertes: "y porque este maquinoso edificio empezó por lo menos firme del terrapleno a hazer dos gretas grandes en la capilla mayor y coro, traxo Nro. Señor a un grande oficial italiano, que le hizo por la parte del patio dos estribos argotantes, con tanta curiosidad y acierto que desde el techo de la iglesia la ciñeron, de suerte que con el movimiento de los grandes terremotos que ha habido se han ido cerrando las gretas."

El interior corresponde a la esplendidez que afuera hemos visto. El piso está enlosado; la nave *21* ofrece anchurosidad y elevación monumentales. El coro descansa sobre un artesón, de estilo rena- centista, encasetonado en forma de exágonos y rombos de ricas molduras. Cada exágono tiene en su centro una piña. Por su dibujo es igual al del salón principal del palacio de Peñaranda de Duero, si bien éste sigue una superficie curva y aquél es plano. Es también semejante al de la Sacristía de la iglesia del Hospital de Jesús; pero éste es de octágonos, rombos y cruces. Esta magnífica obra de carpintería se halla en completo estado de destrucción; hanse caído ya algunos casetones y, si no se le salva a tiempo, desaparecerá pronto. En el coro, hay un notable órgano de madera tallada, inte- ligentemente reparado.

Las bóvedas de tracería tienen la misma altura y sus nervaduras presentan el mismo dibujo; mué- vense todas sobre una imposta que corresponde a la moldura exterior que está al nivel de las venta- nas; la del ábside, semicilíndrico, tiene la forma de cuarto de esfera y de medio cañón sobrealzado. En ella la tracería es de dibujo ajedrezado, el cual, parejo en el cañón, va disminuyendo hacia lo alto en el cuarto de esfera.

A lo largo de la nave se acomodan retablos de diversos tamaños y estilos: desde aquellos del siglo XVI que imitan arquitectura plateresca, hasta los del XVIII de un churriguerismo perfectamente defi- nido, en la fantástica preponderancia de sus pilastras estípites. Hay en ellos pinturas de vario méri- to, todas coloniales y algunas de esa simpática factura popular, tan espontánea, tan atrevida, tan íntima. Admirables son también algunos de los crucifijos que se custodian en sitios diversos. Si- guen un tipo obligado, oaxaqueño al parecer, y corresponde cada uno, con un ángel de los que aquí se ven, a cada barrio del pueblo. Y hay que notar el cuidado con que están algunos cubiertos con fundas de tela. Cada barrio sale con su Cristo y su Ángel en las festividades religiosas.

En el costado sur de la iglesia se abren dos capillas. La primera, en el tramo del coro, es aquella de que habla Burgoa y que no pudo ser utilizada a causa de su oscuridad, hasta que le abrieron una claraboya al claustro, y entonces fue puesta en ella la imagen de Santo Domingo de Soriano. A pe- sar de esta claraboya la capilla es bastante oscura; hoy está abandonada y sirve de bodega. La otra capilla era antes del capítulo; ahora solamente queda en ella el Sagrario. Es notable, sobre el altar, un *Descendimiento* en medio relieve, de mármol, formado en tres grandes bloques, con figuras un poco mayores del natural. Esta estupenda obra escultórica está policromada tal y como si fuese de madera. Burgoa dice que fue encarnada al óleo, pocos años antes de que escribiese su obra en 1669. *23*

Como el ábside es menos ancho que la iglesia, hay un magnífico arco triunfal. Cubierto de relieves de piedra, con infinidad de adornos y arabescos, tiene las estatuas de San Pedro y San Pablo y sobre la moldura que prolonga la imposta, dos ángeles enormes. Hállase todo él policromado y en su parte inferior hay dos arcos tapiados, como de altar o capilla y lo mismo ocurre con los que se abrían en el interior del ábside y de los cuales habla Burgoa diciendo que el sacerdote podía entrar en una capilla que quedaba entre el muro y el retablo. En este sitio debe haber estado la sepultura del encomendero y su familia, si es que la hubo, esculpida por algún Berruguete colonial.

El gran retablo de la capilla mayor presenta una forma rara, pues sus tableros están en disposición de biombo, lo que impide apreciar desde algunos puntos del templo las pinturas que hacen ángulo. *22* Burgoa dice que el retablo quedó "en forma de media caña el hueco, afuera el medio", lo que corresponde exactamente a la disposición actual. Al ver este gran retablo creí que habría sido modificado, pues apenas se concibe que pintor alguno coloque tan mal sus cuadros. La talla de las pilastras no es del siglo XVI, sino parece más bien de principios del XVIII, lo que concuerda con las fechas de 1718 y 1720 que se distinguen en la parte exterior del ábside. La primera es fácilmente visible a los lados de la cruz; la otra está invertida, como para leerla desde la bóveda. Pero, pues Burgoa describe el retablo tal como existe, salvo la capilla que había entre él y el muro, se tratará sólo de una reparación del templo. Acaso en esa fecha se tapió dicha capilla.

Sea como fuere, he aquí que estamos frente a las únicas pinturas auténticas de Andrés de la Concha, el gran maestro colonial del siglo XVI.

Para la pintura, dice el padre Burgoa tantas veces citado, vino assí mesmo del Escurial (?) el Apeles deste nuevo mundo, Andrés de Concha, tan científico en su arte, que cada imagen suya parece idea de la naturaleza: la valentía en las líneas de relieve y sombras es con tanta propiedad, que daba alma a las figuras y hízolas; de lienzo sobre tablones empalmados, para este retablo, disponiendo la talla y ensanblaje de columnas, frisos, y cornijas tan reguladas a las medidas del arte, que todo ha sido admiración para los más excelentes Maestros de uno y otro arte que han venido a verla ...

Si la iglesia fue comenzada hacia 1550 y tardó veinticinco años en ser construida, como las pinturas deben naturalmente haber sido hechas a lo último, podemos asignar a este retablo una fecha comprendida entre 1570 y 1575, que está de acuerdo con las noticias que del pintor conservamos.

El retablo está compuesto de cuatro cuerpos y un remate, que descansan sobre un basamento. Cuatro series de columnillas pareadas entre las que hay esculturas, dividen los cuatro cuerpos en doce compartimentos. Las que los limitan centralmente se prolongan hacia el remate y forman otro. Once de estos compartimentos están ocupados por pinturas grandes en tabla, y otras pequeñas se distribuyen en diversos sitios. Comenzando por el remate, tenemos: al centro la pintura grande representa un *Descendimiento*. Sobre ella, coronando todo el retablo, un cuadro pequeño de *Santo Domingo;* a los lados, sobre las filas de Santos esculpidos que bordean la parte central, los escudos de Santo Domingo, y sobre los cuadros laterales del retablo dos cuadritos que representan *Santos*. En el cuerpo que sigue hacia abajo, tres pinturas: a la izquierda la *Virgen del Rosario;* al centro, la *Purísima* y, a la derecha, *La bajada de Cristo a los infiernos*. Luego tres cuadros: *La Resurrección* entre la *Ascensión de Cristo* a la izquierda y *Pentecostés* a la derecha. Más abajo, a la izquierda, la *Adoración de los Reyes;* en el centro, Santo Domingo y San Francisco, de escultura, posteriores y sin mérito, y, a la derecha, la *Circuncisión*. En el cuerpo inferior sólo hay dos cuadros: *La Anunciación* a la izquierda, y la *Adoración de los pastores* al otro lado. En el centro ahora ocupa el hueco antes vacío, un cuadro insignificante. En el basamento, como "predelas", se ven, abajo de los cuadros grandes de la derecha, *San Jerónimo* y a la izquierda la *Magdalena penitente;* y en la parte inferior a las columnillas pareadas, hasta la derecha, una *Santa con la palma del martirio*, y *San Lucas* bajo las que limitan por ese mismo lado los cuadros del centro.

Los santos de escultura parecen haber sido restaurados torpemente, pues han perdido todo el carácter del retablo. Su estofado es ahora pintura tosca: sus rostros parecen burdas máscaras. Entre ellos se ven a los doctores de la iglesia, a San Pedro y San Pablo, a Santo Domingo y San Francisco de Asís, a San Andrés y San Bernardo y otros difíciles de identificar.

La coloración de los cuadros de Concha es más sobria y más fría que la de ningún pintor colonial. Restemos la acción del tiempo, que sin duda ha alterado los colores, pero aun así resulta mucho menos brillante que Echave. A veces es más español como en esta *Adoración de los pastores* en que busca efecto luminoso. —Nótese que el pastor del primer término lleva un "cacle" indio—. Pero su *Anunciación* es italiana; esa gracia del ángel, ese brazo modelado con admirable finura, hasta ese búcaro con flores, lo dicen. En la vestidura del ángel hay cierta coloración verde, tornasolada en rojo, que figura en algunos cuadros de Echave.

Algunas composiciones son defectuosas como por ejemplo la *Ascención del Señor* en la que Cristo está sólo representado de cintura abajo: los personajes que lo ven ascender parecen idiotas asombrados ante unas piernas.

Todas las figuras de la virgen han sido hechas copiando el mismo modelo: mujer de cara redonda de facciones delicadas y actitud de dulzura. Es ella misma quien aparece en otro cuadro en tabla que está en el primer retablo del lado derecho de la iglesia, junto a la capilla mayor. Representa el momento en que la virgen tiene el cuerpo de su divino hijo en su regazo, una *Pietá* como dicen los italianos, pero con todos los personajes que han asistido al descendimiento. La Magdalena es la misma del retablo mayor. O mucho me engaño, o esta tabla —que no es de aquí pues por los costados le sobra lo que por arriba le falta para casar con el marco— formaba parte del retablo grande. Y es a mi entender, la pintura más interesante del templo. La figura demacrada de Cristo —un Van der Weyden con exceso de anatomía— se resbala, se desliza hacia tierra como a su elemento. La Virgen, a quien el dolor ha pasmado, parece envejecida en un instante y todos los personajes están tratados con un realismo asombroso. Sería interesantísimo poder definir si esta pintura es de Concha, si no presenta diferencias fundamentales con las del gran retablo, si sólo hay esa mezcla de direcciones italianas y flamencas que caracterizaron el advenimiento de una escuela verdaderamente española. Si es de él, esta *Pietá* es su obra maestra.

Lo mismo que la iglesia, el monasterio es todo de piedra sillar. El claustro, al cual conduce una escalera abierta en el espesor del muro del templo, además de la gran escalera, presenta la desolación del abandono; sirve hoy el convento de cuartel. El claustro bajo con bóvedas de arista; el alto techado de viguería hoy descubierto. En el centro del patio un ciprés enorme, negro de siglos, se eleva hasta la altura del templo: se le ve desde que se descubre la iglesia. Era más alto aún, pero fue cortado por un cañonazo, durante la revolución.

Las celdas presentan esculpido un símbolo junto a su puerta: una calavera, una paloma, un pez.

En la parte baja, abandonadas o inmundas, las dependencias del convento: el refectorio con el sitio para el lector; la cocina que no tiene brasero, sino una gran chimenea de la misma piedra que todo el edificio.

En la gran escalera que va del claustro bajo al alto, nótanse esculpidas en el pretil grandes flores de lis que sobresalen hacia arriba. Son acaso elementos del escudo dominicano, y sobre el muro una figura pintada, enorme: el San Cristóbal que carga al Niño, con curiosos recuerdos bizantinos.

Tal es rápidamente vista esta famosa casa del orden de Predicadores, la más famosa de la Mixteca, la primera entre todas.

Después de verlo todo, en la tarde admirable del valle, salimos fuera de la población, siguiendo el lado norte de la iglesia, hasta una pequeña capilla que queda frontera. Es del Señor de Ayusi, santo crucifijo de escultura magnífica que parece haber sido modelo para los de la iglesia. Desde el interior de la capilla —espectáculo único— la tarde parece haber sacado sus mejores vestidos; los celajes acarician los cerros bajos del valle, y la tierra se suaviza, se esfuma bajo la gran mole de la iglesia que domina todo con la fuerza de una razón de ser.

Suave charla en la casa cural, en que me retiene la atención más gentil y discreta.[4] Completo mis datos: la iglesia parece haber sido secularizada por el año de 1889. El último cura religioso fue un padre Ortiz, a quien faltaba un brazo; el primer cura secular fue don Apolinar Zamora. El fraile incitó al pueblo al motín y algo grave hubiera pasado sin la prudencia del padre Zamora, que calmó los ánimos.

Para completar el estudio de Yanhuitlán es preciso conocer las demás casas de la Mixteca alta. Las más importantes son Coixtlahuaca, Teposcolula, San Miguel Achiutla y Tlaxiaco. De éstas, la primera, Coixtlahuaca, tiene por lo menos tanto interés como Yanhuitlán. Como puede verse en su "paseo" respectivo, presenta un carácter diverso de cuanto existe en México. La puerta con arco semejante, con medallones en las enjutas, está encuadrada por pilastras dóricas, dos de cada lado, y entre éstas ocho pares de nichos a cada lado. Sobre el entablamiento que descansa en las columnas se forma una especie de tímpano; ellas se prolongan en columnillas hacia arriba, encerrando más nichos pareados, y divididas por dos cornisas horizontales, una en el vértice del tímpano y otra mucho más arriba. En el gran espacio casi cuadrado que hay entre éstas y las columnillas, una ventana enorme, circular, que parece una flor estilizada a la manera india, corona todo una simple cornisa como en Yanhuitlán, y entre las columnillas pareadas de cada lado dos medallones con bustos de relieve, y al centro un escudo. Esta iglesia fue concluida en 1576. Y también está edificada con la misma piedra amarilla de Yanhuitlán, y es ligeramente más pequeña.

Paso aquí la noche, en la paz descuidada de la amistad y el cansancio, y a las cuatro de la mañana me despido de Yanhuitlán en la sombra. Regreso a toda prisa, para poder tomar el tren que va a Oaxaca y ahorrarme así, otra noche mixteca.[5] Los campos, de día parecen otros: ¿me reprochan acaso mi ensimismamiento? Es que conmigo va Yanhuitlán.

Pero a veces lo olvido cuando, ya el sol en alto, paso cerca del río donde, en abandono paradisiaco, se bañan algunas mujeres. Estas venus de la Mixteca son admirables. Preguntadlo a cualquier viajero.

12-14 de septiembre de 1923.

---

[4] Me es grato manifestar mi agradecimiento a los señores don Juan Aquino Ramírez, presbítero; P. Alejandro Aguillo y don Agustín Ramírez, presidente municipal, por las atenciones que me dispensaron en mi excursión a Yanhuitlán. Al señor cura Aguillo, actual párroco; además de su exquisita hospitalidad algunos datos que consigno.

[5] La manera más cómoda de ir a Yanhuitlán es seguir hasta Oaxaca, y de allí emprender la excursión: el tren llega al Parián a las siete de la mañana; montar a esa hora y con toda calma hacer el viaje hasta Nochistlán, donde se duerme. De ese pueblo, saliendo temprano, se va a Yanhuitlán y se regresa a dormir a Nochistlán en el mismo día, y en la mañana siguiente al Parián para volver a Oaxaca. Tomando el nocturno, el itinerario resulta más fácil. Para obtener caballos en el Parián, dirigirse con anticipación y precisando cita, a cualquiera de los propietarios de los hoteles "de la Soledad" o "Central" de Nochistlán. La carretera que mucho tiempo después de escrito este artículo, se ha comenzado a hacer, facilitará grandemente el viaje a Yanhuitlán, pero ¡ay! casi será inútil para el investigador de arte: en dos visitas que he realizado posteriormente, en 1926 y 1928, el deterioro del monumento ha sido enorme. Los temores del autor no tienen validez alguna, pues tanto la iglesia como el convento han sido restaurados con admirable propiedad durante los últimos años, por la Dirección de Monumentos Coloniales, dependiente del Instituto Nacional de Antropología e Historia. X. M.

8. *Teposcolula y su capilla abierta*

EN LOS pueblos remotos, escondidos en el abandono y la incuria, yacen monumentos próceres de nuestra arquitectura religiosa. No basta con estudiar y catalogar detenidamente los edificios barrocos —ya de sobra conocidos—, para apreciar toda la arquitectura del virreinato. Las obras del siglo XVI, no por más europeas son menos importantes. Busquemos esas obras; vayamos a escudriñar esos pueblos en que aún se conservan.

Desde Yanhuitlán, en cuatro horas a caballo, por camino boscoso, se llega a la risueña villa de Teposcolula, que es centro importante de comunicación en la Mixteca, pues por aquí pasa el camino que va a Tlaxiaco, como si dijéramos la capital de la región, a Coixtlahuaca, a Tamazulapan, a Achiutla, de modo que, estableciéndonos en ella como cuartel general, en este pequeño hotel de vida sosegada, podemos ir conociendo lo más importante de la Mixteca Alta.

En la misma villa de Teposcolula hay un monumento notable, desgraciadamente ruinoso en la actualidad: la capilla abierta que queda al lado del norte del templo. 28

Pertenece al grupo de capillas abiertas que edificaron los frailes del siglo XVI, cuando los fieles eran muchedumbre. Esta capilla presenta en su disposición un sistema intermedio entre las capillas formadas de muchas naves paralelas, abiertas todas en su extremidad, a la manera de las mezquitas, como la capilla de San José de los naturales en México, y la capilla Real en Cholula, y las capillas formadas de un solo espacio abovedado y abierto en un gran arco como las que están al costado de los templos, agustino de Actopan, en el Estado de Hidalgo, y dominico en Coixtlahuaca, aquí en la Mixteca. A este mismo procedimiento intermedio pertenece, seguramente, la capilla cuyas ruinas, magníficas de escultura decorativa, se esconden junto al vetusto templo franciscano de Tlalmanalco.

La diferencia en este sistema intermedio consiste en que el eje de la o las naves de la capilla, en vez de ser paralelo al de la nave de la iglesia, es perpendicular, y en que la capilla no tiene sus naves abiertas en la extremidad, sino que está abierta toda ella en un costado, y el presbiterio ocupa, precisamente, el centro del otro costado. Con esta disposición se obtienen ventajas sobre los otros dos métodos: primera, no presenta la capilla la enorme profundidad que deben haber tenido las capillas hechas por el primer procedimiento; segunda, el altar mayor y el presbiterio son visibles desde un campo mayor que en las capillas que, por un solo arco, se abren al atrio. Éste queda convertido en el verdadero templo, y la capilla destinada sólo al altar, a los sacerdotes, al coro de cantores, y a los feligreses principales.

Con estas ideas y este plan, el arquitecto de Teposcolula ha realizado una obra admirable; admirable por la perfección técnica que revela, admirable por la sobriedad de su ornato que hace de ella una de las pocas manifestaciones verdaderamente clásicas que existen en nuestra arquitectura colonial.

Se compone de un rectángulo de más de once metros de ancho por cuarenta y dos de largo, divi- 25 dido en dos naves por un conjunto de columnas. El centro lo ocupa un espacio exagonal, y el frente se abre en cinco arcos, rebajados los cuatro laterales, y de medio punto el central. Las dos naves estaban cubiertas con techo de viguería, y el exágono con una rica bóveda de nervaduras, en forma de casquete esférico, que debe haber presentado, por su interior, el aspecto de una suntuosa cúpula. La nave posterior presentaba en sus extremos dos entresuelos, apoyados en arcos mucho más bajos que los exteriores sobre los cuales descansa un muro que llega hasta la techumbre, con ventanas para dar luz a los entresuelos, que deben haber servido de coro o de tribunas. Sólo del lado de la Epístola quedan arcos y muro; del otro lado, perforando el muro que limita la capilla, sube desde una puerta, elegantemente ornamentada, la escalera que iba, acaso, al coro del templo principal y comunicaba con el entresuelo que había en ese lado, por una puertecita. Hoy tiene tapiadas sus salidas en su extremidad superior.

27

Para relacionar los arcos bajos que sostienen los entresuelos con los más altos que forman el exágono central, y para contrarrestar el empuje de la bóveda, de las columnas bajas más cercanas al exágono, hay arcos rampantes en cuarto de círculo, en forma de botarel, que van a dar a los capiteles de las grandes columnas. Por la parte del frente de la capilla el empuje es determinado por dos enormes botareles, formados de arcos de medio punto, que se apoyan en sólidos machones, y presentan un aspecto angular desde afuera. Por la parte posterior hay dos contrafuertes simétricos, con los botareles y la extremidad de las naves, por el lado del exterior de la capilla, ya en la vía pública, está apoyada en otros tres contrafuertes. En el croquis de la planta, reconstruida como debió de haber sido, se puede comprender esta disposición, y ver el trazo aproximado de las nervaduras de la bóveda.

26

La decoración del edificio es de pleno Renacimiento, pero presenta tal sobriedad, que no hay absolutamente motivo que sobre o sea inútil. Las columnas tienen sus basas y sus capiteles formados por gruesos anillos; no pertenecen propiamente a ningún orden, ni hubiera sido posible aplicarles ningún módulo, porque las seis columnas del exágono tenían que ser mucho más gruesas que las otras, dado el peso que deberían soportar, y las que sostenían el entresuelo, a pesar de ser mucho más bajas, no disminuyen proporcionalmente su diámetro, quizás por la misma razón.

Dentro de esa libertad de criterio, el arquitecto conserva una mesura y una discreción admirables a la cual contribuye la sobriedad de la decoración. Las arquivueltas tienen casetones con puntas de diamante, dentículos, perlas; los capiteles, entre sus anillos, cinturas con palmetas y ovas. Los fustes están vigorosamente acanalados y tienen contracanales hasta la mitad las columnas gruesas del exágono, hasta los dos tercios las esbeltas del frente, y en su totalidad las pequeñas interiores, de modo que la parte contra acanalada queda a un mismo nivel.

31

En el lado del exágono que sirve de fondo hay un encasamento del tamaño total del arco, destinado al retablo; pueden verse los huecos destinados a los maderos que lo sujetaban. En las claves de la bóveda había rosetones de madera dorada y tallada, y en las nervaduras, dibujos en blanco y negro, de que sólo se conservan restos.

29

El estado de la capilla es ruinoso; los techos han desaparecido, y únicamente queda parte de la bóveda; habiéndose caído una de las columnas del exágono, naturalmente vino a tierra gran parte de la bóveda y todas las columnas que sostenían el entresuelo de ese lado; la bóveda presenta, además, un enorme agujero, debido, sin duda, a la pérdida de alguna de sus claves secundarias.

La reparación de esta magnífica obra de arquitectura es punto menos que imposible; destinada a desaparecer poco a poco, en lucha desigual con el tiempo y la incuria, conformémonos con librarla del olvido, en honra siquiera del hábil artífice que la construyó.

El templo a cuya vera se levantan los restos de esta capilla, presenta un interés muy inferior. Sin duda es posterior al primitivo edificio hecho por los dominicos en el siglo XVI. Tiene disposición cruciforme, cubierta con bóvedas vaídas y en casquete elíptico la del ábside; la cúpula semiesférica y sin tambor, descansa sobre pechinas que forman con los arcos formeros y torales un anillo circular. Los brazos del crucero están cubiertos del mismo modo que la nave. En cambio, la bóveda del coro es rebajada, con lunetos cuyo arco de arranque es escarzano.

28

Para este templo, sin duda posterior en fecha a la capilla vieja, fueron utilizados elementos del edificio anterior. En su frente hay unas enormes estatuas de delicioso sabor primitivo, que descansan sobre grandes repisones, al parecer, capiteles de columnas. Su vigorosa escultura es también de carácter primitivo. ¿Pertenecerán, pues, a un templo anterior? Fuera de estos detalles, el exterior de *32* la iglesia no tiene ningún interés.

Ya dentro, nos encontramos ante un imperfecto tipo de arquitectura popular. De gran valor artístico hay dos obras: un magnífico retablo de madera dorada conocido con el nombre de "Altar del Señor del Perdón". Es churrigueresco; moderado de estructura, pero espléndido en ornamentos vegetales, tratados a la manera del "rocaille". En el nicho central del segundo cuerpo hay un "Descendimiento de la Cruz" en figuras de talla entera, policromadas, como de 75 centímetros de alto cada una.

Enfrente del retablo se ve un estupendo confesonario tallado, de una riqueza exuberante. Es con- *33* temporáneo del retablo y se halla, igual que él, en excelente estado de conservación. Compañero, acaso, del confesonario, es uno a modo de estante, también tallado, que existe en la sacristía, así como una soberbia cajonera. Sobre ésta, un Calvario, de buen pincel, sin firma, y del 1600, al parecer.

En el lado opuesto a las ruinas de la capilla vieja quedaba antes la portería del convento; hoy se ve un pequeño pórtico, con dos esbeltos arcos en su interior, que comunica a su derecha con la capilla de Santa Gertrudis. Ésta es una ruda interpretación de la arquitectura románica, semejante al panteón de San Isidoro en León de España, con dos toscas columnas salomónicas hechas de mampostería como toda la capilla, de fuerte colorido popular. El retablo central, dedicado a la patrona de la capilla y a Santa Bárbara, fue terminado el 1o. de octubre de 1788, como dice una inscripción que tiene. Frente a dicho altar está la losa que cubre la entrada de una cripta, donde enterraban antes a los párrocos que morían.

Enmedio de su rudeza, primitiva o infantil, esta capilla es un rincón delicioso, con su piso de ladrillos y azulejos, su baja bóveda, su entrada medio escondida.

Por el frente no hay comunicación con el convento; para entrar al claustro hay que rodear el edificio: primero queda un patiecillo con la oficina parroquial y algunas viviendas. Una puertecita da a la sacristía y, detrás de ésta, se ven los restos del claustro. Nada de notable tiene éste. Presenta una arquitectura rudimentaria; en sus muros quedan restos de pinturas, cuadros deterioradísimos por el tiempo y los retoques; de algunos hasta cuelgan girones de tela. La fecha de 1763, que se lee en uno, corresponde a la serie completa que representa la vida de Santo Domingo. No están firmados.

Casi nada se sabe acerca de la historia colonial de Teposcolula. Consta por el informe del primer virrey, don Antonio de Mendoza, a su sucesor, que el pueblo ocupaba otro sitio y fue cambiado. Los indígenas habían elegido una ladera y el virrey se opuso a que la población la ocupase, por razones de salubridad. La fecha de la construcción de la capilla vieja debe colocarse cerca de la de Yanhuitlán (1550-1575), y aun me figuro que ambas obras, así como el magnífico templo de Coixtlahuaca, son debidos al mismo arquitecto. Hay detalles muy semejantes en la decoración, como los casetones con puntas de diamante y aun partes completas son iguales en ambos edificios, como la puerta de la escalera, en la capilla vieja, y la que va a la capilla del Sagrario de Yanhuitlán.

El criterio arquitectónico es idéntico en las tres iglesias, la pericia igual, varía la mano de obra, como que eran los indios de cada parte, los que edificaban su templo, bajo la misma dirección y el mismo cerebro. Y este artífice, cuyo nombre quizás aparezca alguna vez entre papeles olvidados de algún archivo, es, sin duda, uno de los arquitectos más notables que pasaron a la Nueva España.

Después de algunos días de plácida estancia en esta Villa, donde el tiempo se deslizaba apacible, donde es grato el correr de las horas, una mañana enderezamos la ruta hacia Coixtlahuaca, en pos del maquinoso templo que, con el de Yanhuitlán y la Capilla Vieja del sitio que dejábamos, constituye la trinidad más espléndida de la Mixteca Alta.

9. El convento dominicano de Coixtlahuaca

DE MADRUGADA, el camino con su vida misteriosa y fantástica, poblado por la imaginación con mil monstruos descomunales. Amanece lentamente y refresca la brisa que, al ascender las cuestas fatigosas, se torna en viento terrible y helado. Media hora de reposo para almorzar y fortalecer así el cuerpo y el espíritu, y de nuevo a caballo, aguijando con el tesón que deben haber sentido los conquistadores.

Coixtlahuaca está en el fondo de un valle tan estrecho como un barranco. Se oyen las campanas de su templo, se le siente ya cercana, se cruza uno a cada momento con los viajeros que van y vienen del pueblo, y no se distingue aun ni una casa. De pronto aparece completa, extendida como en un anfiteatro. Allí está la iglesia con su pequeño campanario y su capilla abierta al costado; inmediata la gran plaza, por el lado del norte, con su palacio municipal en alto, para llegar al cual hay que subir una escalera que queda al cabo del portal que cierra la plaza, o la escalinata ancha que se halla cerca del reloj nuevo, ese bendito reloj que está aislado y no vino a mancillar con su estilo diverso la solemnidad arquitectónica del templo, como ha ocurrido en tantos pueblos.

Nos dirigimos al Palacio Municipal a presentar nuestras cartas patentes. El edificio es moderno y sin interés, pero debe haber sido hecho sobre uno antiguo al que las reparaciones han ido quitando carácter, una tras otra, y del cual sólo restos se ven, como tres arcos cegados, en el patio. De medio punto, descansa sobre pilares cuadrados, bajos, adornados, así como los arcos, con rosetones esculpidos. En la orilla superior del muro, sin cornisa, hay un escudo de armas y varias piedras incrustadas. Concluida nuestra embajada, visto todo sin prisa, vamos después a nuestro alojamiento a dejar el equipaje y en seguida, con el ánimo sereno y la emoción alerta, da principio nuestro trabajo: el estudio del gran templo y lo que resta del convento.

El monumento se alza sobre un gran espacio terraplenado, como el de Yanhuitlán. Se forma un atrio enorme, circundado por una tapia con arcos invertidos. La escalinata que queda al poniente frente a la entrada principal, no existe; sólo queda una, por el lado del norte; ¡qué anchuroso, abierto bajo la inmensidad del espacio, resulta este atrio que trascendentales sabinos adornan con sus formas elegantes!

Haciendo ángulo con el templo, queda la capilla abierta que recordábamos en Teposcolula. Su 34 advocación, la misma de aquél: San Juan Bautista; su planta es cuadrada con un ábside en trapecio; su techumbre consistía en una rica bóveda sobre nervaduras, hoy completamente arruinada. En el lado de la derecha de la capilla, entre ella y el templo, queda una especie de sacristía sobre la cual, en un techo plano de vigas, hoy desaparecido, se formaba una tribuna o coro con vista a la capilla por un balcón, y cubierta a su vez con suntuosa bóveda nervada, cuyos restos, a medio arruinar, se mantienen hoy en equilibrio por una sola dovela mal acomodada, pero que seguramente desaparece-30 rán al más ligero temblor que conmueva la comarca. Así, la fotografía que publico, verdadera lección de arquitectura gótica, conservará el recuerdo de algo condenado a perderse.

El arco en que se abre la capilla es rebajado y descansa sobre dos gruesas columnas empotradas, 35 su arquivuelta está formada de tres planos separados por fuertes molduras: el que forma propiamente el intradós del arco, tiene un friso de flores y los otros, el que sigue al paramento exterior de la capilla y el que forma chaflán con respecto a los anteriores, tienen frisos formados por cabezas de dragones que dejan ver en sus huecos pelícanos que se devoran el pecho. No sé qué extraño sabor chino hay en estos ornatos, pero esta circunstancia se repite en otras partes del templo como veremos. El trabajo de talla de la piedra, las columnas, el arco rebajado, el detalle de los ornamentos *36* de la arquivuelta que no mueren en el capitel, sino antes, dejando una porción de piedra sin labrados, las ménsulas o fondos de lámpara, de que arrancan las nervaduras de la bóveda, nos recuerdan la capilla vieja de Teposcolula, de modo que se puede afirmar que son obras del mismo arquitecto.

El templo tiene la planta habitual de una gran nave sin crucero y con la cabecera al oriente. Sus dos portadas, suntuosísimas, son las primitivas y presentan un enorme interés. La portada lateral *37* que ve al norte, recuerda en sus grandes líneas a su compañera de Yanhuitlán pero es acaso más interesante por su diverso carácter y por ser menos europea. Las columnas abalaustradas se han cambiado en pilastras que se prolongan hacia arriba formando dos cuerpos y uno intermedio y rematados por sendos *chochets* góticos; el primer cuerpo tiene su entablamiento completo; el segundo un friso angosto y una pequeña cornisa y el intermedio solamente cornisa. Los tableros que hay entre las pilastras del primer cuerpo son lisos; en el intermedio tienen cuatro pequeños nichos cada uno y en el alto dos interesantísimos relieves que reúnen los instrumentos y símbolos de la pasión, acomodados como en la hoja de un códice precortesiano, y con tal sabor indígena que una cabeza humana que figura en cada uno, tiene al signo náhuatl de la palabra saliendo de su boca. Por más que ambos relieves son iguales puede notarse que fueron tallados por diversos artífices, sobre todo en los motivos susceptibles de recibir la huella personal; véanse por ejemplo esos gallos ingenuamente esculpidos, cómo revelan personalidad distintas.

La puerta es como la de Yanhuitlán, con arco carpanel de tres centros, adornado con casetones que en vez de puntas de diamante tienen rosetas esculpidas; en la enjutas los mismos medallones; la única diferencia consiste en que es más esbelta la de Coixtlahuaca. El cuerpo intermedio lo ocupa en su centro un tímpano semicircular, pero en vez de tener esculpida una concha, presenta tres figuras en alto relieve, cada una en un compartimiento de los tres que forman en el semicírculo dos fajas verticales.

El tercer cuerpo está ocupado en su centro por el motivo acaso más original que hay en Coixtlahuaca, que también existe en su portada principal: una gran ventana circular que presenta la disposición de una flor enorme. ¿Es este motivo una combinación de las ideas que presidieron la existencia de las rosas en las catedrales góticas con las que supieron estilizar la flor, *xóchitl,* en el arte precortesiano? Cada una de las tres fajas de casetones que componen la ventana y los compartimientos, en forma de pétalos que por el exterior la circundan, tienen rosetas en su hueco, para darle homogeneidad con el resto que tiene igual clase de ornato.

La portada principal presenta una disposición análoga: la puerta con arco de medio punto, sus medallones en las enjutas, entre dos pares de pilastras dóricas adornadas de casetones con rosetas así como el arco. Algo peculiar en esta portada es la profusión de nichos que en ella hay: en las *38* entrecalles de las pilastras, en el primer cuerpo, hay ocho nichos de cada lado; en una especie de ático que corona el entablamiento del primer cuerpo y en el que se forma un frontón triangular, con un escudo en su centro, hay dos nichos de cada lado y en el gran cuerpo central donde hay una rosa como la de la portada del costado, exactamente igual, un poco mayor, hay seis nichos de cada lado. La portada termina con un gran espacio en que mueren las columnillas que prolongan hacia arriba las pilastras del primer cuerpo; en los tableros laterales hay dos medallones con retratos esculpidos de busto y en el centro una cartela y una águila. En el friso hay una inscripción latina de bellos caracteres, con la fecha: 1576. Como esta fecha no cupo en el espacio del friso se halla fuera de la portada, en el resalto que se forma para relacionar el cubo de la torre con el frente del edificio.

Antes de penetrar al templo notamos que junto a la portada lateral hay un enorme contrafuerte o más bien un cuerpo de ruda construcción en el que quizá pensaban hacer una capilla, pues no llega más allá del primer cuerpo de la portada; su rudeza contrasta con la finura de la talla; su único interés consiste en varias piedras esculpidas en forma de nichos, y dos con un bello dibujo de flor, a la manera indígena.

En el interior encontramos una hermosa nave orientada, cubierta con riquísima bóveda de tracería; *41* la pintura, aunque moderna, acusa perfectamente las nervaduras; como en cada tramo hay terceletes y ligaduras, es propiamente lo que se llama una bóveda de devanadera; consta de cuatro espacios y el ábside, que es semioctogonal nos enseña una bóveda por paños que concurren a un centro posterior al arco triunfal, de modo que se forma una estrella perfecta. Tanto los arcos fajones como los formeros parecen ser de medio punto, así como los ojivos. En los tramos que quedan junto al coro y junto al ábside, además de los terceletes, hay nervaduras que forman un anillo alrededor de la clave maestra. Las claves están esculpidas algunas con motivos ornamentales geométricos y otras con figuras; éstas presentan un enorme interés por el carácter asiático, chino, que ofrecen: una que se puede apreciar mejor por hallarse sobre el coro, representa a Cristo Crucificado, la cruz clavada en unas peñas de entre las cuales surge a la izquierda un ciprés y entre ellas una esfera. A la derecha un monje con una aureola de santo; adornando a Cristo y arriba de él, en el espacio que queda hueco, un cántaro con una rotura en el borde. Todo ello sobre un fondo liso y con un carácter chino tan vigoroso que el Cristo tiene el rostro de esos dioses bigotudos y gordos tan frecuentes en la estatuaria del Celeste Imperio. Es esta colección de claves documento importantísimo para la historia de nuestra escultura decorativa.

Una disposición original es en Coixtlahuaca la de los contrafuertes que detienen el empuje de las bóvedas: por el exterior están embebidos en un muro que termina en talud a la altura de las ventanas; en este muro se abren por dentro enormes arcos, a modo de capillas, donde quedan los retablos. Sobre estos arcos, en muros que sostienen las formas sobre que se mueven las bóvedas, se abren las ventanas que iluminan el edificio.

Los cuatro tramos que forman la nave están separados por los machones de los arcos de que he hablado y por semicolumnas que sostienen los haces de nervaduras de las bóvedas. Estas columnas empotradas llegan hasta el suelo únicamente en la división del tramo presbiterial y el resto de la nave, en tanto que en los demás tramos sólo llegan, en el del coro, hasta el arranque del arco que lo sostiene y, en el intermedio de los otros dos tramos, hasta la imposta de los grandes arcos de descarga que abrigan los retablos.

A la derecha de la entrada, en el tramo que queda debajo del coro, se abre una capilla con un *39* gran arco en asa de cesta, encuadrado entre gruesas columnas salomónicas y coronado por un entablamiento que sigue la curva desde el nivel de los capiteles de las columnas; todo el sistema está cubierto de ornatos en relieve policromados, y presenta un aspecto de arquitectura popular que acaso data del siglo XVII. Esta capilla está consagrada a la Virgen de Guadalupe, pero desde antes de esta advocación sirve de bautisterio.

De los retablos que adornan el interior son interesantes, aparte del mayor, el dedicado a la Virgen del Rosario y el de Atocha. Son de madera dorada y tallada, de factura pre-churrigueresca. Es asimismo interesante el púlpito tallado, en rojo con adornos dorados.

El gran retablo mayor ocupa todo el ábside, pero sin marcar los planos. Consta de cuatro pisos *42* de cuadros y nichos dividido por pilastras en veinte compartimientos. La obra de talla está pintada de blanco con adornos en oro. Es del siglo XVIII pero se han utilizado elementos del retablo anterior. lo corona un frontón triangular en que aparece el *Padre Eterno* en pintura. Aparte de ésta, hay nueve cuadros grandes en los entrepaños y tres menores, apaisados, en la parte inferior de cada uno de los intercolumnios, los dos de la izquierda y el de la derecha pegado a la orilla del retablo, pues el que está junto a la mesa del altar ha perdido sus pinturas. Estos cuadros representan a los Apóstoles. En el nicho central, más bajo, abajo del *Padre Eterno,* hay una pintura moderna sin interés.

Las nueve pinturas interesantes están en los tableros que corresponden a las orillas del retablo, cuatro de cada lado, y la otra, que representa un *Calvario,* en el compartimiento central, segundo de arriba para abajo. Las de la derecha representan, en el mismo sentido: *San Joaquín, La Resurrección, La Adoración de los Reyes* y la *Anunciación.* Las de la izquierda, *Santa Ana,* la *Aparición de la Virgen a los Apóstoles,* la *Presentación al Templo* y la *Adoración de los Pastores.*

Los cuadros pertenecen al retablo anterior como quizás los marcos que los contienen y esas columnillas abalaustradas y cubiertas de ornatos que tanto contrastan con las pilastras del siglo XVIII. A través de los retoques que sufrió al ser separado el altar, la pintura deja ver aún sus caracteres. No es, por lo menos ahora, un pintor de brillante colorido; predominan en sus creaciones las armonías mortecinas y cierto empleo de manchas uniformes que constituyen sólidamente el cuadro. El artista gusta de los escorzos violentos, retuerce sus figuras; los Apóstoles parecen empeñados en ardientes discusiones teológicas, argumentando con el gesto y hasta con el revuelo de sus paños. Este sentido de lo dramático por el movimiento y no por la expresión del rostro, proviene, en pintura, de aquel divino loco y audaz, llamado el Tintoretto. Dentro de esa tendencia, una de sus predilecciones es hacer resaltar las manos, lenguas del sentimiento para estos alucinados. Con los cuadros de Andrés de la Concha, de Yanhuitlán, hay semejanzas, sobre todo de composición; véanse por ejemplo las Adoraciones de los Pastores y las Anunciaciones, que ocupan sitios análogos pero cambiados. Es indudable que una Adoración está hecha imitando a la otra: es igual el grupo de figuras, el Niño, la Virgen, el pastor arrodillado a la derecha. Pero el cuadro de Concha es reposado, sus personajes impávidos y serenos. El de aquí tiene más dramaticidad: el pastor ha doblado las dos rodillas, se ha inclinado hacia el Niño, sus manos han esbozado un atrevimiento de caricia, en tanto que el Niño, que en Yanhuitlán tenía los brazos cruzados sobre el pecho, los ha abierto como para recibir la adoración. El movimiento del pastor ha compuesto más armoniosamente el cuadro: ya no queda ese gran hueco que en Yanhuitlán hay entre el Niño y sus adoradores. Por estos detalles que mejoran relativamente la pintura de Coixtlahuaca, me imagino que es posterior a Andrés de la Concha, con influencia de él, no directa quizá sino de sus obras realizadas. Se dice que las pinturas de este retablo fueron obra de Simón Pereyns.

El convento presenta muchísimo menos interés que el templo. Su claustro es solo, bajo, de arcos de medio punto achaparrados, que descansan en dos semicolumnas lisas, cuyo fuste se prolonga más arriba de los capiteles y forma la arquivuelta; ésta se halla vigorosamente acanalada. Cubren las alas del claustro bóvedas de medio cañón, con dobletes que descansan en ménsulas y están unidos por sus claves con una nervadura de espina. Notable es en este claustro una puertecilla de arco conopial que tiene un alfiz de gruesa moldura y dentro de él relieves vegetales vigorosamente esculpidos. Análoga a ésta, quizá más bella, es la puertecilla que sale del coro a la escalera; su dibujo es más sencillo; su relieve no menos fuerte. Las maderas de esta puerta presentan aún carácter gótico en su talla: esos pergaminos plegados, característicos de la carpintería ojival. *40*

Habiendo descrito con todo detalle este templo, juzguémoslo ahora arquitectónicamente, en su conjunto. Su estilo es de pleno Renacimiento pero no plateresco; el artífice ha tomado los elementos renacentistas y ha creado con ellos algo original; la obra no parece española; obedece y satisface las necesidades de la Mixteca; levanta un edificio de muros gruesos, disimulando como hemos visto, los grandes contrafuertes, y sobre ellos lanza bóvedas de crucería. Quedaba dentro de los cánones de su tiempo, sin afiliarse a un tipo determinado. He dicho que creo son obras del mismo arquitecto esta iglesia con su capilla anexa, la capilla vieja de Teposcolula, y el templo de Yanhuitlán. Impera el mismo criterio ecléctico en las tres obras; salvo la portada lateral de Yanhuitlán, que sí tiene los caracteres platerescos, pero que más que española parece italiana —compáresele, por ejemplo, con la de Acolman, netamente española—, los tres monumentos pertenecen a una escuela renacentista por su criterio y sus componentes, medieval por las necesidades telúricas de la región y forman, todos tres, un grupo al que no se hallará semejantes en ninguna obra del país, salvo las imitaciones inferiores que provocaron en la misma Mixteca. Para la realización de sus ideas, contaba el arquitecto con enormes yacimientos de piedra, casi labrada, pues en infinidad de sitios de la Mixteca se hallan canteras formadas por estratos de todos los gruesos deseables, de donde fácilmente pueden obtenerse sillares perfectos; contaba con la habilidad técnica de los canteros, que supieron labrar las filigranas que hemos descrito; contaba con la multitud de indios necesaria para levantar obras tan portentosas; la fuerza creadora, la concepción arquitectónica hábilmente resuelta, pertenecen sólo al artista. Y aquí ocurre, dadas las diferencias que hay entre estos edificios y sus contemporáneos de Nueva España, la duda de si se tratará de un arquitecto italiano. Burgoa habla repetidas veces de un maestro italiano que estuvo en Yanhuitlán, pero se refiere a él como autor de los enormes botareles que salvaron a la iglesia; sin embargo, son tan vagas y poco precisas las noticias que da cuando no se refieren a su tiempo, que es casi seguro que gran parte de sus datos están tomados de la tradición, y así lo único que sabemos es que un arquitecto italiano estuvo en la Mixteca. Nada imposible es que él haya sido el autor de los tres portentosos monumentos.

Coixtlahuaca, es palabra náhuatl que significa llanura de culebras, su nombre mixteco con igual significado, y único que debería tener hoy el pueblo, es Yodocoo. En tiempos del primer Moctezuma era reino independiente, de gran importancia como centro mercantil de la Mixteca. Reuníanse aquí comerciantes que venían desde México, Texcoco, Chalco, Coyoacán, Azcapotzalco, Xochimilco y Tacuba. Aquí adquirían grana, pluma, jícaras con adornos de oro y plata, tejidos de algodón y de pelo de conejo, cacao y oro, Ilhuicamina sojuzgó a Coixtlahuaca. Los historiadores refieren así la conquista: regresaba para México una gran caravana de mercaderes cuando fueron asaltados a mano armada y muertos ciento setenta bajo la fuerza de los mixtecos. Moctezuma envió una solemne embajada al rey de Coixtlahuaca, Atonaltzin, quien la contestó orgullosamente. Comenzó la guerra que fue en un principio favorable a los mixtecos, pero éstos fueron al fin vencidos, y vieron ocupada su capital. Moctezuma impuso un feudo al otro rey y le dejó tranquilo; mas los caciques mixtecos se sublevaron y le dieron muerte. En seguida gobernó Cuauhxóchitl, nombrado por el vencedor. Se cree que la toma de Coixtlahuaca por los mexicanos, aconteció en 1464.

Hemos concluido nuestra tarea; nos agobia, más que el cansancio, la certeza de haberlo visto todo, de no esperar más sorpresas. Consagramos a la amistad y al ocio pleno de comentarios nuestros últimos instantes de este día. Y ante el misterio de lo ignoto cercano —¿qué es una noche?— entregamos al sueño nuestras rendidas humanidades, acariciadas por nobles vislumbres de belleza.

Coixtlahuaca, 28 de febrero 1o. de marzo de 1926.

10. Yecapixtla y su convento agustiniano

UNO DE LOS Estados de la República más ricos en monasterios coloniales del siglo XVI es Morelos. Entre estos conventos el de Yecapixtla es una joya.

Por la carretera de Cuautla, en automóvil o bien a caballo, en media hora desde la estación de ferrocarril, que lleva el mismo nombre, se llega ante el asombro de la iglesia, bella si las hay, señoreando un cementerio, grande como una llanura, en que dos árboles gigantescos refrescan en dos oasis de sombra. De las capillas que en los ángulos acogían los pasos de las procesiones, de donde tomaron el nombre de *posas,* sólo una nos deja ver sus arcos de medio punto y sus remates o almenas prismático-piramidales. Y estos merlones son una obsesión en Yecapixtla: doquiera se les ve. Prestan al templo una silueta dentellada; prolongan los contrafuertes en pináculos; dejan que las aguas, al resbalar entre ellos pinten grandes manchas tiradas a plomo y hacen que todo reunido, resalte las líneas verticales de la construcción. Esta circunstancia, los pináculos que disminuyen, y muchos detalles dan al templo el aspecto, o mejor dicho, el sabor de un gótico rudimentario. Mas si acaso os parece exceso de fantasía equiparar esta masa enorme, ciclópica, con los encajes ojivales, no podríais negarme que, aparte de los detalles góticos y renacentistas que abundan en Yecapixtla, el carácter del edificio es netamente medieval.

Se conserva buen número de datos acerca de Yecapixtla precortesiana. Los más importantes constan en relación hecha en 1580 ante Juan Gutiérrez de Liévana, alcalde mayor de las cuatro villas del marquesado. De ella tomamos las noticias siguientes:

Antiguamente se llamaba Xihuitza Capitzalan, porque los señores que la gobernaban traían unos chalchihuites atravesados en las narices, que eso quería decir (significa, en realidad: nariz filosa o reluciente) y como ahora está la lengua corrupta, le llaman Ayacapichtla. (Así se llamó en el principio de la época colonial; más tarde, sin que conozcamos la fecha exacta, se volvió a modificar el nombre como actualmente se usa: Yecapixtla.) Los que poblaron esta villa eran de Xochimilco y echaron de la tierra a los que hallaron en ella, y aunque después Moctezuma quiso sojuzgarlos, no pudo y fueron independientes. Hablaban el idioma de Xochimilco, que aunque es el mexicano difiere en algunos vocablos, y en ser más cortesano. No reconocían más señor que a un principal llamado Chichimecal Cuauhéyac, cuyo nombre significa "Culebra larga". El dios que adoraban se llamaba "Yantzintitlacáhuac", que es tanto como decir que era su amo y ellos sus esclavos. Tenían guerra con los de Huejotzingo, solamente para ejercitarse en el manejo de las armas.

A pesar de no reconocer señorío a Moctezuma, o acaso porque los mexicanos se hayan apoderado de los reductos de Yecapixtla, el hecho es que los habitantes de esta villa resistieron fieramente a los conquistadores. El mismo Cortés, en su tercera carta, da cuenta de las batallas dadas para tomar la población.

En este tiempo el Alguacil mayor (Sandoval) supo cómo en un pueblo más adelante que se dice Acapichtla había mucha gente de guerra de los enemigos, y determinó de ir allá a ver si se darían de paz, y a les requerir con ella, y este pueblo era muy fuerte y puesto en una altura, y donde no pudieron ser ofendidos de los de a caballo; y como llegaron los españoles, los del pueblo sin esperar a cosa alguna comenzaron a pelear con ellos, y dende lo alto (a) echar muchas piedras; y aunque iba mucha gente de nuestros amigos con el dicho Alguacil mayor, viendo la fortaleza de la villa, no osaban acometer ni llegar a los contrarios. E como esto vio el dicho Alguacil Mayor y los españoles, determinaron de morir o subilles por fuerza a lo alto del pueblo y plugo a Dios dalles tanto esfuerzo que aunque era mucha la ofensa y resistencia que se les hacía, les entraron, aunque hubo muchos heridos. E como los indios nuestros amigos los siguieron, y los enemigos se vieron de vencida, fue tanta la matanza dellos a manos de los nuestros, y dellos despeñados de lo alto, que todos los que allí se hallaron afirman que un río pequeño que cercaba casi aquel pueblo, por más de una hora fue teñido en sangre, y les estorbó de beber por entonces, porque como había mucha calor tenían necesidad de ello.

Bernal Díaz niega que el agua del río haya estado teñida en sangre tanto tiempo; dice que a lo más sería la mitad de una Ave María, pero como no se halló presente en el combate, es preferible el testimonio de Cortés, que tendría de él las informaciones más autorizadas.

El río de que habla la relación corre en el fondo de una enorme barranca, famosa en Yecapixtla por ser ella, y no la altura, como afirma el conquistador, la que permitió resistir al enemigo. Todavía una calle que se encuentra a la salida de la población se llama "Calle de la Defensa"; muy posible es que por este rumbo haya sido la principal resistencia. Acerca de esta barranca, que como rodea al pueblo aparece multiplicada en los historiadores, dice la relación citada: "Esta villa está asentada en tierra llana entre dos barrancas muy hondas de más de cuarenta estados que son fortalezas y defensas de ella." Y la relación de Cuernavaca, de 1743, agrega algo relativo a los puentes coloniales de fábrica admirable: "Hay en el referido curato de Yecapixtla y por sus entradas, unas barrancas muy profundas, pero permiten sus cortos tramos siete puentes fortísimos que causan admiración sus fábricas, y si en ellos se echaran puertas podría sin duda quedar dicho pueblo de Yecapixtla debajo de llave."

Verificada la conquista, evangelizaron la región los franciscanos, pero más tarde, de modo definitivo, los frailes agustinos. Acerca de esta evangelización y su primer caudillo, había en Yecapixtla una inscripción que ha desaparecido, pero cuyo texto copió en el libro de providencias diocesanas el finado benemérito párroco, padre Evaristo Nava. Decía así la inscripción que se encontraba en un cuarto abandonado que fue convertido en sacristía por el padre Nava:

Consérvese en Yecapixtla, la grata memoria del M. R. P. Fr. Jorge de Ávila Ro. Agustino, Apóstol de esta Villa. Nació en la ciudad de Ávila; tomó el hábito en el convento de San Agustín de Toledo, y profesó allí en 20 de agosto de 1526; vino a esta América el año de 1533. Fue varón muy espiritual y perfecto; de singular talento; elocuente predicador; lleno de ardiente e infatigable celo por la conversión de los naturales. Evangelizó primero en Chilapa y después en este lugar. Fue electo Vicario Provincial en 1540, y viniendo de España con religiosos para México, murió en el ósculo del Señor en Puerto Rico el año de 1547. *In memoriam aeternam erit justus. Psalmo, III.*

Respecto de la iglesia gigantesca existe la tradición de que fue construida en tiempo de Cortés. Una nota a la tercera carta citada, puesta acaso por el Arzobispo Lorenzana, dice: "En tiempo de Cortés se hizo la magnífica iglesia parroquial, tan fuerte que encima puso artillería y después se mandó apear y fundir los cañones; he visto donde estaban asentados, y es un castillo muy fuerte la iglesia." Lo que consta por el cronista Grijalva es que los religiosos agustinos habían hecho una iglesia provisional con techo de paja, que se quemó. Acaso más tarde, cuando Yecapixtla fue una de las cuatro villas del marquesado, el conquistador ordenó la construcción de la iglesia-fortaleza. Que es una de las más antiguas que existen en el país lo indica el gran número de manifestaciones góticas que encierra, como veremos después. En el siglo XVIII la iglesia era tenida como una de las mejores de Nueva España; véase cómo la describe la citada Relación de Cuernavaca, de 1743:

A la parte del norte, cinco leguas del dicho partido de Xonacatepec, y ocho desta cavecera (Cuernavaca), está el curato de Yecapixtla, conbento de Religiosos del Señor San Agustín, uno de los templos más pulidos de este Reyno, con una iglesia fortísima, labrada con tal curiosidad que hasta las rejas de las ventanas son de piedra, como las varandillas del coro y el púlpito, todo tan pulido que con un buril no se pudiera realzar más sus labores, como los lasos de las bóvedas y escaleras del convento.

Pero hemos llegado ya al portentoso edificio. Como veis, la entrada al enorme cementerio aparece entre dos fuertes machones almenados, como para indicar que es una fortaleza la que atrás se levanta. Fortaleza es, en efecto, y ¡qué formidable! Tres garitones dominan el ámbito, y más atrás *43* la torre, sólida y grande como una eternidad, impone respeto. Al lado de la derecha de la portada, una construcción con contrafuertes y arcos nos señala la portería del viejo convento. Y hay aquí las mismas almenas, los mismos remates angulares que se ven en el templo; los arcos superiores, que formarían una especie de terraza cubierta o acaso servirían de capilla abierta, desde donde se esparcían las miradas por el gran camposanto, están ahora tapiados; dos ventanillas, apenas, denuncian la vida interior: corresponden, actualmente, a las habitaciones del señor cura. Más a la derecha hay otro cuerpo de edificio con sus ventanas; según la tradición era este "el palacio de Hernán Cortés". No es imposible que el conquistador haya dormido en estas estancias abovedadas, donde la hospitalidad más exquisita ha tenido sus brazos abiertos para nosotros; pero no hay ni le ha habido nunca, según creemos, tal palacio.

El templo tiene dos portadas: la principal, que ve al occidente, por la *orientación* que se daba en un principio a la nave de la iglesia, y la otra, lateral que se abre del lado del norte. Es la primera *45* una rica portada, compuesta de dos pares de columnillas sobre un zócalo y con su entablamiento; los fustes están divididos en su mitad por molduras salientes, que corren a todo el ancho de la portada y forman imposta al arco de la puerta; estas molduras tienen por objeto romper en dos el fuste, que de otra manera resultaría larguísimo. Sobre la cornisa hay un gran ático que sólo abarca las columnillas interiores y que se relaciona con el ancho total de la portada por medio de fajas en relieve en forma de S; en los extremos de la cornisa, sobre las columnillas exteriores, hay perillones. El ático está dividido en dos compartimientos por un nicho central, y en ambos hay escudos; sobre la cornisilla del ático se levanta un frontón triangular, en cuyo centro un crucifijo, de brazos casi horizontales, explaya su medievalismo; en sus extremos, pináculos. En las entrecalles que forman las *46* columnillas hay nichos con doseletes conchiformes; los superiores carecen de repisa y les sirve de suelo la moldura que divide las columnillas; los de abajo tienen repisas góticas, y bajo ellas cubre el tablero un relieve renacentista. El arco de la puerta es de medio punto; sus jambas forman tableros cubiertos de relieves con dos medallones androcéfalos cada uno. Estos tableros se prolongan para formar la arquivuelta, en que se alternan querubines y palmetas flordelisadas. En las enjutas querubines alados, y en el friso, simplemente resaltados sobre cada columnilla, dos angeluchos cabalgan sendos tritones, y en el centro hay un mundo cubierto por una cruz.

En los resaltos de zócalo correspondiente a los sotabancos de las columnillas, en su frente, hay dos retratos en los que están cerca de la puerta, y dos jarrones en los otros. Son los retratos de busto, esculpidos en medio relieve; el del lado de la derecha representa a un fraile, de cerquillo y fuerte mandíbula saliente; el de la izquierda a un seglar peinado a la romana, como con peluca. Pudiera creerse que el fraile representa a fray Jorge de Ávila, apóstol de Yecapixtla, y el seglar al arquitecto, cosa no imposible si se recuerda que algunos artífices acostumbraban esculpir sus retratos en sus obras, como consta que lo hizo Pedro del Toro, quien agregó el de su mujer, en el convento de Yuriria, de que fue arquitecto. No puede ser el retrato del encomendero, como en otros edificios se puso, pues como ya se dijo, Yecapixtla fue villa del marquesado, y esta efigie en nada se parece al conquistador.

44 Coronando esta monumental portada, una rosa gótica de curvas flamígeras se ve rodeada por rica faja esculpida.

La portada lateral, plenamente europea por los motivos que la forman, por la técnica escultórica en ellos empleada y por la *discreción* que en ella campea, está compuesta de un arco de medio punto encuadrado entre semicolumnillas abalaustradas. Las jambas y arquivueltas finamente esculpidas, medallones con figuras de busto en las enjutas, friso liso y perillones en los extremos.

Mas ya hemos recorrido a nuestro sabor los alrededores del monumento. Si entramos por la puerta principal nos sorprende una gran nave sin crucero, con el altar mayor al oriente. Además de las portadas descritas, del lado del sur hay cuatro puertas: una comunica con el bautisterio, la segunda con el claustro, la tercera con la capilla del sagrario y la última con la sacristía. Cubre la nave una bóveda de cañón corrido, separada del espacio presbiteral por un arco apuntado que sostienen dos pilastrones de perfil y basa góticos, característicos del siglo XVI, y que se forman por la superposición o penetración de varias pilastras. El espacio presbiteral, de planta cuadrada, está cubierto con una bóveda más peraltada, de las que Dieulafoy llama *domicales* y que podríamos traducir por *cupulares* o *proto-cupulares,* indicando que forman una transición entre una simple bóveda vaída sobre cuatro arcos y la cúpula propiamente dicha. Descansa la bóveda sobre nervaduras que forman un rico dibujo, semejante al de algunas de la catedral de Granada. El ábside, en forma de trapecio, tiene también su bóveda sobre nervaduras, que se relacionan con la del tramo anterior. Igual a la del presbiterio es la bóveda del coro, pero muy rebajada, con un gran arco en asa de cesta de arquivuelta moldurada al modo gótico.

La capilla del sagrario, cuya ancha puerta se abre en la mitad del espacio presbiteral, es también de planta cuadrada y se halla cubierta con una interesante bóveda que descansa sobre gruesas nervaduras. Arrancan éstas en haces, de los ángulos, y luego se cruzan perpendicularmente y tienen medallones en los puntos de intersección. Los fondos de lámpara, de que salen las nervaduras, ostentan el escudo de la Orden en relieve: el corazón traspasado por dos flechas cruzadas.

En el interior del templo abundan los detalles góticos: además de los que hemos citado son notables el púlpito, de piedra esculpida, totalmente cubierto de relieves, en que los detalles góticos se mezclan con los renacentistas. Su esbeltez, su fineza de ejecución, hacen de este púlpito obra admirable. Fragmento de un gótico rudimentario y bárbaro parece la pila del agua bendita, arrancada de una fuente de la cual era el tazón de donde se derramaban las aguas. Tiene cuatro monstruos en alto relieve, y estos monstruos recuerdan los de las catedrales góticas por su espíritu, su fealdad sorprendente, sus órganos sexuales descubiertos con descaro diabólico. Netamente gótica es la puerta que comunica el templo con el claustro: de arco adintelado, con ángulos en cuarto de círculo; sus molduras, de fuerte perfil gótico, que se continúan por todo el perímetro y se prolongan a la vez verticalmente sobre cada jamba para morir en pináculos que tienen adornos vegetales; podrían creerse tomadas de un monumento europeo. Semejante en todo a esta puerta, sin más agregado que una flor de lis esculpida en alto relieve en la parte más alta, es la que en el claustro da acceso a la escalera.

Enfrente de la puerta del bautisterio hay una puertecilla que conduce al coro y a la bóveda por una escalera de caracol de 82 peldaños y una recta de 12. En el coro nos sorprende la balaustrada esculpida en piedra, de esbeltos balaustres de sección cuadrada y una crestería de flores de lis por toda su longitud. De dos magníficos candeleros renacentistas, que simétricamente adornaban la balaustrada, sólo uno resta. Es aquí donde también podemos darnos cuenta de cómo eran las ventanas originales del templo, como las describe la Relación que hemos citado. Eran, en efecto, ajimezadas, con dinteles de piedra, arquillos de medio punto, y sobre los dos inferiores otro, también semicircular, encerrados todos tres en un vano de medio punto y dando un aspecto calado. La sección de los dinteles era cuadrada, con estrías de cuarto de círculo en los ángulos. Semejantes a éstas son las ventanas que se conservan en una estancia abandonada en el convento de Totolapan. La gran rosa calada deja pasar por sus mallas de piedra una luz lechosa, que hace vibrar en este coro imperceptibles partículas de una gracia casi celeste. Es esta rica ventana, sin cristales ni marco, tal como originalmente fue construida, el detalle más noble, más único de la formidable iglesia. Toca delicadamente su vigor ciclópico, como una caricia el rostro de un guerrero.

La serenidad de la tarde goza en el claustro de gruesos pilares y arcos de medio punto. Arquitectónicamente hablando, este claustro es muy inferior al templo. Es sólo bajo, detalle que indica antigüedad, de acuerdo con el plan de los primeros conventos, y en un tiempo estuvo coronado de almenas y decorado exteriormente. Hoy, empero, le queda la nota romántica, el verdeguear de su vegetación tropical, el sentimiento de su vida de siglos; y hay que verlo cuando en las festividades recorre sus ámbitos la procesión fervorosa: manchas de color entre las luces de los congregantes y los rostros morenos de fuerte musculatura; nubes de incienso, destellos de la custodia, ojos con mirar de paloma, ¿no es verdad que la arquitectura adquiere nobleza, que se siente satisfecha de responder al fin para que fue creada?

El dormitorio de este convento es notable: consta de una sola calle abovedada, de 60 pasos de largo, y celdas que se abren a su lado derecho con vista todas a la gran huerta, delicia del espíritu y del cuerpo, pequeña selva de árboles preciosos entre cuyos ramajes corren venados de doméstica dulzura. Es indudable que el convento fue construido en un declive, pues mientras el dormitorio queda al nivel del suelo en su parte posterior, en su frente hay que descender una escalera para llegar al claustro y al atrio. Esta escalera sube también a una serie de cuartos, de los cuales hemos hablado ya, aquellos que la gente dice haber sido Palacio de Cortés, sube aun doblándose sobre sí misma, hace un rellano de cuyo centro, a la derecha y por una escalinata, se sube a las bóvedas del claustro, y prolongándose todavía llega al coro; antes, a la izquierda, han quedado las puertas de las habitaciones del párroco. Todo ello tan bien resuelto, tan fácil, que ni por un momento dudamos que el de Yecapixtla haya sido un señor arquitecto.

Pero la tarde y su crepúsculo convidan a gozarlos. ¿Desde dónde mejor que desde las bóvedas? Y subimos por el antro en espiral y a tientas; los escalones que se multiplican hieren nuestra debilidad con sus aristas, nuestros músculos con su repetición impasible, pero llegamos ¿quién no ha llegado a la meta, aunque fuese la misma muerte? El exterior nos acoge en su inmesidad. Por fuera, la bóveda del templo parece el lomo de un cetáceo gigantesco; las almenas afiladas que circuyen le dan el aspecto de un fantástico dragón, y la torre, que a esta altura aparece bonachona, casi maternal, contrarresta el lírico furor del crepúsculo.

Si nos adelantamos al frente del edificio podemos estudiar sus remates, sus garitones, sus almenas, y este estudio ¡qué interesante es! Sentimos que la raza aborigen se nos impone con vigor inusitado; protesta, doblegándose, del hierro que le han clavado sus opresores. Los contrafuertes esquinados del templo acaban en pináculos que disminuyen: son cuatro merlones angulares rematados en cuatro puntas, también angulares, y una central más alta, todas cinco, terminadas en pomas. Al centro de los cuatro merlones hay un pináculo que sobresale más del doble de ellos, con tres cuerpos en disminución, marcado cada uno por bolas, casi pegadas, al cuerpo que sigue. El todo, en conjunto, semeja un cacto gigantesco, con sus yemas virtuales perfectamente visibles y, cuando recordamos el aspecto gótico que desde el exterior del templo hemos notado, no podemos menos de pensar, de sentir una analogía que viene a nuestro espíritu: si el artista europeo de la época ojival tomaba los motivos para sus remates, para sus ornatos, de la flora que a sus ojos se ofrecía, el artista indio, en el momento de ejecutar una obra gótica de líneas verticales y remates en punta, tenía que recordar los ejemplares de su flora más propicios al intento. Y ¿había otro más adecuado que el cacto, vulgarmente llamado *órgano*? Así, en este caso, de gótico rudimentario, los cardos, las higueras, las plantas que, estilizadas, dieron motivos a *crochets* y a pináculos en Europa, son aquí plantas indígenas, utilizadas como una demostración de la universalidad del estilo, o del vigor de la raza. El garitón central, más alto, cómodo como una vida, nos impele a ver la tarde olvidándolo todo. En efecto, es tiempo de olvidarlo. La torre, sabiamente construida, más atrás del nivel de la fachada del templo, aunque posterior a él, es toda armonía, aunque sus campanas permanezcan silenciosas. Mas, ¿qué mucho si la tarde es también armonía? Todo el poblado se ve rebosante de vegetación; es un jardín enmedio de un desierto; así son todos los pueblos de este Estado, y en el desierto sembradíos de caña y de arroz.

Dentro de uno de esos crepúsculos, que sólo en Morelos son frecuentes: el hechizo de las nubes ha pretendido arrebatarnos de la alucinación terrena, y el Popocatépetl con su gran penacho flamígero, surgiendo de un trono de nubes nos entreabre el postigo del más allá. Pero su grandeza va muriendo, como todo lo humano, y nuestra jornada esclava del sol, muere con él. A la luz de las calladas palmatorias, confundidos en uno con el enorme convento, sus maravillas nos asedian, ya en el lecho, como al contagio de inagotable fantasía.

Yecapixtla, septiembre de 1924.

11. Tepeaca, prototipo de los templos franciscanos del siglo xvi

AL ORIENTE de Puebla, a la distancia de treinta y ocho kilómetros se levanta la ciudad de Tepeaca, la segunda que, con el nombre de *Segura de la Frontera*, fundaron los españoles en el vasto país de Anáhuac, aun no conquistado del todo. El tren pasa por sembradíos bajos que ahora inunda la lluvia, cruza por Amozoc, donde los hombres hacen perdurar en hierro sus gozos y sus pesares, y nos deja al desamparo de una tarde salvaje, en la minúscula estación. Hay un pequeño tranvía que conduce a los escasos viajeros al centro de la villa, asardinados bajo la ruda cortina. Hace sesenta días que no llueve en Tepeaca; con razón se desborda el cielo con furor reconcentrado en sesenta días de abstinencia; por lo demás, las calles de Tepeaca están aderezadas para convertirse en ríos en una oportunidad como ésta.

Llegados a la gran plaza, nos damos cuenta de que aquí, como en tantas poblaciones que fueron importantes en tiempo de la Colonia, la iglesia del convento de franciscanos es lo único que resta de la grandeza pasada, como una alma de piedra dos veces inmortal. Entre el agua y el viento contemplamos la mole enorme: sus almenas desafían la furia del temporal, ¿acaso no ha vencido la fuerza callada de los siglos?

Nada más sugestivo que el aspecto nocturno de una ciudad; a las ciudades, como a las mujeres, hay que conocerlas de noche; de día se les ven los afeites y la pintura desarmoniza con la luz cruda. Pero en una noche tan áspera como ésta es imposible salir de casa; refugiémonos en la biblioteca del señor cura; quizás, entre sus amarillos libracos, entre sus apolillados mamotretos, encontremos algo interesante acerca de Tepeaca.

El señor cura es persona erudita y amable; su voz fluye tranquila y mansamente; habla con la seguridad de quien ha repasado muchas veces su asunto: las veladas pueblerinas, sin distracción ni disturbio, lo han obligado a la suave tarea de la lectura. Acaso una que otra charla con el boticario, o ya, a deshora, llevar un viático o una extremaunción; lo demás todo es ir de fray Bernardino de Sahagún al caballero Boturini, del lienzo de Tlaxcala a los borrones de Bernal Díaz.

Tepeaca, conocida en tiempos de su gentilidad por Tepeyácac, que significa "remate o punta de cerro" o "cerro en forma de nariz" a causa de estar asentada la población en lo alto de una colina caliza, era cabeza de un señorío poderoso. Dícese que era aliado de los mexicanos en las frecuentes guerras que éstos tenían con los de Tlaxcala y Huejotzingo, países colindantes de Tepeaca, pero que no reconocía superioridad en Moctezuma. Cortés, enterado a su regreso a Tlaxcala, después de la derrota de México, que los tepeacanos habían muerto diez o doce españoles que venían de la Veracruz a Tenoxtitlán, pues el camino pasa por aquí, determinó hacer un escarmiento y sojuzgar esta provincia cuya importancia estratégica comprendió entonces.

Tardó veinte días en conquistar y pacificar la región y herró buen número de esclavos con el hierro que para eso hicieron y que tenía la forma de una G que significaba "guerra", esclavos de que se dio el quinto a su Majestad. El mismo conquistador da las razones que tuvo para fundar la ciudad, en la carta que escribió al emperador, fechada precisamente en Segura de la Frontera, el 30 de octubre de 1520:

Después de haber pacificado lo que de toda esta provincia de Tepeaca se pacificó y sujetó al real servicio de vuestra alteza, los oficiales de vuestra majestad y yo platicamos muchas veces la orden que se debía de tener en la seguridad desta provincia. E viendo cómo los naturales della, habiéndose dado por vasallos de vuestra alteza, se habían rebelado y muerto los españoles, y como están en el camino y paso por donde la contratación de todos los puertos de la mar es para la tierra dentro ... que para el camino de la costa de la mar no hay más de dos puertos muy agros y ásperos, que confinan con esta dicha provincia, y los naturales della los podrían defender con poco trabajo suyo. E así por esto como por otras razones y causas muy convenientes nos pareció que, para evitar lo ya dicho, se debía hacer en esta dicha provincia de Tepeaca una villa en la mejor parte della, adonde concurriesen las calidades necesarias para los pobladores della. E poniéndolo en efecto, yo en nombre de vuestra majestad puse nombre a la dicha villa, Segura de la Frontera, y nombré alcaldes y regidores y otros oficiales, conforme a lo que se acostumbra.

Esta primera fundación fue hecha en el sitio mismo en que estaba la ciudad indígena, es decir, en la misma cima del cerro de donde viene su nombre, pero por el año de 1543 fue trasladada, por buenas razones que para ello hubo y de orden del emperador, al pie de la colina, a la verde llanura sin límites en que hoy extiende la enorme traza de sus calles sin casas.

Pero nada presenta tan vivo interés como la *Relación de Tepeaca y su Partido*, publicada por la acuciosa y pulcra minuciosidad de don Francisco del Paso y Troncoso en sus *Papeles de Nueva España* y antes ampliamente extractada por el cronista Herrera en sus *Décadas*. La hizo el alcalde mayor de la provincia, Jorge Cerón Carvajal el mes de febrero del año de 1580, habiéndola consultado con muchas personas, y estando presentes García de Salamanca, español, avecindado en Tepeaca y su provincia, de más de cuarenta años, que tenía "muy particular noticia de las cosas della", y por intérprete que declaró los nombres, Domingo de Carrión, "muy ladino en la lengua mexicana". Asistió, además, don Tomás de Aquino, "yndio natural y prencipal desta dicha ciudad, nacido y criado en ella, hombre de hedad de noventa años y discreto y bien entendido y de mucha memoria y noticia de todas las cosas de suso rreferidas". A ellos se debe sin duda la gran copia de noticias que se publican, el detalle con que narran las costumbres de los naturales, las virtudes y usos de las plantas, y, lo que a nosotros importa, los edificios, templos y monasterios de cada pueblo. Describe la ciudad y la plaza:

> esta ciudad está asentada en vn llano muy alegre, al pie del dicho cerro; tiene vna plaza en quadra muy graciosa y en ella la dicha fuente y pilas de agua y vn rollo, que por ser cosa notable, se hace mynsión dél, ques a manera de torreón de fortaleza: súbese a él por una escalera de caracol, con ocho ventanas grandes con sus pilares, cerrado lo alto de bóveda y con sus escalones a la rredonda y pie de todo él, quen efecto puede serbir de morada: es todo labrado de cal y canto. —Habla de las calles y dice que son todas— muy bien trazadas, anchas llanas y toda la traza de la ciudad myra al sol, de forma quen saliendo la cubre toda.— A la parte del poniente de la plaza había— vnas casas reales muy fuertes con muchas piezas y aposentos altos y baxos en que bibe y reside la Justicia mayor que gobierna esta ciudad y provincia, e yncorporada en ésta la cárcel; y en la mysma quadra está vn mesón con muchos aposentos y anchura; y a las espaldas de la dicha casa rreal están otras casas baxas que syrben de comunydad, donde el gobernador y regidores naturales hacen sus juntas y ayuntamientos y recoxen los pesos de oro de los tributos questa ciudad paga a su Majestad en cada vn año.

55

Parece que el mismo Cortés mandó despoblar la villa de Segura de la Frontera que había erigido, y este mismo nombre se le puso a la villa que fundó Pedro de Alvarado en Tututepec, a causa de que la mayoría de los vecinos lo habían sido de Tepeaca. Éste era, empero, un núcleo demasiado fuerte de indígenas para desaparecer; conservó su viejo nombre y vivió al amparo del monasterio de franciscanos que se estableció más tarde; ya desde entonces la gran iglesia era el todo.

Se dice que el convento de franciscanos fue obra de Hernán Cortés; lo que sabemos de cierto es que el año de 1530 se estableció fray Juan de Rivas en Tepeaca y fundó el monasterio. Por más que los biógrafos del santo varón omitan esta noticia, consta en los anales de Tecamachalco y se ve confirmada en la *Relación de Tepeaca y su Partido*. Según ésta, en 1580 estaba completamente concluido:

en la dicha plaza a la parte del oriente esta vn monasterio de la orden de San Francisco con su yglesia de bobeda, de vna nabe grande y bien acabada y su huerta y vn patio antes de entrar a la puerta de la yglesia, y todo cercado de cal y canto.

El año de 1549, el 17 de enero, por cédula del emperador Carlos V, se concedió a Tepeaca el título de ciudad; el 22 de febrero del mismo año, por armas, un escudo en que figura sobre campo de gules, una águila con las alas abiertas, sobre un cerro, que alude sin duda al nombre indígena de la ciudad. El cerro está rodeado por una a manera de serpiente en que se enlazan los símbolos jeroglíficos del *fuego y del agua sagrados*. Esta serpiente se repite como orla del escudo y es igual a la que encuadra las armas concedidas a Texcoco.

En la alta noche pavorosa y húmeda nos viene como una evocación de los siglos muertos, cuyos despojos de piedra hemos venido a interrogar; el fragor de las batallas entre Cortés y su mesnada y los indios que se aferraban a su tierra; en aquella mañana de octubre, el chirrido del hierro candente sobre la carne morena de las caras, y más tarde, buena falta que hacía, el bálsamo de los hijos del pobrecito de Asís, ungiendo las heridas que abría el látigo del encomendero. Malas son esas visiones cuando hay que dormir para preparar una buena jornada. Demos todo al olvido. Ya amanecerá Dios y medraremos.

En la mañana gris y fresca, como novicia que sale del baño, nuestra curiosidad piafa por ver lo que resta de la Tepeaca entrevista en las sombras de la biblioteca del señor cura. La plaza es de proporciones enormes; allí está el famoso rollo tal como se ve descrito; la primera impresión que **55** produce es la de una torre morisca, la Torre del Oro, con un ajimez en cada uno de los ocho lados que la forman, y adornos de reminiscencia gótica en la parte alta. En uno de los lados se lee la fecha 1593, de una reparación sin duda, pues que en 1580 lo hemos visto tal como está. A la altura de los arcos de los ajimeces, en los ángulos que forman las paredes del edificio, hay empotradas ocho cabezas al parecer de perro, de marcado sabor indígena. Detrás del rollo, en la parte poniente de la plaza se levanta la parroquia del pueblo, posterior en muchos años a la iglesia del convento de San Francisco, y que no tiene nada de interesante.

El atrio de la gran iglesia franciscana debe haber sido anchuroso. Hoy han edificado casas en su mayor parte, por el lado que ve a la plaza, dejando una calle que va de dicha plaza a la puerta principal del templo, y otra que pasa por su fachada principal, perpendicular a la primera.

Vista por el exterior, la iglesia presenta el aspecto de una fortaleza inexpugnable. Doce grandes **47** contrafuertes la sostienen, rematados en su parte alta por garitones para los centinelas, con sus as- **49** pilleras en los tres lados. A la altura de las primeras ventanas rodea todo el edificio una galería o pasaje de ronda, que perfora los contrafuertes internándose en el muro mismo del edificio, de modo **50** que la entrada a cada estrecho pasaje está en la pared de la iglesia, un poco separada del contrafuerte, dejando un pequeño espacio en que podía perfectamente ocultarse un hombre y herir a mansalva al enemigo que, habiéndose introducido a la galería, saliera de aquel estrechísimo paso. A la altura de las segundas ventanas que son sencillas y correspondientes a las primeras, dobles excepto en el ábside, corre una segunda galería que también rodea todo el edificio y que en cada contrafuerte forma una especie de balcón saledizo, de donde se podía atacar y defender un campo mayor que en la

41

primera galería. A esta altura descansan los arcos que sostienen las bóvedas de la iglesia; el arco toral del ábside, en un alarde del arquitecto de esta fábrica prodigiosa, está perforado por un angosto pasaje que une los dos lados de la galería y tiene una pequeña ventana, hoy murada, que da al altar mayor. Es tradición ¡naturalmente! que Hernán Cortés oía misa desde este incómodo sitio. ¡Como si, dado que el conquistador hubiera visto concluida la iglesia, necesitara ocultarse a toda hora! El pequeño campanario ocupa el sitio de uno de los garitones, sobre un contrafuerte más robusto; es de aspecto distinto de los pesados campanarios coloniales del siglo XVI; como ellos de un solo cuerpo, pero muy esbelto, con ese remate piramidal, hecho así para igualarlo con los garitones, mas que le presta cierto airecillo francés. Toda la parte alta de la iglesia está rodeada de almenas, un poco menores que un hombre, de forma elegante, que vistas de abajo le dan un aspecto de crestería dentellada. Otro detalle curioso es ese adorno de pomas, reminiscencia gótico isabelina, que viste de
49 gracia los remates de los garitones y la orla de las ventanas.

Toda esta mole gigantesca está construida con una piedra porosa, de un bello color de hueso calcinado, dura, que desgarra nuestras manos al trepar por las estrechas escaleras de caracol, al deslizarnos por las galerías, al chocar con el desagüe de un caño, sabiamente dispuesto. Y las piedras se ven tan perfectamente trabadas con la mezcla, que la iglesia (se diría tallada en una sola roca) no tiene ni la menor cuarteadura.

Y entramos al templo por su puerta principal, pequeña con relación a la enormidad del conjun-
51 to, pero que tenía que ser así para ser mejor defendida. A la izquierda se lee esta inscripción: "Se dio fin a este conbento en el año 1593. Y se reedificó su portada. Se acabó el día 21 de enero del año de 1778, en tiempo de el R. P. Gn. Fr. Alonso Pizarro." Se refiere sin duda a algunas obras
53 en el convento y a una reparación hecha en el siglo XVIII. A la derecha está la portería del convento y una capilla cuya portada, profusamente ornamentada con relieves de argamasa, lleva la fecha de 1726. Ya en el interior, nos encontramos una iglesia tipo perfecto del modelo que florece en Nueva
54 España a mediados del siglo XVI. Compónese de una sola gran nave que corre de oriente a poniente, con su puerta principal a este lado y otra lateral al norte; cúbrenla cinco bóvedas de crucería, todas de la misma altura; el ábside es cuadrado y no hay aun ni vestigios de crucero. En la sombra de su abandono, la iglesia ha sufrido lo indecible; como tanto convento, éste ha servido frecuentemente de cuartel a la tropa, y los soldados se han entregado a buscar tesoros, profanando sepulcros, abriendo agujeros enormes en los sitios en que creían poder apaciguar para siempre su codicia. Los retablos han servido para leña y las paredes se miran desnudas. Uno de los retablos ocultaba una pintura muy interesante hecha en el mismo muro y que hoy se puede ver descubierta. Está pintada al óleo sobre una preparación que consiste en una capa de barro como de medio centímetro de espesor, mezclado con briznas de paja que le permiten mantenerse unido, y sobre esa capa otra muy delgada de yeso que sostiene la imprimación. La pintura está dispuesta en forma de retablo: son cuatro hileras horizontales de pequeños cuadros, tres en la superior y cinco en las tres hileras inferiores. Representa *Milagros de San Francisco* y cada cuadro lleva su inscripción en letras góticas. Tienen cierta ingenuidad, colorido jugoso de cálida entonación italiana. ¿Cuál de nuestros pintores primitivos pudiera ser el autor de esta obra? Por el proceso de Simón Pereyns, pintor flamenco que llegó a México con el virrey don Gastón de Peralta en 1566, sabemos que entre esa fecha y la de su proceso, 1568, este artista estuvo en Tepeaca con Francisco de Morales, de cuyas conversaciones salió la prisión del flamenco. La pintura de Tepeaca no presenta la maestría que conocemos en las obras de Pereyns, y es de criterio más francamente italiano: no es imposible que sea la única obra que por ahora pueda atribuirse a Francisco de Morales, aunque hay que pensar que Pereyns no ha de haber ido a Tepeaca por puro gusto.

El convento presenta el mismo estado de abandono y desolación. En el claustro, de gruesos pilares
52 y bajos arcos escarzanos, la maleza campa por sus respetos. Una pequeñísima puerta se abre en un

muro y descubre un pasillo que parece desaparecer bajo tierra; es una comunicación subterránea que va a dar al rollo de la plaza. No era bastante tener sojuzgada la plaza desde la altura de la iglesia; ¡había que dominarla hiriéndola en su propio corazón!

Por su homogeneidad, por la sabiduría con que han sido resueltos todos los problemas arquitectónicos, esta iglesia es de las más notables que existen en el país. Dejamos sus ámbitos ciclópicos con una extraña impresión de grandeza divina unida a la fuerza material de las armas; no podemos dejar de rememorar la ciudad fortificada de Carcasona: el espíritu de la Edad Media impregna aún estas como aquellas piedras. Si se trataba de hacer fuerte la casa de Dios, más fuerte que las generaciones de las tormentas, he aquí el edificio atestiguando su poder.

Los siglos han derribado la vieja cruz de hierro que con su veleta culminaba la obra: ¡acaso el artífice no se atrevió a poner sobre ella, como símbolo, el hierro de una lanza!

Tepeaca, 1923.

12. Un templo cristiano sobre el palacio de Xicoténcatl en Tizatlán

EN EL MISMO sitio que los historiadores señalan que ocupaba el palacio de Xicoténcatl, se levanta actualmente una construcción del siglo XVI que sigue siendo conocida por igual nombre. Con motivo del descubrimiento de interesantísimas reliquias prehispánicas, en la colina que sustenta el edificio, la zona ha despertado la curiosidad de la prensa y de los visitantes. Ocúpome ahora en estudiar este edificio, que al interés histórico une el mérito artístico y nos muestra un curioso ejemplo de arquitectura religiosa del siglo XVI. Desde mi primera visita, en efecto, pude darme cuenta de que se trata de una capilla abierta delante de la cual fue construido el actual templo, cerrando tres de sus arcos y dejando dos abiertos en comunicación con la sacristía, lo que convirtió la capilla en un anexo del templo. Hízose esto sin duda para respetar la tradición de que dicha capilla había sido el palacio de Xicoténcatl.

Vista por fuera, se percibe, desde luego, que la construcción ha sido hecha con materiales arqueológicos. Sus muros se hallan revestidos con pequeños bloques de piedra muy semejantes a los que forman en gran parte la iglesia de San Francisco de Tlaxcala, y puede apreciarse la diferencia entre la estructura de los muros hechos así y la de la construcción moderna del templo que es de simple mampostería. En la parte más alta del edificio los muros han sido completados en algunos sitios con grandes ladrillos que son asimismo de procedencia arqueológica, pues forman el revestimiento de la primitiva pirámide en cuya meseta se encuentran los altares cubiertos de pinturas que estudió Alfonso Caso en la *Revista Mexicana de Estudios Históricos*.[1] Pienso, como él, que estos ladrillos fueron puestos con posterioridad en la construcción, pues las partes hechas con ellos tienen carácter de verdaderos "remiendos", salvo el ángulo noreste de la planta alta que está totalmente construido con ellos. A mayor abundamiento, uno de los arcos cerrados de la capilla está tapiado con iguales ladrillos, como puede verse por fuera del edificio.

La capilla nos muestra en su interior una curiosa disposición que me ha permitido reconstruirla en su primitivo estado. Se compone de una nave con un saliente en forma de trapecio y un ábside, que es el presbiterio, más alto que el piso de la capilla y separado de ella por un gran arco triunfal. En las dos extremidades de la nave hay tribunas o coros formados simplemente por grandes vigas que sostienen tablones. La techumbre es de viguería y cada viga descansa en dobles zapatas fuertemente molduradas y divididas por un grueso cordón franciscano; además, los espacios comprendidos entre zapata y zapata están cubiertos con tablillas pintadas, y pintadas están asimismo las molduras del conjunto y un friso que bordea el trapecio central. El aspecto de esta techumbre es el de un rico artesonado y, a la vez, algo completamente extraño y original. Sobre las tribunas de los lados hay techos con el mismo sistema de zapatas, pero más bajos que el central, y menos ricamente decorados, aunque quizá esto se debe a la acción destructiva del tiempo.

Esta capilla estuvo acaso totalmente cubierta de pinturas en su interior; en la actualidad sólo quedan, aparte de las del techo, despojos de pinturas murales a los lados del ábside, que representan escenas de la Pasión y están ejecutadas sumariamente, a base de un dibujo negro sobre fondo blan-

[1] Tomo I núm. 4. México, 1927.

co, y luego llenando los espacios con colores planos, gris, azul y tierras. Esta técnica simple nos recuerda las pinturas murales que se conservan en Acolman. Pero la decoración más notable que resta en esta capilla es la que cubre totalmente el arco triunfal del presbiterio. Representa al *Padre Eterno* en la gloria rodeado de coros de ángeles que tocan instrumentos musicales, cantan o incen- 59 san, y querubines que forman fajas decorativas sobre la arquivuelta y en la parte alta, abajo la de moldura que sirve de solera a las zapatas. Esta pintura, que parece ejecutada al temple, es de colo- ración viva y variada, con gran predominio de verdes y rojos. La primera vez que la vi pensé en la de las basílicas primitivas de Roma, con gran influencia bizantina. Mis amigos Alberto Garduño y Ezequiel Álvarez Tostado, dicen que les recuerda las iglesias coptas. Hay algo en ella de popular y primitivo, pero tiene tal sentido de la decoración, que para su objeto resulta perfecta.

El retablo primitivo en forma de tríptico, representa escenas de la vida de San Esteban, santo ti- tular de la capilla. Es de estilo popular, ingenuamente popular, aunque es posible que su actual ca- rácter provenga de repintes del siglo XVIII. Actualmente se encuentra abandonado en diversos sitios de la capilla, y su lugar lo ocupa un gran cuadro, por demás interesante, que representa el *Bautismo de* 58 *los Senadores de Tlaxcala,* y en la parte alta la Trinidad y la Gloria. Detalle curioso es que la parte alta recuerde la pintura del Greco, en tanto que la parte baja del lienzo, los soldados del pri- mer término, nos revelan la diestra mano de José Juárez. El cuadro ha sufrido también numerosos retoques y hasta una inscripción, en el escudo del centro, ha sido agregada con letras doradas que actualmente casi han desaparecido.

Todo el lado de la capilla que da al occidente, incluyendo el trapecio que sobresale, estaba abierto 57 en cinco grandes arcos sostenidos por columnas. Han sido tapiados, como ya he dicho, tres, y los que quedan descubiertos pueden apreciarse por el interior de la capilla. Los capiteles y basas de las columnas, iguales, son característicos del siglo XVI y se encuentran en los claustros de algunos de los viejos conventos franciscanos. Recuerdo haberlos visto en Atlixco y en Tochimilco. En la arqui- vuelta del último de los arcos descubiertos, precisamente en el intradós, y cerca del capitel, hay una inscripción que, más acaso que por su arcaísmo, a causa de su deterioro, resulta ilegible, a pesar de todos los esfuerzos que he hecho para descifrarla. El sitio que ocupa hace muy difícil el trabajo en ella. Doy, pues, la copia como la tomé, indicando la dificultad que hay para entenderla.

En el final del primero y principio del segundo renglones parece que se podría leer año de 1571; pero ni es seguro que eso diga, ni esa fecha se puede relacionar con la capilla; de manera que sólo como suposición la consigno.

Por su disposición y carácter, esta capilla entra en el segundo grupo de capillas abiertas, según mi clasificación, pues no consta de muchas naves paralelas abiertas en su extremidad como el primer grupo; ni de un solo espacio abierto en un arco, como el tercero.

Pocos son los datos que acerca del templo católico de Tizatlán se conservan. En cambio, hay bue- nas informaciones sobre la población precortesiana. Era la cuarta cabecera del señorío de Tlaxcala, y fue fundada por Xayacamachan; pasó después a otro señor de quien descendía el Xicoténcatl que halló Cortés. Como fue el primer lugar que tocaron los españoles y donde primero se bautizaron los indios, créese que en Tizatlán se haya construido templo antes que en otro sitio de Tlaxcala. Don Nicolás Faustino Mazihcatzin en la *Descripción del Lienzo de Tlaxcala* que publicó la revista antes citada, lo dice terminantemente, agregando que la cruz que está frente a la iglesia, interesante muestra de escultura primitiva, hecha sin duda por artífice indio, es la que sustituyó la primera cruz de madera que mostró Cortés a los tlaxcaltecas. Añade que cerca de esa cruz está enterrado el clérigo Juan Díaz. El mismo Mazihcatzin nos da la fecha de 1770 en que se dedicó la iglesia de la Asunción, construida delante de la de San Esteban. Este año me parece que corresponde a la clausura de los arcos de la capilla y de las reparaciones que en ellos se notan.

A mi modo de ver, la capilla abierta sustituyó a la primitiva iglesia. Que la hicieron los franciscanos nos lo prueba el cordón que adorna el doble juego de zapatas. No tiene carácter de iglesia conventual, ni hay trazas de convento en su inmediación. Seguramente desde entonces sería visita del convento de Tlaxcala, construido en otra de las cabeceras de la República, Ocotelolco, en el sitio del palacio de Mazihcatzin. En cuanto a la fecha de su construcción, supongo que data de mediados del siglo XVI, pues hay que tener en cuenta las condiciones especiales que dieron vida a ese género de iglesias. En efecto, la muchedumbre de fieles debe haber sido grande para tener que administrarles los sacramentos casi simultáneamente. Además, el Convento de Tlaxcala no bastaría para el servicio religioso de las cuatro cabeceras, por no haber llegado a ser el complicado edificio que fue más tarde, con numerosas capillas de cofradías y congregaciones, para llegar así a absorber todo el culto. Creo que es precisamente al mediar el siglo cuando esos requisitos se cumplen. Capillas del mismo género que retardan su construcción, quédanse algunas a medio construir, como la de Tlalmanalco o derruidas mucho tiempo como la capilla Real de Cholula, que se cayó recién levantada, y no fue reconstruida sino en el siglo XVII, y gracias a la importancia de la ciudad.

Sea como fuere, debemos congratularnos de conservar a causa sin duda de la tradición de que la capilla era el palacio de Xicoténcatl, tradición basada en un fondo de verdad, pues el sitio en que se levantó y los materiales con que se edificó son los mismos, esta escondida joya de nuestra arquitectura religiosa colonial.

Tizatlán, 1927.

46

13. El seminario jesuita de Tepotzotlán

EL DÍA es de una luminosidad incomparable. Las llanuras del Valle de México piérdense a lo lejos hasta las cordilleras bajas que por el norte lo circundan. De pronto espejea una laguna. Es nuestra *Región de los Lagos*; por aquí, en los tiempos horrendos de las inundaciones, buscaban febrilmente salida el agua, vuelta torrente silencioso y devorador, y la angustia de los desolados vecinos de la muy noble ciudad de México. Las campanas de la catedral vieja, invitando a seguirlas a las de las otras iglesias de la ciudad, musitaban la plegaria de una interminable rogación. Por aquí el genio de Enrico Martínez, contra todas las persecuciones y torpezas, vio la única solución: el desagüe; entretanto, construíanse costosas albarradas que la fuerza del agua no tardaría en hacer poco menos que inútiles.

Mas no son estas tétricas ideas las que evoca esta mañana radiante. Los barbechos se extienden interminables bajo la luz que acaricia y son como una promesa para la insaciable avidez humana: a la cosecha que acaba de pasar seguirá otra, y otras.

Cuautitlán es el punto donde llegan el ferrocarril y la carretera que va a Tepotzotlán. Era, en tiempos de la Colonia, la Alcaldía Mayor de que aquél formaba parte. Hoy es una población sin más interés que la magnífica cruz que se yergue frente a la iglesia, y cuatro soberbios cuadros de Martín de Vos. La cruz es un monumento de gran valor para el arte escultórico de la Colonia: lleva en su peana la fecha de MDXLV. Tiene esculpidos todos los símbolos de la Pasión de Cristo, y es ella a su vez, un símbolo: esos penachos que a primera vista son inexplicables, y que están dispuestos en forma de flor de lis, hacen la cruz igual al nombre jeroglífico del pueblo, tal como lo pintaban los indios en sus códices: Cuautitlán significa tierra de árboles. De gran interés son dos cabezas esculpidas a los lados del pie; a juzgar por su semejanza aparente, diríase que el seglar representa a Hernán Cortés; es su misma barba, su misma nariz, su misma franqueza. El otro se asemeja a los retratos conocidos de don Vasco de Quiroga: la gran calva, el cabello ralo rodeando el cráneo; pero hay quien asegura que el primero es Alonso de Ávila, en quien el pueblo estaba encomendado, y el otro el guardián del convento en cuyo tiempo se levantó el monumento.

La iglesia ha sido completamente renovada y carece de interés; sólo un retablo barroco y los cuatro grandes cuadros atraen al visitante con el poder de las obras maestras. A ambos lados de la entrada se encuentran los lienzos de *San Pedro* y *San Pablo,* figuras de una majestad imponderable envueltas en paños de soberana maestría. En una capilla lateral, a la izquierda, se hallan los otros dos; un *San Miguel* hermosísimo, y con la peculiaridad de que el diablo presenta la forma de sirena, y una *Concepción* que acaso es la obra inferior de los cuatro. Sólo el *San Miguel* está firmado: MARTINO DE VOS, ANTVER-PIENCIS INVENTOR ET FECIT, ANNO 1581. Los cuatro revelan la misma amplitud de dibujo, la misma coloración refinada, a la vez que sencilla y desprovista de efectos.

De Cuautitlán al seminario hay una distancia como de dos leguas escasas. Son las mismas llanuras, a veces alfalfares esmeralda, a veces grises barbechos o terrenos incultos; sólo una cintura de árboles va siguiendo el único río que serpea por aquellos lugares y, una vez pasado por un vetusto puente, extiéndese de nuevo la llanura, desolada, escueta. Y no variará ya hasta llegar al monumento; divísase éste a lo lejos, erguido en una leve colina al pie de unos cerros bajos; es un edificio amarillo, color de tierra, color de esta tierra calcinada como polvo de huesos, tal si hubiese surgido de ella para señorearla desde su colina.

El poblado que ciñe al seminario es un miserable hacinamiento de casas. No es como antaño un importante pueblo que en un momento, en el año de 1582, acuerda fundar un colegio a cargo de los jesuitas para educar a sus hijos. Si Tepotzotlán, por su magnificencia, hace recordar a las grandes abadías medievales, a Saint Gall, a Cluny, a Citeaux, es en esto contrario a ellas: allá a la vez que el monasterio, crecía el burgo; bajo la paz abacial florecen las villas, y más de una vez el monasterio prolongará sus murallas para resguardar las casas de sus fieles. Aquí, conforme el noviciado va crececiendo en fama y esplendor, el pueblo languidece, su desaparición sólo es estorbada por el gran prestigio que es lo único que ahora infunde vida en la comarca.

Apenas, como resto de la piedad famosa que habían alcanzado sus habitantes, gracias al seminario, vense sobre las puertas de las casas unos singulares nichos adornados con flores; el santo guarnecido tras un cristal, esconde su silencio. Por su forma caprichosa, por el insólito vidrio, estos nichos, algunos de ellos pequeñísimos, son característicos del pueblo.

Y el viajero se va aproximando por una tortuosa calleja y el edificio va creciendo a su vista, ensanchando su mole vigorosa, amarilla; realzándose sobre el cielo azul. Y también amarillas son las casas del pueblo. Se diría que han surgido por milagro del suelo, conservando sus mismos matices. Y casi así es, en efecto.

Observemos cualquier muro de los que nos rodean; están construidos con sillares de algo muy parecido al *tepetate,* aunque de grano más fino y de mayor resistencia; es una *arenisca compacta,* un intermedio entre el *tepetate* y la piedra, que ofrece grandes ventajas en la construcción, por su ligereza y por la facilidad de su obtención y manejo.

Pero ya la gran iglesia se ofrece a nuestras miradas en todo su esplendor. Lo que admira desde luego es la enorme altura de la torre y de la fachada principal. Situada en una pequeña elevación, la iglesia domina sus contornos y las escalinatas que hay que subir para alcanzar su atrio contribuyen a aumentarle su altura. Observada con más detenimiento, la iglesia produce la impresión de una gran vetustez de conjunto que contrasta con la magnificencia de la fachada y de la torre. La iglesia es, en efecto, anterior en un siglo a la fachada y bastaría para indicárnoslo, si no supiéramos que su primera piedra fue puesta el 26 de mayo de 1670, esa ancha faja de arabescos realzados en argamasa, que ciñe todo el contorno del templo en su parte superior y desciende en el centro del ábside en una hermosísima cruz. Son idénticos a los que cubren las fachadas de las casas que en México fueron construidas durante el siglo XVII y constituyen una de tantas supervivencias mudéjares que nos legó la metrópoli. Es asimismo anterior la portada lateral que oculta su modestia entre los macizos contrafuertes; reproduce el tipo común de portadas del 1600, con su nicho superior rematado por la cruz jesuítica y sus medallones laterales en que se esculpían escudos o se grababan leyendas.

Independientemente, detrás de la fachada, en el lado opuesto a la torre, un pequeño campanario, también del siglo XVII, coronado por cuatro estatuitas, parece en su vergüenza reprochar al arquitecto su conmiseración o su olvido. Seguramente pertenecía a la primitiva fachada del templo y, como no estorbaba a la nueva, fue allí abandonado para perpetua humillación. Porque la gran torre lo aniquila, lo escarnece desde su triple altura, y lo confunde con el lujo de su ornato.

Sea como fuere, en nada más podemos distraer nuestra atención cuando logramos contemplar la soberbia fachada. Sólo admirar, sólo sentir que se apodera de nosotros para hacernos presas de nuestra pequeñez herida por su hermosura y de nuestra sujeción causada por su grandeza. Se puede fácilmente denigrar el arte churrigueresco, hallarle debilidades y errores, ¿quién podría negarle grandiosidad a esta fachada?, ¿quién belleza?, ¿quién una profunda expresión de la piedad de sus fieles y un perfecto acuerdo con el fin perseguido por sus autores? Porque si un templo debe revelarse todo en la menor de sus partes, he aquí que esta fachada no sólo muestra los divinos misterios, sino que parece ensalzarlos en una plegaria, en una plegaria que a la vez fuese una sinfonía y que arrastrase consigo al espectador y al artista.

Si en un principio esta fachada nos parece más rica y exuberante que otras creaciones churriguerescas, observándosela con detenimiento nos damos cuenta de que el criterio del artista es diverso aquí que en las otras. Su composición no es unitaria, sino que más bien ha sido formada por el aditamento de diversos motivos. Es ese churrigueresco lógico o tímido en su conjunto y rico, riquísimo en la profusión de sus ornatos. Si el *Sagrario* es de cantería magníficamente labrada, si la *Santísima* parece tallada en maderas finas cubiertas por el tiempo de agradabilísima pátina, ésta dijérase *61* esculpida en marfil por un artífice recién llegado en el galeón de Manila; por momentos nos admiramos de que la torre no presente esa forma ligeramente encorvada que tienen los Cristos medievales.

Nada de cuanto se diga puede dar idea de la perfección técnica de los adornos que cubren la fachada y la torre. En esto Tepotzotlán le lleva ventaja a sus compañeros; hay en estos tallados, hechos en una piedra de color admirable, una verdadera ciencia del modelado. Los relieves son más profundos que en otras portadas churriguerescas, y la luz produce sorprendentes juegos en ello, claroscurándolos con suavidad y causando cálidas sombras. Racimos de frutos surgen doquiera, y es cada detalle decorativo tan perfecto que, aislado, tiene mérito propio y aun parecería imposible, tanta es a veces su pureza, que formase parte de un conjunto churrigueresco.

La fachada se halla ricamente provista de esculturas que no son meros adornos, sino obras de propio espíritu, testigo ese *San Ignacio* que pone en el centro la viveza de su movimiento y la verdad de su expresión.

Consideremos ahora la iglesia en conjunto. Desde luego, resalta el propósito de dar una fachada *60* a un templo. La fachada es grandiosa en sí, pero la obra no es homogénea; no es una iglesia completa como la Santísima, Santo Domingo o el Sagrario, único en su estructura; algunas partes de ella, la cúpula, por ejemplo, no tiene relación con el resto. Para homogeneizarla se han puesto en los ángulos salientes remates de piedra semejante a los de la fachada. Esta ha sido construida con el deliberado propósito de agrandar, o mejor dicho, de levantar el templo; por esto el tercer cuerpo de la fachada no es sino un muro sin oficio alguno más que simular elevación. A cambio de este error, la gran ventana central, reminiscencia de la *rosa* que tenían las catedrales góticas, se halla mejor situada que en otras iglesias churriguerescas: en el segundo cuerpo, formando el centro del imafronte.

La torre es de certeras proporciones vista desde el frente. Su base almohadillada tiene una sencillez majestuosa, y el ornato de sus ventanas es digno de las demás magnificencias. Algo viene a restarle grandiosidad, esa especie de tribuna volada de hierro que la circunda a la altura del pretil de la iglesia; ciertamente, las rejas del barandal son magníficas, mas su inutilidad es palpable y aun la misma forma en que está construida indica que se trató de hacerla lo menos visible.

Al penetrar en la iglesia es cuando se nota el propósito de elevación a que tiende la fachada. Si *62* algo llama la atención es la anchura, y Baxter encomia sus buenas proporciones. La impresión que este templo produce es la de una grandiosidad insospechada. La nave es anchurosísima; los retablos *63* del ábside, porque son tres, cada uno con su altar, dan la idea de una caverna de milagro en que *66* los sueños más audaces han podido adquirir forma. La técnica del tallado dista de ser tan perfecta como la del relieve en la fachada; pero, en cambio, se ha perdido aquí toda prudencia, como si la fantasía fuera la única ley y vencer dificultades el único deseo. Luego, la ausencia de pinturas produce magnífico efecto: no hay superficies planas que interrumpan el retorcimiento del ornato, sino grandes esculturas que parecen continuar la vibración en el vigor de su ademán, en el movido pliegue de sus paños. Estos tres retablos fueron estrenados en 1755.

Cada brazo del crucero tiene otros tres retablos que datan de 1756, y en la nave hay otros dos. Son pues once en total. Todos ascienden hasta el arranque de las bóvedas y ciñen a lo largo de las *64* ventanas que dan luz a la iglesia, y entran en ellas y las convierten en joyeles luminosos.

Así se acumularon aquí locuras místicas que el fervor hizo brotar y los artífices escondieron sus nombres bajo una lápida de olvido. ¿Para qué habían de recordar su parte humana precisamente junto al soplo en que cristalizó por un momento su apariencia divina? Los grandes movimientos artísticos llegan a simbolizarse en algunos nombres, pero la gran masa de artífices que les da vida siempre es anónima.

La admiración que causan estos retablos es subyugadora; después de verlos nos figuramos que todo va a parecernos pobre y, sin embargo, Tepotzotlán, inagotable fuente de tesoros, nos guarda aún maravillas. Aquí mismo, en la nave de la gran iglesia, hay un cancel de cedro que puede pasar por uno de los mejores de Nueva España, y unos magníficos frontales de altar.

Una pequeña capilla, adherida al costado de la iglesia, se abre ante nosotros tras minúscula puerta; llámanla el *Relicario de San José.* La capilla desaparece bajo sus ornamentos realzados, y el retablo es de una pasmosa labor de talla. La técnica de los realzados de argamasa indica la presencia de manos indígenas y los tallados del retablo, anteriores a los de los altares de la iglesia (son de 1737), presentan más finura. En conjunto, el relicario encanta al espectador; lo más valioso de él acaso es el piso, el piso cubierto de magníficos azulejos con el águila bicéfala al centro. Los muros están decorados con pinturas de José de Ibarra.

Menos valor artístico tienen la capilla denominada la *Santa Casa de Loreto,* quizás porque se ha querido representar la casa, con dimensiones exactamente iguales a las de la auténtica casa de Loreto como lo enseña una inscripción, dentro de la capilla. Pero nunca ha de faltar algo admirable: dos bancas ricamente talladas recogen la silenciosa ofrenda del visitante en el centro mismo de la capilla. Detrás de ésta, visible a través del nicho que ocupa Nuestra Señora de Loreto, se encuentra el *camarín.* Es una capilla de planta octogonal cubierta del más interesante modo que puede imaginarse: cuatro arcos, arrancados de los vértices del octágono y cruzándose paralelamente, forman una especie de cúpula que sostiene una ancha linternilla. Esta bóveda sobre arcos cruzados es origen árabe de la época califal: semejante a la que cubre el tercer mirabh en la mezquita de Córdoba. La decoración interior es estupenda; seguramente es de factura indígena, no sólo por su técnica, sino por algunos motivos ornamentales que así lo demuestran, pero presenta una extraña influencia, acaso sea sólo fortuita semejanza, de pompa veneciana. Podrá no ser perfecta en sus labrados; pero ese abigarramiento de francos colores, esa profusión de oro, esos negros que sostienen canastos de frutos, subyugan al espectador que pocas veces en monumentos coloniales, verá cosa parecida. Luego, al pensar que esta es obra del siglo XVII, como lo indican las águilas austríacas en que termina hacia abajo la decoración de las pilastras, nuestro interés crece. Y casi olvidamos los cuatro retablos que ocupan los intercolumnios.

El seminario de Tepotzotlán es uno de los sitios más apacibles que pueda uno imaginarse. Los claustros solitarios recogen el eco de los pasos de los visitantes, y todo el edificio parece estremecerse, como si este insólito ruido lo despertase de un sueño mortuorio. Alrededor del patio llamado de los aljibes, los claustros son todo reposo; el superior está adornado con una serie de cuadros que representan la vida de San Ignacio debida a Villalpando. Todos los cuadros son, en general, de agradable colorido, y algunos pudieran pasar por obras valiosas. Desgraciadamente, Villalpando pintó tanto que no son frecuentes las veces que se encuentran cuadros suyos en que vibre el espíritu del pintor en un momento de arrebato espiritual. En otro claustro se exhibe la vida de San Estanislao de Kostka firmada por Padilla. Sus pinturas, menos que medianas, por un colorido monótonamente convencional, nos hacen sonreír a veces por su ingenuidad de arte casi popular.

Entre los arcos, la verde suntuosidad de los naranjos es de una voluptuosa frescura; algunos se doblan bajo el peso de los frutos, pero todos irrumpen en alegres notas de claridad y ese esplendor vital, esa inesperada primavera junto a la muerte misma del abandonado edificio, ponen en el espíritu del visitante insólita sensación.

Se recorren los anchos corredores cubiertos de ornatos pintados al temple, se visitan las amplias celdas con ventanas abiertas a la campiña, celdas en que la meditación tenía que ser fecunda y la oración agradable, y se comprende fácilmente que hayan salido de Tepotzotlán tantos hombres doctos y tantos sabios que ilustraron el prestigio de la Colonia por todo el mundo.

Seguramente la capilla doméstica era el sitio preferido de los seminaristas. Su retablo presenta *68* decorado singular; lo adornan espejos venecianos y estatuitas de marfil; muchas de éstas han desa- *69* parecido, pero los primeros producen extraño efecto. Dignos de admiración son los azulejos que hay en esta capilla, y los ángeles esculpidos en madera, ricamente estofados, que seguramente son de lo mejor que existe en su género.

Como en todos los edificios similares, un amplio huerto se extiende junto al colegio de Tepotzotlán. El sol inunda este huerto que se ha convertido en sitio agreste e inculto. La vegetación campea por doquiera; una viciosa fragancia se desprende de los hinojos, y una pequeña capilla, a la distancia, pone con su esbelto ciprés una nota romántica en esta abigarrada exuberancia.

Y cuando retornamos a nuestra gran ciudad con añoranzas por la vieja y esplenderosa ruina que acabamos de dejar sentimos, inevitablemente, tristeza por el pasado, admiración por la viva frescura del arte que no desaparecerá nunca, y la melancolía de la tarde parece consonar con el estado de nuestro espíritu. Y no podemos olvidar la paz soberana del monumento; sus anchas celdas persisten en nuestro sentimiento y aun el recuerdo de la magnífica solana, que desde un elevado sitio permite dominar todos los contornos, surge de pronto en nosotros.

¡Qué admirable la vida religiosa que obtuvo semejantes creaciones! ¡Cómo la vida del espíritu supo edificarse verdaderos palacios y camarines de ensueño! Nuestros tiempos son duros; pero al contemplarlos junto a los siglos pretéritos, nos parecen raquíticos y fríos. ¿Es ley inexorable que el progreso destruya la vida de las civilizaciones pasadas?

El fin del día se entristece con nosotros. Hay un hueco de claridad azufrosa entre las nubes plomizas y, de pronto, un grupo de elevados eucaliptos con sus hojas afiladas y colgantes destaca su larga silueta sobre la claridad. Parece una reminiscencia de Henri Martin: nuestras ensoñaciones son como ángeles impalpables que volaran entrecruzándose con las ramas obscuras y, en el ambiente melancólico del paisaje, nuestro sentir, cargado de vislumbres dorados, tiembla.

El arte antiguo concibió creaciones inmortales; conocerlas y ensalzarlas es nuestro culto. El arte moderno realizó acaso creaciones que se encuentran más cerca de nuestro espíritu; no las comparamos con las antiguas, pero sentimos que hay en ellas más de nosotros mismos, de nuestras inquietudes y de nuestras contradicciones, de nuestro terror de niños grandes, de nuestra sabiduría de ancianos eternamente jóvenes.

El paréntesis que en nuestra vida diaria parecía haber abierto esta mañana, claridad y sonrisas, ahora parece cerrarlo la hosca severidad de la noche.

Llegamos a la ciudad de México.

Tepotzotlán, 1920.

LIBRO PROTOCOLO DESTE COLEGIO DE LA COMPAÑÍA DE IESUVS DE TEPOTZOTLÁN

Escriviósse siendo Rector y Maestro de Nouicios el Padre Ambrosio de Ad... Año de 160...

FUNDACIÓN DE ESTE COLEGIO Y CASA DE NOVICIADO DE TEPOTZOTLÁN

12 de agosto 1604.

Este Colegio y Casa de Probación de Tepotzotlán lo fundó el Sr. Pedro Ruiz de Ahumada, y mandó treinta y cuatro mil pesos para que el Padre Ildefonso de Castro, que entonces era Provincial, o quien después lo sucediese, diese orden que los veinte y ocho mil de ellos se impusiesen a censo sobre posesiones abonadas o se comprasen casas, o otras haciendas con que pudiese rentar dos mil pesos de oro común, más o menos, como alcanzase todo para el sustento de la casa, Religiosos y Novicios. Y los seis mil pesos restantes para el edificio, e iglesia que se hubiese de hacer; la cual se había de nombrar de San Pedro, y en ella quería hubiese una capilla particular del Glorioso San Joseph, y que se le hiciese un retablo, y lámpara de plata, y para el altar mando dos candeleros de plata grandes, y otros dos para el altar mayor; pidiendo que se le dijesen e hiciesen las Misas y sufragios que la Compañía usaba por sus fundadores y bienhechores y fuera desto se le dijesen nueve misas cada año en las siete festividades de Nuestra Señora, día de San Francisco, y la Conmemoración de los difuntos, sin la que se suele decir el día que se da la Candela a su fundador que ha de ser el Domingo infra octava de la fiesta de San Pedro, si ya no pareciese mejor en su día, o por alguna causa se transfiriese alguna vez en otro día. Y que se ofrezca la Candela a Nuestra Señora la Virgen Santísima en su capilla, reconociéndola por Señora, Madre y Patrona, de dicha fundación. Y en lo que tocaba a su entierro y sepultura se diese la traza que pareciese a los Padres Provincial y Rector que por entonces fuesen. Y dado caso que se .... este Pueblo de Tepotzotlán, fuera de los Reli .... rios hubiese otros dos que pudiesen enseñar .... otomite y Mexicano a los Padres, o otras per .... do no que hubiesen de acudir a enseñar la Doc .... Indios de este Pueblo, y su comarca.

.... o que se tomasen de sus bienes quinientos pes ...... y se impusiesen a censo para que con los red .... comprase el aceite necesario para que ardies .... la lámpara delante del altar de San Joseph .... la iglesia de dicho Colegio; como toda consta .... clau ...
..... Testamento que otorgó dicho Señor Pedro Ruiz de Ahumada en México a veinte y cuatro de mayo de mil seiscientos y cuatro años ante Menen Pérez de Solís, Escribano de Su Magestad. Y habiéndose abierto dicho testamento por mandato del Doctor Alonso de Lievana a veinte y nueve de dicho mes y año ante Alonso Bernal, escribano público, aceptó dicho Padre Provincial Ildefonso de Castro dicha escritura de fundación y recibió de Salvador de Baeza, Albacea testamentario, de dicho señor Pedro Ruiz de Ahumada los treinta y cuatro mil pesos; como consta de la escritura de aceptación fecha en México a doce de Agosto de mil seiscientos y cuatro años, ante Alonso Bernal, escribano, y todo está en el cuaderno primero de Tepotzotlán.

Aceptó la fundación de este Colegio Nuestro Padre General Claudio Aquaviva como consta de su patente despachada en Roma, a diez de septiembre de mil y seiscientos y diez años que está original en el legajo 2 de Indulgencias y breves de este Colegio.

Y aunque dicha fundación se hizo el dicho año de seiscientos y cuatro, el de mil y quinientos y ochenta y dos, habiendo venido los Padres de la Compañía a este pueblo a aprender lengua y a hacer misiones, viendo los Indios el provecho que recibían de que dichos Padres asistiesen aquí, pidieron al Señor Virrey Conde de la Coruña mandase que dichos Padres se quedasen en las casas donde vivían y se obligaban a hacer otra al beneficiado por no haber querido dichos Padres encargarse de la doctrina; Y conforme la petición de dichos Indios a dicho Señor Virrey despachó mandamiento para que los Padres de la Compañía quedasen en las casas donde vivían, y los naturales hiciesen casa para el Beneficiado, y se dio en México a quince de Mayo de mil y quinientos . . . . ta y dos ante Juan de Cueva; y el dicho Señor aprobó la dicha donación que los Indios de Tepotzotlán hicieron a la Compañía de Jesús de una casa y huerta, y se dio dicha aprobación en México, a do . . . . . . de Junio de dicho año, ante dicho Secretario Juan de Cueva. Y a cinco de Julio de dicho año donaron también dichos Indios a la Compañía una suerte de tierra que está a las espaldas de esta huerta que tiene en cuadro treinta brazas de a tres varas de medir cada una. Y el dicho mes y año en el mesmo día tomó posesión de dicha casa, huertha y suerte de tierra el P. Doctor . . . . an de la Plaza, Provincial que era de la Provincia en presencia de Luis Suárez de Peralta Alcalde Mayor y ante Juan Alonso, escribano. Y estas donaciones fueron graciosamente hechas, y no por modo de fundación, que esta no la hubo hasta que el Señor Pedro Ruiz de Ahumada la hizo el año dicho de seiscientos y cuatro. Pidióse licencia a su Magestad para fundar en México, o aquí, este Noviciado, y se obtuvo la licencia como consta de la Cédula Real despachada en Valladolid a trece de Junio de mil y seiscientos y quince años, y refrendada de Juan Ruiz de Contreras, la cual se presentó ante el Señor Virrey, Marqués de Cerralvo, y ante el ordinario, y todo está en el cuaderno segundo del libro de Tepotzotlán.

Y habiéndose fundado este noviciado en este Pueblo de Tepotzotlán, se despacharon en la Ciudad de México, una provisión Real sobrecarta, y tercera para que se diese a este colegio la posesión del beneficio de este Pueblo, y su partido, y en virtud de ellas el licenciado D. Jerónimo de Velasco, con orden del Ilustrísimo Señor Don Juan de la Serna, Arzobispo de México, dio la posesión a este Colegio, y al P. Gabriel de Alarcón, su Procurador en su nombre a veinte y cinco de octubre de mil seiscientos y diez y ocho años, ante Juan Guerrero notario, como más largamente consta de los originales que están en el legajo número 17 de dicho libro de Tepotztlán.

El año de mil seiscientos y setenta, a veinte y seis de mayo, día segundo de la Pascua del Espíritu Santo, puso la primera piedra de esta Iglesia el P. Pedro de Valencia Provincial de la Compañía de Jesús de esta Provincia de la Nueva España, siendo Rector y Maestro de Novicios el P. Ambrosio de Adrada. Y dicha iglesia se dedicó a San Francisco Javier, y su fábrica corrió por cuenta del P. Antonio Díaz, quien solicitó sus limosnas. Y el Señor Virrey Marqués de Mancera a petición de dicho P. Provincial, dio licencia para la fundación de dicha iglesia en México, a diez días del mes de junio de mil seiscientos y setenta, ante D. José de la Cerda Morán, la cual, está original en el legajo número 2 del libro de Tepotzotlán, y se dio con parecer del señor fiscal y todo el Acuerdo. Y también dio licencia el Sr. D. Fray Payo de Ribera, Arzobispo de México, a diez y nueve de agosto de mil y seiscientos setenta años en . . . . Santiago de Guricaldi, y de palabra había esta misma licencia cuando el . . . . . . Pedro de Valencia vino a poner la primera piedra.

. . . . zos en que está pintada . . . . . Luis Gonzaga, en los tránsitos . . . . . . de San Francisco Javier en los de . . . . . la cantidad de trece mil quinientos sesenta pesos, uno y medio reales.

El 15 de . . . . de 175 años, se estrenaron los tres colaterales del Presbiterio de la Iglesia del Colegio dedicada a San Francisco Javier . . . . Estanislao Kosca, siendo Rector y Maestro de Novicios . . . . . . P. Pedro Reales . . . . . . lámpara de plata nueva.

En once días del mes de . . . . de mil setecientos cincuenta y seis años se estrenaron los seis colaterales del crucero de la Iglesia de este Colegio, dedicados los cinco a nuestro Santo Padre San Ignacio, de Nuestra Señora de los Dolores, de Nuestra Sra. de Guadalupe, San Juan Nepomuceno, y Santa Rosalía, los cuales P. Pedro Reales . . . . juntos . . . . los tres retablos . . . . de las Haciendas de Portales . . . . y San Lorenzo Temoaya . . . . el cancel de la puerta de la Iglesia que mira al Sur, la Caja del Órgano y la Alacena que está en la Sacristía, la cantidad de veinte i siete mil trescientos cincuenta y dos pesos, cinco rs.

En dos de febrero de mil setecientos cincuenta y ocho años, se estrenaron los dos colaterales de Nuestra Señora de la Luz y San José, que están en el cuerpo de la iglesia, los cuales junto con el marco de plata y corazón de María de lo mismo, que se hallan en dicho colateral de San Joseph se hicieron, siendo Rector y Maestro de Novicios de este Colegio el expresado P. Pedro Reales, con dinero propio de dicho Colegio y todo tuvo de costo la cantidad de quinientos cuarenta y seis pesos, dos y medio rs.

OBLIGACIONES DEL COLEGIO:

Tiene este Colegio obligación de decir nueve misas cada año por el señor Pedro Ruiz de Ahumada, dos cantadas y siete rezadas. Las cuales ordenó en su testamento se dijesen en las siete festividades más principales de Nuestra Señora, y en el día de San Francisco, y día de la Conmemoración de los difuntos, y están distribuidas en esta forma. Una a dos de febrero día de la Purificación de N. S.; otra a veinticinco de Marzo, día de la Encarnación; otra cantada a dos de Julio, día de la Visitación; otra a quince de agosto, día de la Asunción; otra a ocho de septiembre, día de la Natividad; otra a ocho de diciembre, día de la Concepción; otra a cuatro de Octubre, día de San Francisco; otra a dos de Noviembre, día de los Difuntos, cantada. Y estas misas reparte el P. Rector entre los Padres que viven en este Colegio para que diga cada uno las que le señalare; y es costumbre muy antigua el repartirlas en esta forma.

Y el día de la Visitación, se da la candela.

Tiene también obligación este Colegio por la fundación de tener ordinario encendida la lámpara de San Joseph. Consta del Testamento.

Asi mismo tiene obligación este Colegio de mandar decir cada año veinte y cinco misas rezadas por la Señora D. Andrea de Miranda, como más largamente consta de la escritura de venta de los sitios de Tecastepeque que está en el legajo número 2 del libro de Tecastepeque. Las cuales se pagan a peso, y se dan a Clérigos, y el estilo que ha habido hasta ahora es darlas al Capellán de Xalpa.

En veinte y tres de Julio de mil seiscientos y sesenta y cuatro años, recibió este Colegio tres mil pesos en depósito del Hermano Francisco Bello, Procurador de Filipinas, para pagar a cinco por ciento los réditos y pasó la escritura ante Pedro Sánchez Quixada, escribano real. Estos tres mil pesos, según parece, eran de algunas personas que por mano del Hermano Francisco Bello, querían lograrlos en alguna obra pía por sus almas, o en alguna Capellanía. Este Colegio fue pagando los réditos al Hermano Francisco Bello, hasta este mes de Junio de mil seiscientos y setenta, que por mano del Padre Provincial P. Pedro de Valencia, se aplicaron estos tres mil pesos de depósito con beneplácito de las partes a quienes tocaban, para la obra de la iglesia nueva que se comenzó en este Colegio, con más trescientos pesos, que estaban corridos; y así toda esta cantidad de tres mil y trescientos pesos ha de ir entregando el Colegio al P. Antonio Díaz para la obra, y en recompensa de esta buena obra, que se hizo al Colegio, queda obligado dicho Colegio, a mandar decir setenta misas rezadas cada año pagando la limosna a cuatro reales por las almas de cuyas eran los tres mil, y trescientos pesos; y si en algún tiempo quisiere redimir este censo el Colegio, le ha de redimir por entero dando tres mil y trescientos pesos, los cuales se han de imponer a voluntad del P. Provincial que fuere en una Capellanía, y ha de ser patrón de ella el P. Provincial. Así lo ordenó el P. Provincial Padre de Valencia, y lo aceptó el P. Ambrosio de Andrada, siendo Rector de este Colegio. Y la redención de este censo se hizo en México a veinte y cuatro días del mes de Marzo de mil seiscientos y sesenta y nueve años, ante Pedro Sánchez Quixada, Escribano Real, y está en el libro "Censos redimidos".

Pónese aquí esta razón por la obligación perpetua que le queda a este Colegio de las setenta misas cada año.

Al Maestro de San Martín paga este Colegio seis pesos cada mes, que vienen a ser setenta y dos pesos.

Tiene obligación este Colegio de celebrar en la Capilla interior, la Octava del Santísimo Sacramento, en la forma y con la solemnidad que se expresa en el libro de la dicha Capilla, para la cual están impuestos sobre la Hacienda de los Portales, mil pesos de principal que con licencia del P. Provincial Juan Antonio de Oviedo dio el P. Nicolás de Segura, Rector y Maestro de Novicios de este Colegio, para que con ellos se redimieran mil pesos que reportaba dicha Hacienda de los Portales, pertenecientes a las obras pías de San Felipe de Jesús, los cuales de hecho se redimieron a doce de Abril de mil setecientos treinta y uno, como consta de la chancelación de la escritura de dicho censo, el cual aunque era de dos mil pesos, solos un mil pertenecen a esta dotación, del SSmo. porque los otros mil fueron de dinero de los frutos del Colegio.

RELIQUIAS:

Cabeza de San Máximo, 10 de noviembre.
Cabeza de las Once mil Virgenes, 21 de octubre.
57 varias.

Todas las dichas reliquias trajo de Roma con bendición de la Santidad de Clemente VIII, el P. Pedro de Morales, para este Colegio.

Tiene este Colegio un Santo Cristo de la Gloriosa Santa Teresa de Jesús, en un cuadrito guarnecido de chapas de plata, y encajado en una cruz de plata, el cual traía la Santa siempre consigo y murió con él teniéndole en sus manos cuando expiró, y aunque los pies del Santo Cristo están algo borrados, nunca se han renovado por mayor aprecio de la reliquia; porque el haberse borrado algo los pies procedió de las lágrimas que derramaba la Santa a los pies de este Santo Cristo. El haber venido este Santo Cristo a este Colegio sucedió en esta forma. El P. Fray Diego de Yepes, Religioso Jerónimo y Confesor de la Santa, la asistió a la hora de su muerte, y después de haber expirado tomó este Santo Cristo y se lo llevó consigo al Convento de Ulpiana, en donde siempre le tuvieron en grande veneración y estima. El señor D. Fray Domingo General que había sido del Orden de San Jerónimo fue elegido por Obispo de Chiapa, y al tiempo de despedirse de sus religiosos y hermanos en el Convento de Ulpiana, les pidió por gran favor le diesen este Santo Cristo para traerlo consigo. Y ellos se lo dieron por el grande amor que le tenían. Tráxole a Chiapa, con grande consuelo suyo, y siendo promovido por Obispo de Campeche, le llevó consigo porque nunca le apartaba de su compañía; Murió el señor Obispo en Campeche, y recayó este Santo Cristo en el Arcediano Don Juan Muños de Molina, el cual a la hora de su muerte lo dejó a este Colegio. Toda esta relación, como va escrita, le dio el P. Ambrosio de Adrada, Rector y Maestro de Novicios que al presente es de este Colegio, el cual asistió por más de tres meses en Campeche a dicho Arcediano en la última enfermedad de su muerte y supo del por verdaderas relaciones todo lo que va escrito, y así se pone en este libro, para que conste en adelante.

(Firmado) *Ambrosio de Adrada*

Santo Cristo de Marfil metido dentro de una cajita de plata. Lo llevó el Conde de Lemos a Roma, y el Santo Padre le concedió muchas indulgencias. Fue tocado a varias religiosas. Lemos lo dio a Fray Bernardino de la Cruz, agustino, y éste al Hermano Diego Gutiérrez, quien lo dio a Tepotzotlán. El Papa fue Paulo V.

El sitio de las casas y huerta dieron los Principales del Pueblo. Aprobado por Coruña, 12 de junio de 1582, ante Juan de Cueva.

Antonio de Mendoza hizo merced de un herido de Molino al Gobernador del Pueblo, en 10 de julio de 1549, ante Antonio de Turcios, en Ocuituco. Donación al Colegio, en presencia del Alcalde Mayor, 3 de septiembre, ante Diego Núñez. Al principio se comprometió el Colegio a molerles al año 500 fanegas de trigo y pagarles 25 pesos. Pero después no les convino, y quedó libre el molino.

También pedazo de tierra "Amanalco".

La agua de la acequia que viene a los molinos, y con que a sus tiempos riegan los indios sus tierras, la trajo este Colegio, porque, aunque antes venía alguna, era muy poca, y no podía servir ni regar las milpas, y sembrados de los Indios, hasta que la Compañía, a su costa, aderezó la acequia y la zanja, dando para ello todo lo necesario de materiales, herramienta y comida, haciendo a su cuenta las alcantarillas y reparando los daños de ella con topiles que para esto tenía salariados; Y la acequia que viene por debajo de tierra, desde el batán de Juan de Peña la hizo este Colegio a su costa, y se hizo probanza de todo lo dicho a petición del P. Luis de Ahumada a seis de septiembre de 1591 (?), años, ante Pablo de la Serna, escribano público, y el año de mil quinientos y noventa y tres y el de 1608, se concertaron los indios de este pueblo, con este Colegio, para que el Lunes, Martes, Miércoles y Jueves, viniese el agua a este Colegio y el Viernes, Sábado y Domingo sirviese a los indios para sus riegos, y que mientras no se regase, nadie pudiese sacar agua de la acequia. Y que en tiempo de riego, se debía elegir un topile que repartiese el agua a los que la hubiesen menester y que ningún otro pudiese sacar agua, sin autoridad, de la acequia... Y que los Indios de este pueblo no pudiesen hacer compañía con españoles en las tierras sujetas a la acequia antes de llegar al molino. Y los Indios, porque les es de provecho la acequia se obligaron a limpiarla dos veces cada año, y más si fuere menester. Las escrituras en lengua Mexicana 31 de mayo de 1608, y 17 de diciembre de 1593.

Unas casas en Tepotzotlán.

El año de 1666, se compuso el P. Manuel de Arteaga, R. y M. de N. de este Colegio con el P. Juan de Alcaraz, Rector del de Santa Ana, sobre el pleito que dichos Colegios tuvieron, pidiéndose algunos libros, y otras alhajas que trajeron los novicios cuando se mudaron y que Diese este Colegio cien pesos al de Santa Ana.

Unas casas en el pueblo, y terreno a la salida.

HACIENDAS:

Zuchimancas, 1o. de febrero de 1639. $ 539.5 rs.
Varios pedazos de tierra que donaron los naturales, sobre todo Don Martín Maldonado.
Provisiones reales para que no haya tabernas, ni se venda vino en Tepotzotlán.
Astillero, 1629. $ 400.00.
Cuevas de Aranda. 1656. $ 260.
Xalpa. 1593. $ 10.00.
Santa Inés. 1608. $45,937. rs.
AGOSTADEROS de Colima.
Mandamientos de Virreyes para que los Indios de las haciendas del Colegio puedan andar a caballo con silla y freno; para que los mayordomos aunque sean mestizos, puedan traer armas;
Tescatepeque, y Santa Catalina.

Escanela.

$ 1647 de diezmos al año.

DISTRIBUCIONES DE NOVICIADO, hechas por el P. Visitador Juan de Bueras, añadidas por el P. Visitador Hernando Cabero de acuerdo con el Provincial P. Pedro Antonio Díaz, y P. Valencia. 20 de septiembre de 1662.

Verano, comienza el último día de Carnestolendas en la noche.

4. levantarse, vestirse, componer la cama, oración, examen y barrer aposento.

6. Misa.

6½ Prima, tercia, sexta y Nona.

7. Almorzar, y después leer en el aposento. "Contemptus Mundi".

8. Oficio corporal.

9¾. Oficio Manual.

9¾ a 10. Barrer el noviciado y rezar la estación.

10. Lección espiritual en los aposentos.

10¼. Tomar de memoria.

10¾. Examen en la capilla.

11 a 12. Comer y quiete.

1. Descansar.

1½. Vísperas y completas; letanía de Ntra. Señora y otras devociones.

2. Doctrina, tonos, dudas, escritura, canto. (Esto los viernes).

3. Oficio manual.

4. Oficio corporal.

4.½ Rosario.

5. Lección espiritual.

5¼. Preparar la oración.

5½. Oración.

6. Rezar maitines y laudes, hacer la cama, devociones.

7. Letanía.

7¼. Cenar y quiete.

8. Oración y examen en la Capilla.

9. Acostarse, y podrán tomar disciplina en el primer cuarto.

Invierno comienza el día de San Lucas en la noche.

Algunas ligeras variantes, como levantarse a las cuatro y media.

Variantes también en días de asueto y de fiesta.

Ejercicios de Cuaresma.

NOTA. Debo a mi estimado amigo, don Manuel Romero de Terreros, la copia que publico de este interesante documento, en el cual aparecen los datos más verídicos acerca de la historia de Tepotzotlán. El original existe en la Biblioteca del Museo Nacional de México. Se respeta la ortografía del manuscrito.

14. La parroquia de Atitalaquia

Antes de llegar a Bojay o el Tanque, estación de donde se va a Atitalaquia, el ferrocarril atraviesa una interminable serie de yacimientos de cal. El campo es blanquecino; la vegetación se compone de cactos que clavan sus uñas descarnadas en los resquicios del terreno. El mundo parece, aquí, una bola de cal viva.

El camino de la estación al pueblo zigzaguea entre nopalillos y magueyes escasos; a poco la vegetación va surgiendo animosa, se reúne, se atreve y se descorre en protesta entusiasta de la resequedad anterior. Quizás por eso Atitalaquia aparece risueña como un jardín rodeado de sembradíos que en el fondo limitan cerros oscuros.

El único edificio interesante es la parroquia. Es una iglesia de planta cruciforme con una esbelta torre a la izquierda y una pesada cúpula octogonal. El camposanto abandonado, inculto huerto donde se mezclan la vida y la muerte: restos humanos y un pequeño rebaño de ovejas; detalles de romántico sentimentalismo con vulgaridad prosaica: esta cruz sombreada por cipreses y el cacareo de una gallina ponedora.

De la primitiva iglesia de Atitalaquia, fundada a raíz de la Conquista, nada sabemos sino que el año de 1569 era antiquísima. La admirable *Relación de Atitalaquia,* publicada por Troncoso en sus *Papeles de Nueva España* (VI–199) es valiosísima para la época prehispánica, pero nada nos dice de los tiempos coloniales. El cura que administraba el templo, don Fernando Gómez, decía ese año: "La iglesia de San Miguel está tan vieja que se quiere caer: tiene necesidad de reedificarse; está muy
70 necesitada de ornamentos para el culto divino, por haber pocos años que hay aquí ministro eclesiástico." El año de 1563 había sido erigida en parroquia.[1]

Sin duda la reparación se llevó a cabo; aún pueden verse en diversos sitios del muro de la iglesia actual, fragmentos de piedra con relieves esculpidos con un dibujo de fajas cruzadas en cuyos huecos se miran estrellas. Estas piedras pertenecieron seguramente a la antigua iglesia reedificada, es decir, a la segunda. Acaso también formó parte de ella la actual pila del agua bendita que está ahuecada en un capitel de columna en forma de loto con discos esculpidos alrededor, todo ello de vivo recuerdo indígena.

La fachada de la iglesia con su torre, cuyo basamento sostiene un hábil arco botarel, es lo más notable que se encuentra. El conjunto es de proporciones admirables; la torre, de sutilísima esbeltez, se halla un poco atrás del nivel de la fachada, la deja lucir, sin distraer con el enorme basamento desnudo la delectación con que nuestra mirada se detiene en la finura del relieve, en la discreción del conjunto, en la armonía del color rojizo de la cantera, evocativos detalles que despiertan en nosotros
71 la resonancia de algo conocido y amado: esta fachada es como una anticipación de Querétaro.

Encuadran el conjunto dos pilastrones o contrafuertes coronados con elegantes remates que llegan casi hasta el fin del tercer cuerpo. Porque tiene tres la fachada, formados por dos pares de pilastras geminadas cada uno, con nichos entre ellas, y entre sus basamentos, cosa rara, pilas de agua bendita. En el centro del primer cuerpo, la puerta con arco de medio punto cuya clave es netamente queretana; en el del segundo, una gran ventana oval y en el último la estatua de San Miguel, patrón del templo. Las pilastras están cubiertas de adornos, follajes y frutos en relieve y presentan la forma característica de la pilastra churrigueresca: pero hay tal moderación en ellas y en el conjunto (apenas

1 *Descripción del Arzobispado de México en 1570.* Ed. García Pimentel. pp. 48 y 50.

las cornisas presentan una ligera ondulación en el centro), que no pensamos en el desenfreno magnífico del churriguera mexicano, sino en algo más tímido, sí admirable en su mesura y equilibrio.

Por el costado del norte del templo hay otra portada esculpida en la misma cantera rojiza. Más sencilla, acaso sea de fecha anterior a la de la principal. En este mismo lado un enorme botarel apoya el basamento de la torre; está formado por un gran machón del que sale un arco rampante de un cuarto de círculo; todo revela un hábil arquitecto.

Por dentro, la iglesia presenta menor interés. He mencionado la pila del agua bendita; hay que agregar la puerta del bautisterio, hecha quizá de la misma cantera tan abundante aquí, pero pintada de aceite imitando mármol rojizo, ¡del color natural de la bellísima piedra! En la parte alta de la puerta hay un nicho rodeado de adornos en relieve, como un baldaquino o más bien repostero. Recuerda algunas de las portadas churriguerescas españolas.

La nave tiene diez varas de ancho; a sus lados presenta altares neoclásicos todos iguales y de forma discreta. Cuando pensamos que en tantos templos estos altares sustituyeron a los magníficos retablos churriguerescos, nos parecen todos una abominación.

El pesado cimborrio está sostenido sobre cuatro pechinas; su planta es un octágono con cuatro de sus lados muy grandes correspondientes a los arcos formeros y torales, y cuatro más pequeños que son los de las pechinas. Por eso es desagradabilísimo. Por el exterior la cúpula no es menos imperfecta; con un enorme tambor y una media naranja de líneas infelices, su primitivismo contrasta con la pericia arquitectónica de la fachada, de la torre, del botarel. ¿No serán posteriores todas estas partes, agregadas en el siglo XVIII a una iglesia más antigua, acaso del XVII? Los caracteres del casco del templo y su cúpula nos autorizan a afirmar esto, pues corresponden al tipo arquitectónico corriente en las iglesias del 1600.

Al arrimo de la sombra del domo, en el mediodía caluroso y tras la fatiga del trabajo, la intensidad de la vida campesina despierta en nosotros un anhelo de plenitud.

Golondrinas cismáticas se han apoderado del templo, quieren cubrirlo con la arquitectura de sus nidos. A la derecha, lejísimos, se ve la Sierra de los Frailes; por allá queda Actopan; Ixmiquilpan más lejos. A la izquierda, Tula, Tlahuelilpa, y Tlamaco a menos distancia. Estamos en uno de los focos de la arquitectura del Estado de Hidalgo.

El fermento vital nos enerva en una voluptuosidad prolongada. Los minutos resbalan pausados, al ondular del suave cepillo en los trigales. Filósofo pesimista, la soledad no fue bastante a ensimismarlo porque ella misma, toda dispersa, estaba absorta y como olvidada de su existencia. Las horas del campo discurren lentas, porque en él la vida tiene mucho qué hacer.

Atitalaquia, 29 de marzo de 1925.

15. La casa de alfeñique en Puebla

A DESPECHO de los años y de la incuria, sobrevive en todo el ambiente de Puebla el prestigio de su colonial abolengo. La ignorancia se empeña en destruir los tesoros del pasado para instalar a sus anchas la fealdad de toda nuestra moderna arquitectura, piedra artificial, cemento y estuco. Cuando el viajero contempla edificios antiguos, agrégales a su belleza peculiar, este otro encanto fúnebre que opone al persistir de la piedra la fragilidad espiritual de los seres mortales; están condenados de antemano; los matará su propio dueño, ignorante de lo que pierde. Y, como si adquirieran conciencia de su muerte, los toca un destello de inquietud.

Puebla presenta sugestivos encantos al que busca las huellas del arte de otros tiempos. Es la ciudad criolla de la Nueva España; carece de tradición indígena y acógese a su rancia tradición española y cristiana intesamente, casi con furia. Las condiciones especiales del sitio influyen no poco en singularizar su aspecto: es plana, tranquila, sin grandes alturas en sus cercanías, es en extensión como otras ciudades —Guanajuato, Zacatecas, Tasco— son en profundidad. Las calles, uniformes, pintorescas en el conjunto abigarrado de sus casas, concluyen de pronto; no hay arrabales. Apenas la parroquia del Santo Ángel de Analco, yergue su vetustez en un páramo de polvo: es un barrio lejano, casi un pueblo, y lo propio ocurre con Santiago. De las colonias modernas que han aumentado el tamaño de la población recientemente, prefiero no hablar.

Pero lo más distintivo es el clima. Es un ambiente seco, de incomparable transparencia. No hay transiciones entre la luz y la sombra: veis un muro soleado, deslumbrante, y en él, negro, insondable, el vano de una puerta. Este clima excita y agobia; es propicio al gozo y a la melancolía; a la pereza y a la voluptuosidad, como esas *elles* características que en labios de sus mujeres, son caricia y dejadez, incitantes al par que descuidadas.

Las casas están admirablemente hechas a este clima. Por todas partes encontráis amplios zaguanes rebosantes de sombra. Refugiad en uno de ellos vuestra fatiga; hay en él una delicia de frescura; tras un arco se extiende el patio, que es como irrupción de claridades deslumbradoras; al centro, la verde claridad de un árbol —un naranjo, una higuera, un laurel— es oasis en aquel pequeño desierto; la escalera no se halla en sitio uniforme como ocurre en las casas de ciertas épocas en México, sino en lugar más conveniente del patio, cómodamente acogedora con un macizo pretil de mampostería, igual que el de los corredores; ambos descansan sobre ménsulas de piedra empotradas en el muro y unidas entre ellas por arcos rebajados. La blancura del patio parece desterrar la vida, pero en esos renegridos oscuros que forman puertas y ventanas, si atravesáis el irregular enlosado, hallaréis vida riente, alegre, caprichosa; conversación danzarina y picante.

Pero también puedo enseñaros casa de más suntuoso atavío. Mirad este amplio edificio que forma esquina a la calle de Raboso. ¿Os llama la atención ese revestimiento de los muros, esa combinación de azulejo y ladrillo? Es típico de Puebla; la mitad de las casas lo tiene; y observad la sabiduría que encierra; el muro no reverbera con la luz solar; absorbe el calor y la irradiación; protege nuestros ojos y protege al habitante de la casa; desempeña el mismo oficio que el *tezontle* de México; pero ¡ay! que también, como éste, ha sido bárbaramente pintado con cal en gran número de casas. La composición de la fachada es admirable. Esas líneas horizontales la dividen armoniosamente y evitan que la casa parezca demasiado alta o demasiado baja. Y en la esquina, rómpese el ángulo de dichas líneas, dando al edificio gracia incomparable. Los llenos y los claros se combinan con gran arte. ¿Qué arquitecto moderno puede repartir veintiséis claros en una fachada sin romper el equilibrio y sin que la casa parezca un enorme palomar?

Pero el principal mérito de esta mansión radica en el ornato. El ornato que se halla sobriamente concentrado, que es nulo en la parte inferior y va ascendiendo lentamente, va *aligerando* cada piso, hasta llegar a la voluptuosidad de la cornisa, esa línea ondulada que parece mecerse en las nubes.

Si queréis subir conmigo a uno de los balcones del piso alto os encantará la gracia de los adornos, *73* que en su fragilidad dan nombre a la casa. A lo largo de las pilastras, como fantástico y proteiforme monstruo marino, rampa el relieve. Es bajo y sencillo al principio; es una simple guirnalda que va transformándose como si cediera a un íntimo anhelo de voluptuosidad. Pasado el dintel de la puerta, piérdese casi toda disposición arquitectónica; sólo vive un hacinamiento de adornos, de volutas, de conchas, de rocallas que parecen sostener, por milagro, la vastedad de los doseles que cubren los anchos balcones. La consistencia de los adornos, todos hechos de mezcla y afinados por la altura, dan al conjunto el aspecto más delicado; semeja seguramente un *alfeñique:* un dulce hecho únicamente de azúcar, frágil y translúcido como una porcelana.

No se crea que la fachada está exenta de defectos: ved, por ejemplo, las anchas losas que forman el piso de los balcones, el *sardinel;* están sólidamente empotradas en el muro y no presentan el menor riesgo; pero la ley más elemental de arquitectura exigía que tuviera algo a modo de ménsula, siquiera uno de esos hierros artísticamente forjados, que tanto abundan en Puebla. Yo imagino que el arquitecto, llevado de la plasticidad que ofrecían los materiales, del deseo de llenar de lujo su obra para hacerla digna de la próspera Colonia; incitado aquí por la voluptuosidad del clima, olvidaba toda mesura y toda regla para desarrollar los caprichos de su fantasía. Hallaréis cornisas en algunas casas de Puebla, que han perdido su papel arquitectónico para ser algo incalificable: suntuoso y sin líneas, delicado y absurdo: una embriaguez.

En el interior de la Casa de Alfeñique hay todavía mucho que admirar. Pasada la bóveda que *74* cubre el zaguán extiéndese el amplio patio; la escalera es notabilísima; corónala una cúpula que por el interior presenta magnífico aspecto; el corredor, anchísimo, lleno de sombra, tiene a un costado una puerta soberbiamente adornada; quizá sea la de la capilla, pues presenta el mismo aspecto que las similares de México. Los corredores opuestos son más angostos; a semejanza de casi todos los corredores de Puebla, descansan en una serie de bóvedas bajas, apoyadas en ménsulas de elegante dibujo; la sombra acumúlase suave bajo la cóncava superficie vigorizando la construcción.

Por su estilo, por el uso de la pilastra sobrecargada de ornatos, este monumento cae dentro de la clasificación churrigueresca, tan abundante en las construcciones domésticas de Puebla, como escasa en otras regiones, como México. Es un ejemplar magnífico cuya gracia dieciochesca contrasta con el severo y elegante barroco del siglo XVII que también existe en gran número en esta beatífica ciudad.

Algo puede decirse de la historia de esta casa, aunque sean datos incompletos. Según el doctor Leicht en su germánico y por ende metódico libro *Las calles de Puebla* (p. 366) la casa se ve citada con su actual designación desde 1790; la acababa de edificar el maestro de herrero Juan Ignacio Morales, abuelo del pintor poblano don Francisco Morales, "Moralitos", que vivió en ella durante el tiempo en que fue propiedad de su padre y sus hermanas. En 1896 el filántropo don Alejandro Ruiz Olavarrieta la cedió a la Beneficencia Pública del Estado y en 1926 fue instalado en el edificio el Museo Regional.

Se dice que el arquitecto del monumento fue el célebre don Antonio de Santa María Incháurregui, maestro de Arquitectura y Agrimensor titulado y recibido en la Academia de San Carlos de

México (así aparece en las Guías de Ontiveros desde 1806 por lo menos) que falleció en 1827 a la edad de setenta y cinco años.

El Museo del Alfeñique como se le designa actualmente, es visitado por todos los turistas que vienen a Puebla. Sus estancias están rebosantes de muebles, cuadros, objetos arqueológicos y etnográficos. Llaman la atención, en la planta baja, las escalerillas de las clásicas "accesorias de taza y plato" que, lo mismo que en México, se usaron en Puebla frecuentemente.

Algunos departamentos del museo están bien instalados; otros, desgraciadamente, y a causa del excesivo número de objetos, presentan el aspecto de pequeños bazares en que se pierden las piezas de verdadero mérito en un hacinamiento que fatiga nuestro cerebro en vez de deleitarnos.

Salgamos nuevamente al balcón, al más grande, al más suntuoso. ¿No es verdad que su amplitud y su comodidad son simbólicas? Está hecho como para ver la vida deslizarse a sus pies, conservando la inmortalidad aprisionada entre el desvaído musgo de sus piedras.

16. La Capilla del Pocito en Guadalupe

CUANDO recorréis el monótono, feo y sucio poblado que, como ciñendo a la idea que le dio origen, se agrupa en torno de la colegiata de Guadalupe, venís, por fuerza, a refugiar vuestros pasos junto a la Capilla del Pocito. Es aquí donde la virgen esperó, bajo la sombra de un árbol, que Juan Diego tornase con su cosecha de rosas; y es aquí donde, al contacto divino, se produjo el milagro de la pintura sobre la tilma. Seáis o no aparicionistas convendréis conmigo en que la Capilla del Pocito *75* bien vale un milagro; yo os doy, en cambio, la abominable capillita edificada enfrente para que la hagáis desaparecer si queréis y no se compare más, con gran detrimento de nuestra época, la arquitectura colonial y ésta que ya casi ni el nombre de arquitectura merece, pero que goza de gran privanza en el día.

La *capilla* encierra un gran significado en el arte y en la vida de la Colonia. La capilla es la iglesia hecha y casi administrada por los fieles; es la intervención directa de la feligresía para procurarse un templo suyo, cerca de su hogar; o con objeto de que se conmemorase algún hecho notable. Había capillas de barrio —algunas subsisten aún—; había capillas de gremios de artesanos, como la de los talabarteros en la plaza mayor; y había capillas para recordar un hecho notable, como la de San Hipólito, o un milagro, como las capillas guadalupanas.

La construcción de la Capilla del Pocito nos enseña más acerca de la *capilla* que cuanto podamos referir. Los cimientos se abrieron el 1o. de junio de 1777; continuóse la construcción a instancias de don Calixto González Abencerraje, quizás el verdadero último de los Abencerrajes, y, después, del gaditano don Nicolás Zamorátegui, comerciante de México. Se edificó a expensas públicas, pues se hizo de limosnas, por los artesanos de México que trabajaban en ella cuatro horas los días festivos, con licencia del arzobispo don Alonso Núñez de Haro y Peralta, y ganando por ello 80 días de indulgencia. Hasta la piedra para la fábrica fue traída del Tepeyac por los fieles, lo mismo que la tierra para terraplenar la calzada. Con el sobrante de los materiales se hizo una casa para los sirvientes de la capilla, casa que se conserva aún.

La obra duró 14 años. Y el ornamento de la capilla fue también hecho de limosnas. En la *Gaceta de México* del martes 27 de diciembre de 1791 se publicó el plano de la capilla y un extracto de las *79* cuentas de construcción. Y por las notas se sabe cómo los plateros dieron la lámpara, con peso de 119 marcos, 1 onza y 4 adarmes; los que tenían puestos en el baratillo y en el Puente de Palacio dieron los tres altares y tres campanas; el herrero don Joseph Antonio Zavala dio las cruces veletas; el talabartero don Bartolomé Espinosa, el aguamanil; los carpinteros, principalmente don Carlos López, hicieron las obras de madera; don Pablo Milier y otros sastres los ornamentos.

Y el principal, el autor de la obra, el que la había delineado —suyo es el dibujo que se publicó en la *Gaceta* y se reproduce ahora— el que la dirigió durante los catorce años, "don Francisco Guerrero y Torres, maestro mayor de esta muy noble y muy leal ciudad, y de otras fábricas reales", trabajaba también sin extipendio alguno, *mere gratis*. Don Ignacio Carrillo y Pérez en su *Pensil Americano* (1793) es quien da esta noticia, añadiendo que "tenía que ir desde esta Capital a aquel santuario, de donde era nativo".

Sobre el origen de la planta de esta hermosa capilla, don Diego Angulo Íñiguez publicó un pequeño artículo en la malograda revista *Arte en América y Filipinas* (2–161) en que demuestra que Guerrero y Torres se inspiró en una lámina del libro de Serlio para realizarla. Aunque la idea de las dos *78*

cúpulas anexas, una grande y una pequeña, la había concebido antes Guerrero y Torres en las que
87 cubren la escalera de la casa de los Condes de San Mateo de Valparaíso, la semejanza de plantas
entre la Capilla del Pocito y la que publica Serlio es evidente como podrá apreciarlo el lector. Es
indudable que el arquitecto mexicano conoció a Serlio a través de la traducción de Francisco de Villalpando, publicada en Toledo en 1552. Yo poseo un ejemplar de los libros tercero y cuarto, que
sin duda fue de algún arquitecto de la colonia y más tarde perteneció a don Lucas Alamán. En el
Libro Tercero, "De las Antigüedades", folio XVIII aparece el plano de un templo que "está fuera de
Roma, y de presente está muy caydo y arruynado, es labrado de piedra tosca la mayor parte dél".
Los dos grabados de reconstrucción del alzado son creación de Serlio, pues la ruina no permite apreciar cómo era el edificio. Inútil es decir que, según esos dibujos, nuestra Capilla del Pocito no se
parecía en nada al edificio de este templo. La semejanza sólo se refiere a las plantas.

Así se edificó esta pequeña obra maestra. Dejemos su historia y estudiémosla tal como se conserva hoy. Su planta demuestra una gran habilidad para repartir el peso de la cúpula, sin hacer
contrafuertes al exterior: recurre para ello a cuatro capillas consagradas a las apariciones. Los muros sirven de base a las cúpulas y esto, que Baxter censura porque resta dignidad a la obra, está disi-
mulado por una especie de crestería rematada de pináculos de loza, y revestida toda ella por azulejos
iguales a los de las cúpulas. Dicha crestería parece una corona erguida sobre la capilla. En la parte
que corresponde al gran cuerpo se hicieron los campaniles, y un barandal completa el campanario.

El magnífico azul de las cúpulas, brillante por el reflejo luminoso, la felpa rojiza que parece reves-
77 tir la capilla en el tezontle de sus muros, las originales claraboyas en forma de estrella, dan a la
capilla un aspecto peculiar de una gran armonía enmedio de una lujosa brillantez.

Los adornos que rodean a la gran estrella que está sobre la puerta, por la danza inimitable que
76 tejen los serafines entre el rico follaje, hacen pensar en un Lucca de la Robbia que hubiese ganado
en esplendidez, cuanto había perdido de puro candor. Las golondrinas que han anidado al arrimo
de las cornisas y cuyos vuelos concéntricos parecen cobijar a la capilla, pudieran decirnos que nunca
vieron relieves de más delicado dibujo, de más amorosa complicación, que los que ciñen a la Virgencita erguida en su estrella.

Si entráis conmigo a la capilla, veréis que el interior desmerece mucho de lo que el exterior parecía
prometernos. Sólo el púlpito con un pretendido retrato de Juan Diego, bella escultura, nos atrae.
Las restauraciones hechas de 1880 a 1882, como lo enseña una placa, ¿habrán destrozado la capilla
según costumbre? Parece que el interior de la cúpula era dorado; las pinturas que ahora lo cubren
son de lastimosa pobreza; los altares que ocupan las capillas de las apariciones son modernos, de
una vulgaridad desesperante. Las cuatro apariciones están pintadas en sendos lienzos; uno tiene la
firma de Cabrera, todos parecen de su misma mano, aunque restaurados. Fue quizá al hacer la reconstrucción en 1880 cuando se recurrió a un medio burdo para salvar la fábrica; con todo, se salvó.
La primera capilla, la que cubre el pocito, la más bella sin duda, comenzó a separarse del resto del
edificio y, para evitar su caída, fue asegurada por medio de unos cinchos de hierro, con deterioro de
los adornos. Tiempo es de iniciar una reparación hábil.

El pocito estuvo clausurado mucho tiempo, mas después volvió a ser fuente de salud. Los derra-
mes que existían al exterior para bañar a los enfermos, y que figuran en el plano de 1791, fueron
cegados en fecha inmemorial. Penetremos. La muchedumbre se acerca sedienta de esta agua mila-
grosa que a nosotros no nos atrae. Cierra el brocal del pozo una reja de hierro; lo severo del lugar
hace que pensemos, más que en el agua de la fuente de Juvencio, en un monstruo desconocido, en
un Minotauro que sufre la doble prisión de la capilla y del pozo.

1917-1938.

64

17. *La casa de los condes de San Mateo de Valparaíso en México*

LA HISTORIA de los edificios, como la de los hombres, ofrece a veces momentos dramáticos, en tanto que otras es tranquila como navegación afortunada. Es que la arquitectura, si es verdadera arquitectura, arraiga tan vigorosa en la conciencia social para la que fue creada, que ella misma es un testimonio de su espíritu. Edificios hay que simbolizan a un país entero, como las pirámides a Egipto, el Louvre a Francia, o los rascacielos a la tierra de Lincoln.

En nuestro México, país de amalgama y diversidad de razas, existen dos manifestaciones arquitectónicas que pueden llamarse nacionales: la autóctona, producida por los pueblos que habitaron el territorio antes de la llegada de los europeos, y que, por semejanzas antropológicas, parece emparentada con la del Asia meridional, y la procedente de la cultura occidental europea, traída a México por artífices españoles, y que a su vez recibió de tal modo la huella indígena, que ella misma llegó a influir en la arquitectura de la metrópoli. El arte aborigen mexicano ha sido aquilatado por la crítica mundial entre las más vigorosas creaciones plásticas de la humanidad; nuestra arquitectura del virreinato, si no de tal valía, no menos interesante como fenómeno artístico, espera aún que se le dé a conocer debidamente, que se diluciden todos sus problemas internos y de intercambio estilístico, y se justiprecie, en suma, su papel en la historia del fenómeno constructivo y artístico del mundo.

El edificio que ocupa, desde 1884, el Banco Nacional de México, tiene una historia apacible, con *81* un solo intermedio dramático en que el noble caballero que lo elevara, para acrecentar el patrimonio de su descendencia, deshereda a su hija a fin de evitar que su fortuna cayera en manos de su yerno, que sabía más de gastar los dineros a escarcela abierta que de ganarlos en la quietud del trabajo. A don José María Marroqui, el historiador más paciente de la ciudad de México, a quien no siempre se hace merecida justicia, debemos estos indiscretos detalles, tomados, según dice, de un cuaderno manuscrito de la descendencia del marqués de San Román. La leyenda ha añadido también una flor a esta guirnalda: se cuenta, en efecto, que el noble marqués del Jaral de Berrio, casado con la condesa de San Mateo de Valparaíso, tenía una hija a quien cortejaba un caballero derrochador en extremo, y que, a fin de evitar que su cuantiosa fortuna cayese en manos del galán, mandó edificar un palacio, encargando al arquitecto la obra más suntuosa que pudiese hacer y emplear así en ella todo su dinero. Tal palacio es el que hoy conocemos por Hotel de Iturbide.[1] La historia, por boca de Marroqui, nos dice que el edificio que hoy ocupa el Banco Nacional

se hizo por orden y a expensas de don Miguel de Berrio y Zaldívar, marqués del Jaral, casado con doña María de la Campa y Coss, condesa de San Mateo de Valparaíso, padres de doña María Ana de Berrio y Campa, hija única, casada con el marqués de Moncada. Estos títulos reunidos y los cuantiosos bienes que les estaban vinculados, eran bastantes para el brillo de una familia; sin embargo, queriendo aumentarle, el marqués del Jaral y la condesa su mujer solicitaron del Rey, el año de 1769, el indispensable permiso para fundar uno o más mayorazgos de todos sus bienes, así heredados como adquiridos, permiso que les fue impetrado por cédulas de 13 de agosto y 16 de diciembre de 1779, y en uso de él procedieron a la fundación de mancomún, marido y mu-

[1] Manuel Romero de Terreros. *Residencias coloniales de México.* México, 1918.

jer, por escritura pública hecha en 20 de marzo de 1779, ante el Escribano don Andrés Delgado Camargo, señalando para fondo de estos dos mayorazgos, respectivamente las cuatro quintas partes del caudal libre de cada uno de los fundadores, instituyendo el marqués por su inmediato sucesor al hijo varón, que pudiera tener, y en su defecto a su nieto don Adeodato (otros le llaman Juan Nepomuceno) de Moncada y Berrio, etc.; y la condesa, por lo tocante al suyo, al hijo varón que acaso tuviera, y, por falta de éste, a su nieta doña María Guadalupe de Moncada y Berrio.[2]

Se ve el propósito de excluir al yerno desheredando a la hija, lo cual comprueba que el manirroto era el marqués de Moncada. El del Jaral falleció sin el hijo varón que anhelaba y entonces el yerno, claro está, acudió al Rey solicitando se anulase la fundación que excluía a su mujer. La resolución, oídas todas las partes, decía, en cédula de 20 de septiembre de 1786, entre otras cosas, que "la fundación de los mayorazgos subsistiera y se llevara a efecto perpetuo, con inclusión de la cuota de bienes que comprendía; pero reprobando, como reprobaba, los llamamientos en cuanto a la prelación de los nietos y postergación de la hija única"; o, dicho en los términos curialescos de la época, "redujo los mayorazgos a vínculos regulares". Obligada por esta resolución, la condesa tuvo que rehacer sus fundaciones, obedeciendo un decreto del virrey, conde de Revillagigedo, de 17 de noviembre de 1792, y las rehizo por escrituras públicas de 11 y 13 de diciembre del propio año, ante el escribano don Mariano Zepeda. Por incidentes con su yerno volvió a crear su fundación, en San Luis Potosí, pues se había reservado el derecho de modificar, mientras viviera, sus disposiciones. Ante el escribano real y Teniente del Cabildo de esa ciudad, don Silvestre Suárez, se tiró la escritura de este nuevo mayorazgo el 24 de mayo de 1794. Allí instituye por heredera a su hija y por muerte de ésta a su nieta, doña María Guadalupe de Moncada y Berrio, siempre que el rey aprobara la fundación que, a pesar de que salvaba al nieto, fue aprobada por cédula de 20 de octubre de 1795. Por este tiempo murió la marquesa del Jaral y entonces la condesa, que había cobrado gran afecto a su nieta, le buscó un título propio suyo, reviviendo uno antiguo de Castilla que poseía la casa, el del marqués de San Jorge, pero mudándolo en el de San Román, y tuvo que justificar para ello la ascendencia, pagar los cuantiosos derechos y comprobar que sobraban recursos para el decoroso sostenimiento del título exhumado. Consecuencia de todo esto fue que la heredera de los marqueses del Jaral y de los condes de San Mateo se designara marquesa de San Román. La condesa murió el 15 de octubre de 1804, y entonces su nieta entró en posesión del mayorazgo.

Como la casa que estudiamos fue vinculada en el mayorazgo de San Mateo de Valparaíso, y seguramente la condesa habitó en ella, se la designa como casa de la condesa de este título, aunque quien la mandó edificar fue el marqués del Jaral, como hemos visto.[3]

El último vástago del mayorazgo de San Román fue don Manuel Fernández de Córdoba, que murió sin sucesión el 10 de junio de 1867: entonces la finca fue adjudicada a don Clemente Sanz, por $73,500.00, según escritura pública de 28 de julio de 1868, ante el notario don Francisco de P. Villalón. Más tarde pasó a la hija del señor Sanz, doña Dolores, y ella la vendió al Banco Nacional Mexicano en $ 135,000.00, por escritura de 4 de abril de 1882, ante el notario Fermín Gonzáles Cosío, y después de las reparaciones hechas, que importaron $53,000.00, esta institución pasó a ocuparla el día primero de julio de 1883. Como ya se sabe, este banco, fundido con el Banco Mercantil Mexicano, formó el actual Banco Nacional de México, que siguió ocupando el mismo edificio.

Con posterioridad la casa sufrió otra reforma, que consistió en hacer desaparecer el aspecto del entresuelo en la parte exterior, como puede verse en la hermosa litografía que aparece en *México y sus alrededores*.[4] Allí se ve cómo era el edificio, aunque la vista adolece de cierta desproporción,

[2] J. M. Marroqui. *La ciudad de México*. México, 1900. Tomo II. pp. 368-373.

[3] Para detalles acerca de las familias del Jaral, de San Mateo y de Moncada, véase R. Ortega, *Estudios genealógicos*. México, 1902.

[4] *México y sus alrededores*. Publicación de V. Debray, editor. México, 1870.

pues el entresuelo no tenía los balcones tan altos. Para hacer la reforma se rasgaron los vanos de la planta baja prolongándolos hacia arriba, lo cual, si dio al edificio más severidad, alargó en extremo algunos de esos vanos, como puede verse en la puerta que da al sur, que es de una altura desmesurada. Fuera de este detalle, que sólo los conocedores pueden apreciar, el edificio se conserva intacto en su parte exterior y en algunos detalles de la interior, que ha tenido que ser adaptada a las necesidades de un banco moderno. El mérito artístico del edificio hizo que la Secretaría de Educación Pública y Bellas Artes lo presentara a la Comisión de Monumentos y Bellezas Naturales de la República, que, en sesión del 29 de marzo de 1932, tuvo a bien aceptar la declaratoria que lo consagra como uno de los Monumentos Nacionales.

No es un hecho históricamente comprobado, sino sólo una tradición aceptada sin discutir, que el Barón de Humboldt haya llamado a México "la ciudad de los palacios". Sin embargo, estudiando el plano de la capital del virreinato en aquellos felices tiempos, cuya zona totalmente urbanizada comprendía un espacio que por el norte llegaba cuatro calles más allá de Santo Domingo; por el poniente a la Alameda; por el sur a San Pablo y por el oriente a la Soledad,[5] se ve que sí es posible que el ilustre viajero se viera sorprendido por la cantidad de edificios suntuosos: los palacios Real y del Ayuntamiento, de la Aduana, de la Inquisición; los Colegios de Minería, de San Ildefonso, de Santos, de San Pedro y San Pablo, de las Vizcaínas o San Ignacio, de Niñas; los conventos cuyas moles enormes evocarían, si no precisamente boato palaciego, sí gran suntuosidad eclesiástica y, finalmente, las casas de los potentados mexicanos, ennoblecidos generosamente por los Reyes de España, y que habían labrado, para residencia de sus familiares y lustre de sus armas, numerosos palacios: los dos del marqués del Jaral, que ya hemos visto, el del conde del Valle de Orizaba, o Casa de los Azulejos, el del conde de Santiago de Calimaya, el del conde de Heras Soto, el de la marquesa de Selva Nevada, el del marqués de Uluapa, el del conde de Torre de Cossío, el del conde de Regla, para no citar sino unos cuantos. Los mismos arquitectos habían hecho residencias campestres para su uso, que presentaban carácter palaciego: Tolsá, en la calle del Puente de Alvarado, e Ignacio Castera, el arquitecto favorito de Revillagigedo, su gran casa de campo en la calle que lleva el nombre del Virrey[6] y que parece llegaba con sus jardines hasta Bucareli. Si tenemos en cuenta este número de edificios suntuosos, en una zona relativamente corta, sí es creíble que Humboldt dijera su célebre frase, en conversación, en carta, que no se ha llegado a ver, o como agradecimiento por las facilidades y prerrogativas de que gozó en México.

Parte, la principal en este grandioso cuadro del México de fines del siglo XVIII, la constituyen los palacios de los particulares, conocidos con el acertado y preciso nombre de Residencias Señoriales. ¿Fue Baxter el primero que usó esa designación?[7] Lo ignoro, pero lo cierto es que se ciñe a su significado como la piel al cuerpo: son residencias, no sólo casas: hay una diferencia enorme entre vivir y residir: la vida parece fustigada por la urgencia; el residir parece aligerado por la satisfacción de hacerlo bien: residir es vivir a gusto y con todas las comodidades de la holgura y el arte puestas a servicio de quien puede pagarlas. Entre la casa accesoria y la residencia señorial se acomodan todos los grados sociales de la colonia; la residencia viene a ser el palacio; no se le llama así porque esa designación se reserva a la sede del gobierno. Además de residencia, es señorial porque va unido a ella un título, cuyas armas veremos esculpidas o pintadas en la parte más visible de la portada. No basta, empero, todo esto para caracterizar las residencias señoriales: ellas presentan condiciones privativas que, si bien se derivan en esencia de la casa andaluza, como toda la arquitectura civil de

[5] Pueden verse los planos que publicaban las Guías de Forasteros de la ciudad de México.

[6] Así consta en el Jucio de Residencia de Revillagigedo, publicado por el *Archivo General de la Nación*.

[7] Silvester Baxter. *Spanish-Colonial Architecture in México*. Boston, MCMI.

Nueva España, son homogéneas entre sí, ofrecen rasgos que permiten clasificarlas en una categoría arquitectónica. El edificio se forma alrededor de uno, dos o tres patios circuidos de galerías sobre arcadas, o corredores, como se les designa, sobre todo las altas, que tienen barandales de bronce, o hierro artísticamente forjado. En la crujía que tiene vista a la calle y en donde está la portada principal, se encuentran las piezas peculiares del trato social: el salón del dosel o del estrado, su antesala y otros salones. En uno de los corredores más amplios se abre la portada de la capilla, suntuosa siempre; en las crujías laterales están las recámaras, la asistencia, sala en que se reúne la familia y se recibe a los íntimos, verdadero *living-room*, los guardarropas y tocadores; en la crujía que divide los dos patios, el comedor, de grandes proporciones, y, alrededor del segundo patio, la cocina, la despensa, las habitaciones de los criados y las demás oficinas necesarias para el servicio privado de la familia. Esto en la planta alta, que es la principal; en el entresuelo se agrupan los despachos para los negocios y las habitaciones para los empleados, y en la baja las cocheras, las caballerizas, las piezas de cocheros y caballerangos y las bodegas; pero hacia el exterior muchas veces son accesorias en que hay comercios, o viviendas que toman parte del entresuelo y que tienen también comercios. Así podía el noble señor vivir a sus anchas en su palacio y obtener buenas utilidades de las partes que de él alquilaba, y como la arquitectura era dócil en su plasticidad de arcilla para sufrir todas las modificaciones necesarias, podía la casa subdividirse en viviendas, sin que su parte esencial perdiera cosa.

En el exterior la residencia señorial se caracteriza por sus proporciones monumentales; por su gran portada típica, de arco adintelado, escarzano o, excepcionalmente, de varias curvas, sobre el cual se ve un gran balcón volado que a su vez remata un nicho, o el escudo de la casa a veces. Aunque este tipo de portada proviene quizá de la casa andaluza, llegó a desarrollarse en México de tal modo, con tan diversas variantes, que es representante genuino de nuestra arquitectura civil de 1700. Y ¿quién no nos dice si llegó, como otros elementos, a reaccionar sobre la arquitectura de la península? Un estudio comparativo de ejemplos, con fechas precisas, podría fijar este punto. Los claros y los macizos se distribuyen en forma un poco más simétrica que en las casas comunes y corrientes, en que las necesidades interiores se traducen deliciosamente al exterior en la distribución de ventanas y balcones. El remate del edificio no es arbitrario, como pudiera creerse: no cualquiera puede poner almenas o gárgolas en forma de cañones: éstas son privativas de quien había sido Capitán General;[8] las otras parece que de quien contaba con algún señorío con vasallaje entre sus ascendientes. Así vemos que muchas de las más suntuosas no están rematadas con almenas sino con pináculos como la del Jaral de Berrio, la del Valle de Orizaba y otras, con arcos invertidos o con simples barandales que, si no dan un remate del todo arquitectónico, convierten las azoteas en terrazas.

Otro elemento casi imprescindible en las residencias señoriales son las torres que las adornan, que
81 tampoco parecen haber sido arbitrarias. Desde que los conquistadores elevaron sus casas, verdaderas fortalezas, por necesidad estratégica las coronaron de torres; el mismo Ayuntamiento intervino para impedir que se abusara de ellas, pero, sea que los habitantes de la ciudad hayan obtenido apoyo, o que las autoridades se conformaran con el caso, el hecho es que las torres subsistieron en muchas casas señoriales. Con el tiempo su carácter fue cambiando hasta llegar a ser, en el siglo XVIII, un elemento puramente decorativo. Así, todos recordamos haber visto las cuatro torres que coronaban los ángulos de las casas de Hernán Cortés, de las cuales sólo subsiste una en su forma antigua: la de la esquina de Tacuba e Isabel la Católica. Las torres llegaron a ser tan características que no es difícil hayan causado influencia aun en la arquitectura de la península, en Cádiz por ejemplo,[9] en que, si bien la necesidad de las torres se explica por lo reducido del terreno y el ansia de ver el mar,

[8] Romero de Terreros. *Op. cit.*

[9] Recientemente se ha determinado por los críticos españoles la influencia de la arquitectura colonial mexicana sobre la española, especialmente en la de Cádiz.

68

los motivos ornamentales sí pueden provenir de los de la Nueva España. Como la mayor parte de las residencias señoriales fueron levantadas durante la segunda mitad del siglo XVIII, en que se usaba revestir los edificios con sillarejo de tezontle —tezontle rostreado, como se decía—, casi todas presentan esa bella decoración, tan personal y tan típica de la arquitectura mexicana del 1700, aunque las hayan hecho en otra forma.

Estudiada así la residencia señorial, es fácil describir la casa de la condesa de San Mateo de Valparaíso, ver qué diferencias presenta con otras y apreciarla en su debido mérito. Se compone de dos patios, el principal con un solemne zaguán, que salía a la calle del Puente del Espíritu Santo, y el de servicio, con salida a la calle de Capuchinas. El patio principal, suntuosamente decorado, igual que *83* las fachadas, es notable por tener sus corredores altos sostenidos por sólo tres arcos que se cruzan en sus riñones, ofreciendo un singular aspecto de audacia y ligereza. En esos arcos se lee una inscripción que nos relata quién hizo la obra y, lo principal para nosotros, el nombre del arquitecto: don Francisco de Guerrero y Torres. Al fondo del patio se abre una bella puerta que conduce a la *85* escalera; sobre su friso se ven las fechas en que se construyó el edificio: se comenzó el 5 de diciembre de 1769; se acabó el 9 de mayo de 1772.

La escalera, parte acaso la más notable del monumento, se encuentra precisamente entre los dos *84* patios, pero cada uno tiene su entrada o embarque. Es aquélla, en efecto, de doble rampa, con desarrollo helicoidal. No es escalera de caracol porque ésta tiene una alma central, cilíndrica, en que se apoyan los peldaños; tampoco es cierto que una rampa conduzca al primer piso, en tanto que la otra lleve al entresuelo; las dos conducen al primer piso y las dos tienen acceso al entresuelo; lo notable es que una, la que tiene puerta por el patio de honor, conduce a los corredores que están sobre este patio, en tanto que la otra, que tiene entrada por el segundo patio, lleva a las piezas que están sobre este segundo; la escalera de honor y la de servicio, perfectamente diferenciadas, han tenido cabida en una sola estructura arquitectónica, resolviendo el problema de modo admirable. Una bella cúpula corona esta monumental escalera, única, que yo sepa, en México.

En la parte alta de la casa tenemos las habitaciones principales que no es fácil identificar en un *86* rápido estudio y porque, además, se han arreglado según las necesidades de la institución que la ocupa. En algunas de las habitaciones más importantes se descubrieron recientemente algunas interesantes pinturas que decoran los capialzados de las puertas. Representan escenas campestres y están rodeadas por bellos marcos de yeso dorado, al parecer. No son frescos, sino pintura al temple, con la cual, acaso, estaba decorado todo el edificio.

Al lado de la escalera quedaba la capilla, cuyos restos se pueden ver en el sitio que ocupa actualmente el ascensor. Ha desaparecido su puerta, que debió haber sido bella, y en el sitio del altar se ha abierto una salida, porque el lugar, de acuerdo con el uso a que está destinado, es un simple pasillo. Queda su cúpula, más pequeña que la de la escalera, y contiguas ambas en la azotea. A los lados del arco en que desemboca la escalera, en el primer patio, se ven dos grandes hornacinas, donde frescas tinajas ofrecían su regalo a los habitantes.

La azotea, que en vez de pretil tiene barandales de hierro entre los bellos remates, es una verdadera terraza. Allí pueden admirarse las dos cúpulas, revestidas de azulejos. Y un súbito recuerdo nos viene de improviso: ¡las cúpulas de la Capilla del Pocito! Tienen, en efecto, el mismo corte, igual *87* proporción, idéntico sitio una respecto de otra. Y si tenemos presente que la Capilla del Pocito, obra maestra de nuestra arquitectura virreinal, fue construida por el mismo Guerrero y Torres en 1791, no podemos menos que pensar en un anticipo de aquella obra, que, si no la motivó precisamente puesto que, al resolver el problema, la planta exigiría igual partido para la techumbre, sí le dio ya en la realidad el aspecto admirable que presentaría el coronamiento de la capilla.

Muéstranos en su fachada el edificio del Banco Nacional elegancia de líneas y gran sobriedad en
81 la distribución del ornato. Compónese éste en la planta baja de pilastras adornadas de recuadros
hundidos y bordeados de molduras ondulantes. Jambas, dinteles y pretiles sencillos, moldurados con
sobriedad; los paneles que adornan la parte alta de las ventanas son modernos, de cuando se su-
primió el entresuelo. La portada principal es más suntuosa, pues adorna la sotabanca de sus pilastras
con marcos en relieve; forma su entablamento completo y ostenta un gran motivo esculpido, con
adornos vegetales y dos ángeles, en relieve de tres cuartos, que parecen sostener el medallón oval
donde lucía el escudo de la familia. El arco de la puerta es escarzano con la clave graciosamente
82 acusada hacia abajo. Un enorme cornisón divide los dos pisos y da suelo a los balcones, cuyos barandales de hierro forjado se apoyan sobre robustos pies de gallo. El segundo piso repite los motivos
del primero, prolonga las pilastras, que tienen ornatos semejantes y sostienen la cornisa del edificio,
con un friso convexo, lujosamente esculpido y gárgolas sostenidas por angelitos que descansan en
ménsulas con mascarones, róleos y flora. Obedeciendo el partido que causa la distribución de estas
gárgolas, se acomodan los elegantes pináculos que coronan la casa, entre cuyos basamentos corren
los tramos de barandal de hierro de que hemos hablado.

En la esquina se yergue el torreón característico, que no es ya sino una habitación más con balcones a las dos calles, y un nicho en su ángulo. El estilo de este nicho es diverso del que campea en
el resto: recuerda, por sus columnas salomónicas y sus ornatos superiores, el barroco mexicano del
siglo XVII. La imagen parece ser la de Nuestra Señora de Guadalupe, a la que falta el resplandor
dorado que debe de haber tenido.

Así es esta casa magnífica, orgullo no sólo de la institución que la ocupa, sino de la ciudad y de
la civilización que la creara. Baxter dice, refiriéndose a su estilo: "Influencia plateresca es evidente
en este edificio, amenguada por las líneas ondulantes que acaso disminuyen la dignidad de la estruc-
ra."[10] No sabemos qué entendería Baxter, en 1901, por plateresco, pero sí podemos afirmar que,
teniendo en cuenta los caracteres, época e índole de la manifestación arquitectónica llamada plateresca en España, que produjo en México notables ejemplos en el siglo XVI, este edificio no presenta
ese conjunto de requisitos que permitan designarlo como plateresco. Examinando detalladamente
los ornatos que lo realzan, encontramos no sólo reminiscencias platerescas, sino góticas, románicas,
mudéjares, ¡qué sé yo!, hasta clásicas. Por eso se puede decir, sin temor de equivocarse, que pertenece al grupo arquitectónico que se ha llamado en México, como en Europa, barroco, que presenta
entre nosotros modalidades definidas en los dos siglos en que florece: el XVII y el XVIII y que llegó
a producir obras tan notables como estas residencias, el Colegio de las Vizcaínas o la parroquia de
Santa Prisca en Tasco.

Don Francisco Antonio de Guerrero y Torres, arquitecto de esta casa, fue uno de los más desta-
cados en su tiempo. Es difícil dar noticia exacta de su persona y trabajos, pues sólo de algunos se
tienen datos ciertos. Se dice que fue natural de la Villa de Guadalupe, en donde hizo la Capilla del
Pocito, como se ha dicho, no cobrando un centavo por su labor. De sólo estas dos obras y acaso
del edificio de la Inquisición se sabe con certidumbre que fueron suyas; se presume, por semejanzas
de estilo, que levantó también el Templo de la Enseñanza y la casa de los condes de Santiago de Calimaya.[11] En documento que existe en el Archivo General de la Nación se le dan, el año de 1783,
los títulos de Maestro Mayor de las obras del Real Palacio, Santa Iglesia Catedral y Tribunal de la
Inquisición. Se ve, pues, a qué altura llegó, por la seguridad de sus conocimientos y por el vigor
de su arte.

[10] *Op. cit.*
[11] Intervino también en las casas de los duques de Terranova y Monteleone, los descendientes del Conquistador,
en las Cajas reales de Zimapán y en algunas otras casas en esta última población. Así consta por los planos que existen en el Archivo de Indias de Sevilla, según la Relación descriptiva de los mapas, planos, etc, de América y Floridas,
que se guardan en aquel Archivo, publicada por el señor Torres Lanzas (Sevilla, 1900) y estudiados y dados a conocer
por don Diego Angulo Íñiguez.

18. Dolores Hidalgo en Guanajuato

EXISTEN poblaciones cuyo nombre no se destaca en forma brillante y que, sin embargo, encierran algún interés. Tal ocurre con la ciudad de Dolores Hidalgo, famosa por haber sido la cuna de nuestra emancipación política, por la casa del venerable Hidalgo que aún allí se respeta y . . . nada más. Algo hay que ver en Dolores, y en unas vacaciones en que lo más importante es huir de la febril ciudad de México, y para eso cualquier pueblo lejano es bueno, me he propuesto visitarla.

Casi todo un día de ferrocarril, con estaciones abigarradas de vendedores, porque una de las ideas directrices de todo viaje es que durante él hay que comprar de todo lo que venden, aunque en México esas mismas cosas, u otras mejores, sean más baratas, y llegamos al poblado amplio, extendido, de calles anchas, terriblemente empedradas, y de aceras también empedradas. Muchas de éstas han perdido sus piedras, sacrificadas a la comodidad y lucen cemento. Tal desacato se encuentra explicado, que no justificado, en la dureza con que las chinas de río hieren nuestros pies. La solución correcta hubiera consistido en losas cuadradas, pero no las había, ni la cultura necesaria para comprender que el cemento destruye toda tradición y abolengo colonial. Una higa importa a los habitantes de Dolores esa tradición y ese abolengo: la prueba es que han aceptado gustosos el regalo de no sé qué malhadado regimiento, que obsequió al poblado una colección de postecitos de concreto, chaparros y de mala figura, con dos farolillos en la parte alta. Muy orondos, en formación no menos militar que la de los donadores, destruyen el antiguo y reposado ambiente de Dolores, si no esa calma y placidez pueblerina que constituyen el mayor encanto de la provincia.

¡Santa paz, en que cada hora consta de sesenta eternidades; el espíritu en ti se renueva, los nervios vuelven a su estado normal, la imaginación puede volar a sus anchas y todo el ser recobra sus energías antes gastadas por una lucha sin cuartel, sí que inútil!

El alma del "núcleo urbano", como diría un planificador, late en el gran templo parroquial que es atalaya y refugio. Y hacia él vamos, como a faro que nos atrae en este mar de casas bajas y alegres con patios floridos. Es grande y solemne esta parroquia. Se explica uno que don Miguel Hidalgo estuviese tan bien hallado en ella y que sólo obedeciendo a impulsos mayores —la patria— y a no poder más porque la conspiración estaba descubierta por un traidor, se haya resuelto a abandonarla para ir "a coger gachupines".

Esta parroquia tuvo su origen en el pueblo, cuando, al decir de don Pedro González en sus *Apuntes históricos de Dolores Hidalgo*, el cura, licenciado don Álvaro de Ocio y Ocampo, trasladó la vicaría de la Hacienda de la Erre a la Congregación de Dolores, en 1710, y compró más tarde los terrenos para iglesia y vecinos. El mismo autor dice que la primera piedra del templo fue puesta el 2 de febrero de 1712, y que su obra tardó en concluirse hasta 1778, en trabajo sin interrupción. Examinando el edificio, encontramos en él tres manifestaciones en su arquitectura: primera, el casco del monumento que data de la primera mitad del siglo XVIII; segunda, la fachada, churrigueresca, magnífica, que revela el arte de hacia 1750; y, tercera, las dos torres, fechadas, la de la izquierda en 1777, y en 1778 la otra.

La disposición de la iglesia es del tipo habitual de parroquia que se generalizó en México desde mediados del siglo XVII: una gran nave con amplio crucero y ábside cuadrado, aquéllos con bóvedas

88

de cañón con lunetos, y éste con una de aristas; sobre el centro del transepto airosa cúpula con un tambor octogonal que al exterior muestra curiosas columnas con fuste de gálibo exagerado. Las pechinas, cosa frecuente en esta región, son planas en vez de cóncavas, y en los espacios que dejan los brazos del crucero y el ábside se abren capillas.

Francamente churrigueresca, por el gran desarrollo de la pilastra estípite, es la fachada. Su primer cuerpo está dividido del segundo por una imposta horizontal y el remate del segundo muestra ya algunas sinuosidades. Sospecho que para agregarle el detestable reloj que hoy tiene, destruyeron la parte alta de la fachada, pues su cornisamiento está trunco. Lo más característico de este frontispicio son sus esculturas: la del Santo Cristo que lo corona recuerda la de la portada de San Agustín en Querétaro, pero la de la Virgen que inmediatamente abajo se mira, es de sumo interés: su indumentaria es la de época de la construcción del monumento; gran falda o "guarda-infante", mangas abullonadas y cuello levantado atrás de la cabeza. De los demás santos, sólo algunos llevan ropas características: los más se envuelven en amplias túnicas como es uso y costumbre.

El interior de la iglesia ha sido modernizado como casi en todas las de esta región. La influencia de Tresguerras fue funesta para los retablos churriguerescos, como lo fue la de Tolsá en México, y así los que quedan son más admirables aún: a su propia belleza agregan el mérito de ser supervivientes de un naufragio tremendo.

Dos retablos gloriosos se alzan en las extremidades de los brazos del crucero. El del lado del Evangelio, dedicado a la Guadalupana, es audazmente churrigueresco, tan loco y subyugador como los de Tasco o Tepotzotlán. Está dorado y quizás lo fue en una época ya de decadencia, pues el oro no parece ser de primera calidad. El otro retablo, consagrado a San José, aparece sin dorar. Si el que está dorado es excelente, este retablo es acaso más interesante, pues su disposición y forma es diversa de cuantos retablos existen. Sus pilastras estípites no están constituidas por secciones prismáticas, cúbicas y piramidales, sino que son curvos sus elementos, discretamente ornamentados con vegetales, y los espacios en que se miran las esculturas, de una técnica soberbia, están formados por fajas salientes que siguen líneas sinuosas. El nicho central, donde está el santo patrono, comenzó a ser pintado. Según don Pedro González, en sus *Apuntes* citados se atribuye a don Miguel Hidalgo "la conservación de este altar sin permitir que se dorara", pero hay que observar que el retablo es muy anterior al año de 1803 en que el Padre de la Patria pasó al curato de Dolores.

Si continuamos recorriendo la iglesia vemos un magnífico San Miguel de talla entera, ricamente estofado y en la sacristía nuestra buena suerte nos depara algunas pinturas: hay ocho cuadros de Santos. Uno, *San Juan de la Cruz,* bastante bueno, lleva la firma de Antonio de Torres y la fecha de 1730; otro, *San Francisco* es obra de Gabriel de Arriaga y de él mismo parecen los seis restantes. Hay una *Guadalupana* pequeña con rico marco de plata y un "Plano de la ciudad de Dolores Hidalgo, Gto. Dibujado para el Sr. Cura D. Isidro López. México, febrero de 1930".

Los demás templos de Dolores carecen de interés, o bien porque son modernos como la Saleta, buena imitación colonial pero destrozada por un pórtico gótico que descansa en enormes columnas corintias, o porque son insignificantes. Sólo la pequeña iglesia del Tercer Orden debe ser mencionada, pues es un curioso ejemplar dado su minúsculo tamaño. Consta de tres naves, crucero y ábside. Las naves laterales llegan sólo a los brazos del crucero y sobre éste se levanta una cúpula con tambor octogonal y pechinas planas. Todo ello en bella cantera rosada, pero los muros y las bóvedas en inminente peligro de ser pintados.

La arquitectura civil está dignamente representada en Dolores Hidalgo por dos edificios notables, uno por su mérito artístico, el otro por su valor histórico. El segundo es la casa de Hidalgo, el primero la del Subdelegado de Dolores.

Bella casa de cantera rosada, construida sobre un portal, nos recuerda la del marqués de la Villa del Villar del Águila de Querétaro, pero presenta variantes: los sólidos repisones macizos que sostienen cada balcón, rememoran los de las casas potosinas, aunque son algo diversos: fuertemente moldurados y con "faldoncitos", en vez de las figuras esculpidas de aquéllos. El barandal corrido es posterior, pues estudiando el edificio en la planta alta, se puede asegurar que cada balcón era aislado. En el colgajo de la ménsula central se lee la fecha: 1786.

El edificio está destinado a hotel, pero su estado es lamentable: sólo se usan dos crujías de piezas al frente en tanto que el patio, que debió ser bellísimo y aun ostenta puertas interesantes, está aislado y su escalera monumental ha desaparecido para dar sitio a otra que carece de carácter. Una restauración hábil haría de esta casa una joya y sólo por vivir en ella podría venirse a Dolores, pero, ante *93* el temor de un "colonial californiano" conformémonos con tenerla tal como está.[1]

La casa del padre Hidalgo está perfectamente conservada. Su arquitectura, de modesta y cómoda casa baja, vino a sufrir con el aditamento de un desproporcionado remate en la esquina para poner el nombre del edificio y una asta-bandera. Su interior es apacible. Grandes estancias donde hoy se exhiben objetos y muebles del caudillo, retratos de los héroes insurgentes y una que otra lápida conmemorativa incrustada en el muro, con una ignorancia tal que, de seguir esa costumbre, desaparecerá el edificio original bajo una capa de mármoles modernos.

El sitio más agradable es el patio: aún se ve el pozo cubierto por el emparrado que sembró el mismo Hidalgo, en espera de que alguien saque de sus puras aguas lo necesario para la vida y es aquí donde sentimos como si un hálito de la vida de aquel insigne varón respirase aún en aquellas vides que sembraron sus manos ancianas.

Dolores Hidalgo, 26–29 mayo de 1939.

---

[1] La restauración que pedía don Manuel Toussaint para este monumento, se hizo en fecha reciente, gracias a ella la casa del subdelegado luce nuevamente la nobleza de su arquitectura. X.M.

19. La iglesia de San Bernardo
en México

FINO ejemplar del arte barroco que florece en México al terminar el siglo XVII, la iglesia de San Bernardo nos ofrece motivo para discurrir sobre esta época en que la cultura adquiere caracteres bien
94 definidos. Porque si el barroquismo no es un estilo sino una modalidad de estilos, ésta se infiltra en todas las actividades del espíritu y llega a constituir una verdadera unidad cultural. Nada acaso más representativo de la sociedad mexicana de fines del 1600 que esta arquitectura barroca, que alcanza en Puebla alucinaciones inenarrables en los relieves de la Capilla del Rosario, y produce en México monumentos tan atrayentes como el que ahora estudiamos. Sor Juana Inés de la Cruz compuso unas *Letras* para que las cantasen en la dedicación del templo, y hay una íntima armonía entre el lenguaje rebuscado de la poetisa, su construcción retorcida y estas portadas que olvidan la pureza clásica para vestirse las galas no menos retóricas de sus ornatos. La monja elogia al mecenas y al arquitecto:

> El que es patrón es un Fúcare,
> más generoso que un Párise,
> más valeroso que un Héctore
> más animoso que un Áyace.
> Den al Arquitecto un vítore
> pues ven que ha vencido hábile
> las pirámides de Memphise
> y las columnas de Cádice.[1]

El origen del convento de San Bernardo, como nos lo cuenta el diligente cronista de la ciudad Marroqui,[2] tuvo como causa un disturbio electoral que acaeció en el monasterio de Regina el año de 1635. Tratábase de elegir abadesa y se formaron dos bandos: uno estaba constituido por descendientas del marqués de Salinas, virrey que había sido de Nueva España; y el otro por parientas del entonces virrey, marqués de Cadereyta. Triunfó el primero, y el otro no quiso aceptar su derrota, y, como un hermano de tres de las monjas principales que formaban este grupo, llamado don Juan Márquez de Orozco, había dejado a su muerte, acaecida en 1621, unas casas en la calle de la Celada y sesenta mil pesos para la fundación de un convento de monjas de la orden del Cister, las vencidas acudieron al arzobispo y al virrey para que modificando la cláusula testamentaria y poniendo concepcionistas donde decía cistercienses, fundase el convento de ellas. Trabajo hubo de costarles conseguir su empeño, mas cuando una mujer se aferra en lograr algo, inútil es toda resistencia; calcúlese pues lo que sería tratándose de un grupo de monjas dotadas de valimiento. Todo se allanó y el 30 de marzo de 1636 se trasladaron a su nuevo monasterio.

El primitivo edificio era pobre y la iglesia bastante pequeña. Por cierto que, ya instaladas las monjas, estuvieron a pique de que les clausurasen su instituto, declarando nula la fundación, pues ellas

1 *Obras completas*, tomo II, 1693, p. 41.
2 *La ciudad de México*. Tomo I, pp. 615-625.

habían cuidado de obtener las licencias de las autoridades del virreinato, pero olvidaron solicitar la del Papa, requisito necesario entonces para fundar cualquier convento. Claro que las monjas no se arredraron y obtuvieron al fin la confirmación necesaria.

El tiempo arruinó el edificio. Ya entre 1668 y 1681 fue necesario reparar el techo de la iglesia, pero eso no bastaba; había que reconstruir totalmente el inmueble. Para ello se ofreció un nuevo mecenas a quien debemos, así como a sus herederos, el actual monumento; el capitán don José de Retes Largache Salazar. Con ochenta mil pesos que dio se comenzaron las obras; antes se había derribado solemnemente, la iglesia vieja, pues a ello acudieron las autoridades religiosas y los próceres de la colonia. La primera piedra del nuevo templo fue puesta el 24 de junio de 1685, por el arzobispo Aguiar y Seijas. El protector no logró ni ver adelantada la obra, pues murió en San Agustín de las Cuevas el 29 de octubre siguiente; pero, a pesar de eso, continuaron los trabajos, y, cuando el dinero se acabó, los herederos de Retes, su hija doña Teresa y su yerno, don Domingo del mismo apellido, primo hermano de su mujer, dieron otros sesenta mil pesos, con lo cual pudieron ser llevados a término.

En un Índice de documentos del Archivo de la Catedral de México encontré, en el título de un expediente, el nombre del arquitecto de este templo que debe ser conocido para tributarle el homenaje que merece. Dice así el encabezado: "Los autos fechos de pedimento de las dichas madres Abadesa y Definidoras del convento de San Bernardo sobre que se les conceda licencia para otorgar escritura con los Patronos del referido convento con las condiciones que contiene la memoria presentada por el Maestro de Alarife juan de Zepeda y asimismo otra firmada de los dichos Patrones, cuias calidades se insertan en la escritura para acabar la obra del templo y demás oficinas: en fojas 3."

El último arco del templo fue cerrado por el Provisor de la Mitra, doctor Diego de la Sierra, el 9 de junio de 1687 y la dedicación fue solemnísima: se efectuó el 24 de junio de 1690 y siguió un octavario de festividades. De todo da cuenta y reproduce los sermones pronunciados el libro de Alonso Ramírez de Vargas que, con el título de *Sagrado Padrón*, se imprimió el año siguiente en la tipografía de la viuda de Francisco Rodríguez Lupercio.

Durante el siglo XVIII el edificio sufrió una seria reparación que motivó se dedicase nuevamente el templo el 29 de septiembre de 1777 y en 1861, como todos los conventos de la República, fue suprimido por las Leyes de Reforma. A las doce del día, el 23 de febrero, las monjas fueron trasladadas en número de veintitrés al convento de San Jerónimo; el de San Bernardo fue demolido en la parte necesaria para abrir una nueva calle que se llamó de la Perla, más tarde de Ocampo, y en esa demolición el templo perdió el último tramo, en el cual se encontraba el coro. El resto del convento, el templo mismo, fueron vendidos a particulares; aquél se convirtió en residencias privadas, éste, adquirido mediante compra por el arzobispo Labastida, fue nuevamente destinado al culto, luego que se le hicieron las reparaciones necesarias.

La última parte de la historia del templo corresponde a nuestros días. Al ensanchar la llamada Callejuela, alinear las calles ya existentes y abrir las que faltaban para formar la Avenida del 20 de Noviembre, que desahoga hacia el sur la Plaza de la Constitución, la iglesia resultaba afectada en gran parte, pues todo el espacio ocupado por la portada del oriente quedaba fuera de la línea. Estudiado detenidamente el caso por la Junta de Monumentos, se aprobó la iniciativa del arquitecto 95 Vicente Urquiaga, que consistía en conservar el templo, cortar el tramo para alinearlo y reconstruir 96 en la nueva avenida, a los pies de la iglesia, la portada que se había desarmado. La única objeción que se podría hacer al proyecto: que la iglesia perdía en su planta las proporciones debidas, convirtiéndose, de iglesia conventual de monjas en capilla, caía por dos consideraciones: parte del templo había sido ya cercenada y, por tanto, las proporciones primitivas ya no existían y segundo, era mejor conservar la iglesia con sus dos portadas, partes las más valiosas del monumento, que no permitir que desapareciera del todo.

Los trabajos los realizó el Comité Ejecutivo de las Obras de Ampliación y Apertura de la Avenida del 20 de Noviembre en el año de 1935, con todo éxito, pues no sólo quedó intacta la portada en su nuevo sitio, sino que el revestimiento de tezontle interesante, luce más ahora y se le aprecia mejor.

Tal es la historia de este monumento. Como la de casi todos sus hermanos, es una historia doliente: han sido víctimas del afán demoledor de los incomprensivos, de los mal intencionados y, lo que a veces resulta peor, del celo renovador de feligreses y sacerdotes ignorantes.

Tiempo es de visitar el templo tal como se encuentra en la actualidad. Nos sorprende, cuando llegamos a él, la disposición de los sillarejos de tezontle, que cubren los muros y los huecos que dejan las aristas revestidas de cantera. En vez de seguir la disposición habitual, forman dibujos; los del cuerpo inferior asemejan espinas de pez, en tanto los que se ven arriba de la imposta que corre alrededor de la iglesia, forman cuadros con sus ángulos hacia arriba y abajo, y alrededor de cada uno se mira un marco, tal si se quisiera haber imitado casetones.

La iglesia es propiamente una gran capilla. De templo conventual de monjas alineado a la calle y con un estrechísimo espacio entre las puertas y la vía pública, a fin de que la gente pudiese asistir a las ceremonias religiosas sin ver ni molestar la mínima parte del monasterio, ha quedado reducido a sólo el ábside, el espacio donde descansa la cúpula, un tramo más que corresponde a la portada lateral y otro muy pequeño destinado a un coro provisional. Llama igualmente nuestra atención lo vigoroso que aparecen los contrafuertes, lo cual se acentúa con el friso y gran cornisa volada que corona el edificio; la cornisa, formada de modillones de acantos, sigue el perfil movido de entrantes y salientes, dando así vida a la estructura. Sobre la cornisa hay una bella balaustrada ciega, con algunos tramos calados y, siguiendo los resaltos de los contrafuertes, se alzan perillones de sección cuadrada con ornatos vegetales.

Pero lo más notable son las dos portadas, la que continúa fiel a la antigua calle de San Bernardo y la que, dando flanco derecho, se alineó a la flamante Avenida del 20 de Noviembre. Las dos son 94 iguales con pequeñas diferencias. Su cuerpo bajo es sencillo: a cada lado hay un par de columnas jónicas adosadas, cuyo fuste presenta vigorosas canales que se tuercen al llegar al tercio inferior y cubren grandes ovas formando líneas onduladas. El arco es de medio punto; su molduración es sobria, pero la clave protuberante está profusamente ornamentada y el entablamiento, de finas líneas, presenta un friso que semeja entablerado y la cornisa correspondiente al orden. Sobre ella hay un gran ático cuyos resaltos son en los extremos esquinados, para formar sotabancas a dos pináculos piramidales muy esbeltos cubiertos de relieves, y que se desbordan en su extremidad superior en ramos de flores. Dos columnas corintias, de fuste acanalado y con su tercio inferior cubierto con una gruesa envoltura de ornatos en relieve, encuadran el motivo central que es un nicho cubierto por concha, entre columnillas salomónicas y coronado por un gran relieve. En la portada fiel, el nicho cobija la estatua de San Bernardo y el adorno superior ostenta la Paloma del Espíritu Santo, y unos ángeles con filacterias y escudos con inscripciones bíblicas: en la portada veleidosa es Nuestra Señora de Guadalupe, a la que falta su resplandor, y el Padre Eterno escoltado por los mismos ángeles y con leyendas semejantes. Ambas esculturas son del mármol llamado tecali y parecen obras estimables, sobre todo la del Santo. Todo el motivo está encuadrado en un marco de piedra con leve sugestión de madera tallada.

Las dos portadas rematan en frontón roto cuyo hueco central ocupaba un gran escudo; hoy se ven allí espacios lisos que destruyen el efecto, pues el ornato, como podrá haberse notado, va siendo más profuso a medida que ascendemos. A los lados hay macetones con adornos tomados de la flora.

Estas portadas marcan el estilo del edificio: son ellas barrocas, de un barroco moderado que toma diversos motivos ornamentales, pero que sabe conservar sus líneas directrices sin perder la razón. La finura del trabajo en la cantera ha hecho que alguien haya pronunciado la palabra plateresco frente a estas obras. ¡Absurdo! Aunque algún detalle recuerde aquella modalidad artística, que al

76

fin y al cabo también fue un barroco, el mayor número de caracteres se separan en lo absoluto de al época de Carlos V.

Cuando penetramos a la iglesia, nuestro ánimo desfallece: ha perdido todo interés. No hay esos retablos del XVII tan sugestivos en su conjunto dorado, en sus columnas salomónicas cubiertas de vid, en esas piezas centrales con un ángel o una ave Fénix, en esas pinturas de Correa o Villalpando. Quedan dos telas, unos *Desposorios* y una *Anunciación,* quizá posteriores, y lo único que nos atrae de la arquitectura es la cúpula, no una media naranja, sino un tambor que se conjuga con la bóveda por medio de ocho grandes lucarnas. Acaso se debe este cimborrio a la reparación del Siglo XVIII, pues las cúpulas de la anterior centuria son bien características y diversas de ésta.

Y al salir y anegarnos en la viva luz abrileña de la mañana, el movimiento de la calle, el ir y venir urgido de vehículos y viandantes, el resplandor de la vida moderna, nos deslumbran. Atrás queda el monumento, como testigo del arte de los tiempos idos, que aumenta de valor por el ambiente nuevo que lo rodea y otorga él mismo a ese ambiente un sello de distinción y de nobleza.

20. Angahua
la joya descubierta por un volcán

POCAS veces recibimos regalos que nos satisfagan del todo. El arte de regalar—porque es un verdadero arte— no es cultivado tan intensamente como debiera serlo. Un regalo debe buscar las aficiones, los gustos o las debilidades de la persona a quien queremos obsequiar. Muchas veces buscamos aquello que desearíamos nos regalasen a nosotros, y aun así no logramos satisfacer la exigencia.

Este año de 1946 recibí uno de los más preciosos regalos que han llegado a mi poder: mi amigo John MacAndrew hizo posible que conociera uno de los monumentos más recientemente descubiertos: el templo y el hospital de Angahua, en el Estado de Michoacán.

La historia del descubrimiento de Angahua es trágica y se debe al surgimiento inesperado y asombroso del volcán que fue bautizado con el nombre de Paricutín, que brotó de las entrañas de la tierra, como es sabido, el día 20 de febrero de 1943. El poder destructivo del monstruo fue asolando la región y convirtiendo en yermos los antes fecundos campos de Michoacán que a su alrededor se extendían. Los habitantes de las poblaciones inmediatas tuvieron que abandonar sus hogares en busca de sitios más seguros, y así fue como los vecinos del pueblo de Parangaricutiro, o de San Juan de las Colchas, abandonaron sus lares, llevando a cuestas sus pobres haciendas y algo que para ellos era más importante y noble: la imagen de Cristo que veneraban en su templo, que había sido invadido por la lava. Al llegar esta doliente peregrinación al pueblo de Angahua se dijo una misa ante la imagen referida, mas como el templo es pequeño, la ceremonia tuvo lugar al aire libre, luciendo por respaldo del altar, la maravillosa portada, cubierta de finos relieves de cantería.

La escena salió publicada en los diarios de México, y así pude darme cuenta de la importancia que revestía el monumento. Por aquellos días uno de mis discípulos, el señor don Francisco José Rohde, iba a visitar el nuevo volcán, por lo que le rogué se detuviera en Angahua y tomase, si era posible, algunas fotografías. El señor Rohde estuvo en Angahua y así fue, realmente, su descubridor; cuando llegó a México pudimos asombrarnos ante la admirable portada. El señor Rohde con sus elementos de información ha escrito un ensayo, que apareció en los *Anales* del Instituto de Investigaciones Estéticas de la Universidad Nacional de México.[1]

Habiendo realizado mi visita con más calma y pudiendo tomar notas de partes del monumento que el señor Rohde no vio, voy a intentar describir lo más minuciosamente posible, como el templo lo merece, todas sus características y detalles.

Para ir a Angahua, es necesario seguir la carretera, excelente, que conduce de México a Guadalajara, y desviarse en el lugar llamado Carapan a cuatrocientos treinta kilómetros de la capital; allí existe una desviación a la izquierda que nos lleva, mediante sesenta y cinco kilómetros, a la desviación que va al Paricutín, que se encuentra a treinta y siete kilómetros de la carretera; a sólo veinte

[1] Vol. VII, número 14, pp. 5 a 18, México, 1946.

kilómetros subsiste el pueblo de Angahua, con sus dos monumentos: el hospital y la capilla. Diez kilómetros adelante del punto en que tomamos la desviación nos conducen al vergel michoacano, a la bellísima población de Uruapan. La brecha abierta para conducir a los turistas que desean contemplar aún la erupción de este volcán, serpea entre magníficos bosques de coníferas. Forman un tapiz aterciopelado de un verde intenso que cambia en matices, según la inclinación de los cerros, muchos de los cuales presentan la forma cónica y el cráter característico de los volcanes. Nos damos cuenta que caminamos en la región pletórica de volcanes y pensamos si no irá a despertar otro en cualquier momento para asolar esta región. A lo lejos hemos visto desde un principio la columna blanca que se lanza a los cielos y señala el punto en que aún se agitan las entrañas de la tierra, y surge la boca del Paricutín. Al poco tiempo de haber tomado el camino que nos lleva al término de nuestra excursión, notamos que el paisaje va cambiando, y el piso aparece cubierto de arena, de una arena negra que trata de aniquilar todo bajo su fúnebre manto. Poco a poco va aumentando el espesor de esta túnica y la vegetación lucha desesperadamente con ella. Cuando nos acercamos al término de nuestro viaje, todas las plantas pequeñas han perecido, sólo los grandes pinos se yerguen en aquel campo de desolación.

Y llegamos a Angahua y vemos cómo el pueblo tiene su piso totalmente cubierto de arena, sentimos que el corazón se nos contrista al pensar que los habitantes de este pueblo, que parece haber sido uno de los más risueños de la sierra michoacana, tendrán que abandonarlo, dejando expuestos a la incuria de los siglos los monumentos que tratamos de estudiar.

Pero no, el señor cura del pueblo, hombre bondadoso y activo, nos afirma que los indios de Angahua no piensan abandonar su terruño y podemos verlos aún, ataviados de limpio en este día de año nuevo y reír francamente los hombres, mientras las mujeres acarrean el agua de la fuente de la plaza del pueblo y los niños se dedican a jugar, anacrónicamente, "basquet ball".

Dijimos que son dos los edificios de Angahua: el hospital y el templo. El hospital es un recinto rectangular con crujías a los lados y una pequeña capilla al frente que mira al Levante. Ha sido reconstruida la portada en 1941 y la fachada total en 1942; pero han sabido conservar todas y cada una de las piedras que la formaban, y así podemos estudiarla a nuestro sabor. Es una pequeña portada con arco de medio punto, cubierto por un alfiz que cobija una inscripción que a la letra dice: "Bispera del Glorioso Santiago. Año de 1570 se acabó este hospital por mandado del Señor Canónigo Juan de Velasco." El interior nos muestra un recinto arreglado recientemente con techo a dos aguas y diversas imágenes de Cristo en escultura. Algunas son bastante interesantes y parecen trasladarnos a la época medieval. Se ignora cuándo fue fundado el hospital de Angahua, pero esta fecha nos marca la de la construcción y acaso no sea remoto suponer que la fundación tuvo lugar algunos años antes.

El edificio más importante es el templo que se encuentra enfrente del hospital, la calle de pormedio, orientado en sentido opuesto, es decir, que la puerta ve al poniente. *98*

El conjunto del monumento es de sumo interés y revelan cierta modalidad muy española en la iglesia, cubierta a dos aguas con el alero del tejado que se prolonga fuertemente hacia fuera; las soleras que aparecen atando el muro en la parte alta; la capilla abierta del lado izquierdo, cuya parte baja está construida por dos semicolumnillas octogonales con capiteles y basas decoradas por rosetas en sus huecos y que sostienen modillones de piedra, finamente esculpidos, sobre los cuales descansa una gran viga de madera en que se apoya la parte alta, formada por dos arcos, cuyo perímetro está finamente decorado con fajas en relieve, y una columna central. Los techos son de madera, de esa madera delgada y fina que llaman "tajamanil", y de la cual los indios michoacanos labran unas cubiertas tan finas, sobre todo en Uruapan, que recuerdan las delicadas techumbres asiáticas.

La portada del templo de Angahua es uno de los ejemplares más notables de arte mudéjar que *101* subsisten en México. Compónese de un arco de medio punto sobre anchas jambas, esculpidas con

el clásico candelabro renacentista, si bien los motivos ornamentales son frutos del país. La rosca
99 del arco sigue la misma anchura de las jambas y está cubierta de riquísimos relieves vegetales, cuya
100 técnica plana recuerda los famosos atauriques moros. Sobre el arco se tiende un alfiz y en las enjutas subsiste el mismo decorado de relieves cubriendo todo el espacio. A lo largo de la rica faja que
forma el alfiz hay una serie de discos redondeados que pudieran recordar las pomas ojivales y en la
parte más alta, tangente a la rosca del arco, una inscripción: "Sancto Jacovo Apostolo Mayor", que
nos da la advocación del templo, o sea Santiago, y nos indica en su torpe ortografía que fue obra de
indios. Estudiando cada uno de los motivos ornamentales que cubren esta fachada, así de la flora
como de seres vivos, nos admiramos de la extraordinaria imaginación que revelan y de la ingenuidad
con que aparecen distribuidos. Las manos del "sabio moro" han encontrado gemelas en las manos
morenas de los indios de Michoacán, que traducían en piedra las delicadeces de los yesos de la Al-
102 hambra. Sobre el alfiz hay una especie de ático circundado por faja saliente. Su espacio se ve todo
cubierto del mismo ataurique de piedra, con cuatro querubines en la parte alta y al centro la estatua
en relieve del apóstol, vestido en traje de peregrino en vez de representarlo como guerrero, como
generalmente se usa. Sobre este ático, una ventana bellamente formada por jambas ornadas de relieves y modillones escalonados, y cubierta a su vez por otro pequeño alfiz, cuyo espacio se encuentra adornado por una especie de petatillo con pomas en los entrelaces. El conjunto es de una
riqueza extraordinaria, y aunque la portada no es muy alta, pues apenas llegará a los seis metros
en conjunto, la finura de su talla, el lujo y derroche en la ornamentación le presta una suntuosidad
y belleza que pocas veces encontramos. Esta portada recuerda indudablemente la de la capilla del
hospital de Uruapan, la famosa Guatapera, que sin duda es anterior en fecha, pues es más sobria y
se compone, como se recordará, de un simple arco de medio punto, con un nicho arriba que guarda
la estatua de fray Juan de San Miguel, todo cobijado por un amplio alfiz, y el conjunto revestido
con los mismos relieves que aquí hemos visto. Aunque no fue visita de Uruapan, sino de Tzirosto,
no es aventurado suponer que los mismos artífices de Uruapan hayan trabajado aquí, bajo la dirección de algún fraile. Que fue franciscano Angahua, nos lo indica el cordón terminado en borlas que
forma el ángulo de las jambas, a los lados de la puerta, y acerca de la fecha de construcción hoy
podemos asegurar que el hospital fue terminado en 1570 y la iglesia construida entre ese año y 1577.
La fundación se debe al canónigo Juan de Velasco quien, perteneciendo al cabildo de Michoacán
durante el obispado de don Antonio Morales y Molina (1569–1572), tenía en comisión el Curato de
Tzirosto como puede verse en la *Relación de los obispados de Tlaxcala, Michoacán, Oaxaca, y otros*
lugares en el siglo XVI, publicada en 1904 por don Luis García Pimentel (pp. 32 y 37) "El Pueblo
de Cirosto es cabecera, está encomendado en Francisco de Villegas; tiene un cura que le dicen el
canónigo Joan de Velasco..." Luego menciona entre los pueblos que pertenecían a la cabecera:
"Cinguauan ocurre a dicha doctrina..." Es evidente que por un error de paleografía el copista
tomó una A que no estaba bien cerrada en la parte alta com Ci. Se han dado casos en que al contrario una *c* seguida de una *i* o una *u* se tome por *a* como aparece en una de las *Relaciones de Cortés:*
Tesaico por Tesuco. De manera que aquí debemos leer Angauan que corresponde a nuestro pueblo.

Pero vamos por partes. Al penetrar al templo de Angahua, la primera impresión es la de una gran
pobreza. Hay un arco de triunfo desproporcionadamente alto y en el fondo un ábside más angosto
que la nave; el retablo mayor es de un barroco desordenado y allí, lo único que nos atrae es una
estatua de Santiago, ahora sí a caballo, cabalgando hacia los fieles desde la altura en que se encuentra. Otro Santiago se encuentra abajo, vestido de charro y esgrimiendo un formidable machete.

Pasada esta primera impresión, si examinamos detalladamente el recinto, encontramos que guarda
ejemplares notabilísimos de arte: el presbiterio está cubierto con un artesonado que forman triples
canes esculpidos y que dividen gruesos baquetones, ornados de relieves, lo mismo que las tablas que
cubren los espacios entre cada fila de canes. Se forma así su almizate, o harneruelo, y nos ofrece

el aspecto de un perfecto artesonado mudéjar. Por el estilo de los relieves parece datar del siglo XVII y examinando el arco de triunfo, nos damos cuenta de que para esa época hubo una reforma en el templo, pues el arco debe haber sido más bajo, a la altura de las columnas empotradas que aún subsisten, y más tarde se rompió el muro del fondo, levantándolo por encima de las columnas, hasta la altura que actualmente tiene. La nave debe haber estado cubierta por rico alfarje mudéjar que, habiéndose deteriorado, fue substituido por una bóveda de cañón rebajado construida de madera.

En la parte alta del muro, en el arranque mismo de la bóveda, aparece otro de los detalles notabilísimos de arte mudéjar que encierra este templo: puede verse un arrocabe o friso, no muy ancho, a lo largo de los muros con la peculiaridad de que encierra inscripciones que imitan la letra cúfica de los moros. Su aspecto es exactamente igual al que se encuentra en el interior de la Sinagoga del Tránsito en Toledo, y es, según supongo, ejemplar único en América. La altura a que se encuentra la inscripción y lo complicado de sus caracteres que recurre a ligamentos y abreviaturas, para ofrecer el aspecto musulmán que he dicho, hace bien difícil la lectura de la inscripción, en la cual seguramente se encontrarán datos de importancia pata la historia del templo, ya que al final de la parte que corresponde al lado del Evangelio, pude descifrar una fecha escrita en forma peculiar y curiosa, pero que supongo es la de 1377, según el dibujo que reproduzco a seguidas.

Al lado de la derecha del monumento existe una especie de soportal que conduce a un pequeño jardín. La techumbre de este soportal ha sido improvisada con diversas piezas de madera, tomadas de despojos de tiempos anteriores, y allí pueden verse las puertas originales del templo que seguramente fueron substituidas en el siglo XIX, por las actuales: son dos puertas entableradas y en cada uno de los tableros hay un bajo relieve con figuras en que se reproducen escenas bíblicas y santos; es indudable que estas puertas datan del siglo XVI, así por la finura del trabajo de talla como por la composición renacentista y detalles iconográficos que pueden encontrarse. Muy de desearse sería que estas puertas fuesen restituidas, después de una hábil restauración al lugar en que se encontraban.

Y salimos de este interior y nos ciega la luz del sol resplandeciente, sobre los pinares y la arena metálica que cubre el horizonte. A lo lejos se escuchan los rugidos del Paricutín que unas veces parece un león enjaulado, y otras veces retumba como un cañón descomunal. A seguidas surge un enorme penacho blanco que se eleva a considerable altura; de noche pueden verse las llamaradas con que el monstruo parece querer despojar de su fuego a la tierra. Asistimos a un combate entre la naturaleza que pugna por vivir y las fuerzas plutónicas que tratan de imponer la tiranía de la muerte sobre las ansias vitales de este lujurioso paisaje.

Nos contrista y entristece pensar que estos campos fecundos puedan verse amenazados por la ruina que ha asolado ya a otros, vecinos al monstruo. Pero tornamos la vista hacia el pueblo y vemos que la vida, por el momento, aquí ha ganado la batalla: las casitas desperdigadas aquí y allá con su techo cubierto de tajamanil; sus paredes de madera, de adobe o de mampostería, y pululando por todas partes hombres, mujeres y niños, en una ansia de disfrutar de la vida frente al espectáculo mismo de la muerte. Las mujeres son de gran belleza; su atavío, semejante al de otras regiones cercanas de Michoacán, consiste en una falda azul, plegada en tablas, sostenida en la cintura por una faja angosta de vivos colores. La tela cae en amplios pliegues hacia abajo, y se desborda arriba de la faja en forma de copa discreta. La camisa es blanca y, sobre el fondo azul marino de la falda, se destaca la nota vivísima de un delantal rojo. Van cubiertas de rebozos finísimos, pero se adivina su peinado, en dos largas trenzas que caen por la espalda, entretejidas en cordones de colores que se prolongan más abajo del rebozo. Entre los pliegues de la amplia falda, que llega hasta el suelo, pueden verse los diminutos pies descalzos de estas mujeres.

Los hombres no conservan tan pura la indumentaria: algunas veces la mezclilla ha substituido a la manta, pero es característico en ellos el zarape que algunas veces es de vivos colores: rojo, verde, azul, para los jóvenes y los hombres maduros lo usan de colores sombríos. Es también peculiar el sombrero que llevan de anchas alas y copa baja, pero más bien pequeño en proporción a la figura del hombre. Todos andan cubiertos ahora, Angahua es frío, su altura supera en cien metros a la de México y el valle en que se encuentra parece predispuesto a recibir todos los vientos.

En la pequeña plaza el trajín es constante; no se nota mucho comercio porque es día de fiesta; hay un "puesto" en que venden coles, pequeños burritos de barro, y unas sillas de juncia bellamente tejida. Las mujeres parecen presurosas en llenar sus cántaros en el agua de la fuente; nada más bello que uno de estos utensilios de barro, de forma esférica, de un intenso color rojo decorados con animales y flores de la más ingenua estilización; van en grupos a la fuente, esta fuente elaborada en cemento, el 9 de julio de 1937. Como si se tratase de un atavismo inconsciente, los albañiles que la edificaron no sabían que estaban reproduciendo en su planta octogonal una de las más viejas y características formas del arte mudéjar que tan caro había sido a los indios constructores del templo de Angahua.

Angahua, 1o. de enero de 1946.

21. Oaxtepec
vergel de los dominicos en Morelos

Es un friolento día del mes de octubre, que parece olvidado de su tradición otoñal. El cordonazo de San Francisco ha durado más de quince días; las lluvias suceden a los vientos y el sol se hace desear. Vamos a Oaxtepec a reconfortar nuestro cuerpo con agradable temperatura y nuestro espíritu con las obras de arte que allí se conservan y con la incomparable naturaleza de esa región.

A las diez de la mañana entrábamos en la carretera de Puebla; nos desviamos en Ayotla con dirección a Cuautla y seguimos esta magnífica ruta sin grandes pendientes, sin curvas exageradas hasta Cuautlixco. Allí, a la derecha, se sigue por el camino que va a Cuernavaca hasta el punto llamado Cocoyoc a donde llegamos a las doce. Nueva desviación a la derecha y en diez minutos más estamos en Oaxtepec. Antes era difícil llegar, por un río sin puente que en tiempos de lluvia crecía, impidiendo el paso. Hoy ya existe ese puente. Es pasmoso: en dos horas pasamos del clima casi invernal de la ciudad de México al mismo trópico.

Un canto de chicharras nos recibe con su sonora clarinada; grandes mariposas blancas vuelan displiscentes con ritmo de ballet; flores azules que llaman del manto de la Virgen, se extienden cubriendo el paisaje; flores rojas; flores blancas; flores de todos colores. Y sobre ese ambiente dorado de vegetación lujuriosa, un mundo de insectos zumba desgarrando el silencio en un intenso fermento de vida. En dos horas hemos llegado, retrocediendo milenios, al Paraíso Terrenal.

Dos monumentos de gran importancia existieron en Oaxtepec: el monasterio de frailes dominicos y el hospital de la Santa Cruz, que fundara el venerable Bernardino Álvarez, por sus representantes los hermanos Domingo de Ibarra y Hernando López, en 1569. De éste sólo queda una ruina: el enorme patio construido con ladrillos a la manera mudéjar. Todo ello revela vetustez, incuria, abandono. Nuestra imaginación retrocede siglos: vivimos aquellos días de intensa tarea, cuando en este sitio se albergaba aquel portento de hombres y aquel hombre portento que se llamó Gregorio López. Estos arcos escucharon sus plegarias y en alguna estancia hoy derruida se conservó mucho tiempo el perfume de sus meditaciones. Aquí escribió su *Tratado de medicina*, después de haber estudiado toda la riquísima vegetación del lugar. Gregorio López vivió en Oaxtepec de 1580 a 1589.

Casi puede afirmarse que desde el mismo siglo XVI, el hospital fue abandonado pues el estado de destrucción en que se encuentra revela siglos de fuerza aniquiladora. Y nada puede hacerse para salvarlo: la persistencia de la materia inerte es lo único que se impone.

El convento dominicano se halla construido sobre una colina, acaso un templo prehispánico. Buen número de peldaños hay que subir para alcanzar la plataforma que se extiende frente a la portada. Esto y la vegetación exuberante, siempre verde, impide que podamos atrapar en una vista satisfactoria el conjunto del imafronte. Ha sido éste modificado en exceso, al grado que no podríamos reconstruirlo en su primitivo estado. La portada, de una sobriedad desesperante, consta sólo de un *103* arco de medio punto, apenas moldurado en su arquivuelta; las jambas, más generosas, reciben esa arquivuelta y las molduras verticales de un miserable alfiz que se completa con otra moldura tangente a la arquivuelta en su cima. Parece que sobre esa moldura horizontal, casi tangencialmente también, se abría un óculo circular hoy tapiado. Sobre él se abrió el que existe, mejor colocado pero no de más rica modelatura. El infeliz campanario añadido acaso del siglo XVII, y la espadaña paupérrima que le forma pareja, indican cuan escaso sentido de la arquitectura poseían en los siglos recién pasados los señores párrocos o priores, exactamente como acontece en la actualidad. Se busca el sentido práctico, el bienestar para oficiantes y fieles, la comodidad para las viejas beatas y su séquito, sin pensar en que se destruye una obra de arte. Dios —Bendito sea— no les ha dado inteligencia bastante para que comprendan que una iglesia puede ser algo más que el local que alberga sus ceremonias y a sus fieles, sino una obra de arte creada en tiempos pasados, de mayor cultura, e irremplazable porque no es posible reconstruir lo pretérito. Podrá edificarse una iglesia de oro en vez de una antigua de barro, pero la antigüedad no se logra con todo el oro del mundo. Si a esa antigüedad se añade el mérito artístico se comprende que destruir lo antiguo artístico es un crimen de lesa cultura y de lesa cristiandad.

Pero dejemos estas tétricas ideas, traídas a cuento sólo con un fin digamos educativo o expiatorio, y gocemos de este día espléndido de sol, de vegetación, de vida y de arte. No encontramos huella de capilla abierta. Los arcos de ingreso a la portería se abren a la derecha en una estructura sobrepuesta, pero la elevación en que se yerguen los rudos contrafuertes que la soportan hacen difícil la existencia de una capilla como aquellas de Yautepec o Tepoztlán.

Por esos arcos penetramos al claustro. Recuerda éste vivamente el de Zacualpan de Amilpas, de *104* frailes agustinianos, pero sus vanos son más amplios si bien su aparejo aparece menos perfectamente tallado. Los contrafuertes exteriores en forma de proa de navío, con gruesa cornisa entre la parte baja y la alta; los arcos del claustro alto, con graciosos ornatos en sus arranques; la vetusta sillería de piedra amarillenta, todo nos retrocede a pleno siglo XVI, al siglo de los conventos de México, en su conjunto, creo yo, único en el mundo.

Presenta este claustro de Oaxtepec cuatro arcos por banda y las crujías se ven cubiertas por bóvedas de cañón seguido con nervaduras en los ángulos del bajo y penetraciones de la bóveda en el alto.

Si notable es su arquitectura, la decoración pictórica que lo cubre en su interior es sorprendente. Quisiéramos haber podido impedir que la mano del tiempo y la ignorancia del hombre menoscabasen el aspecto primitivo, original, único, que debe haber ostentado en su apogeo. Nos contentaremos con admirar lo que subsiste: la bóveda del claustro bajo ofrece una decoración pintada que imita los famosos artesonados mudéjares en una combinación de exágonos y rombos y líneas cruzadas que es *107* peculiar de los conventos agustinos. En las esquinas, escasamentos con pinturas que reproducen escenas de la Pasión y en las caras interiores de los machones que sostienen los arcos, las pinturas ofrecen nichos con santos de gran emotividad artística. Recuerdan sin duda los que adornan iguales elementos en el convento prócer de la orden, en Oaxaca; pero son más antiguos, pues mientras aquéllos parecen pintados al óleo, éstos se ven realizados en otra técnica que no sabría definir: ¿temple, fresco rudimentario? Sea como fuere, todos son admirables. Un fraile imberbe, dibujado casi con la silueta que produce una sola línea, nos conmueve con la pureza de su espíritu evangélico, no sólo por su obra catequística, sino por el espíritu de arte, refinado y asceta, del propio pintor. Estudiando el estilo de la pintura, la disposición de los nichos, sus columnillas y su remate en venera, un tanto barrocos ya, nos convencemos de que son pinturas posteriores a la edificación del claustro. Claro que tienen que ser posteriores, pero con una posterioridad mayor de la que quisiéramos, con una posterioridad que se aleja bastante de una contemporaneidad relativa.

Penetramos a las estancias del viejo edificio; doquiera podemos hallar huellas de arte. Algunas pinturas murales nos parecen francamente europeas como las del refectorio.

La iglesia ofrece el tipo habitual de los templos fortalezas del siglo XVI sólo que ha perdido su coronamiento de almenas. El ábside es cuadrado, pero en el interior presenta planta en forma de trapecio. Todas las bóvedas se ven ricamente nervadas y los arcos que las separan son apuntados; el arco triunfal presenta en sus basas y pilastras un aspecto decididamente gótico. Ofrece la iglesia de Oaxtepec una peculiaridad rara en el siglo XVI: un amplio crucero se abre en su centro; sus bó- vedas son de cañón seguido pero alcanzan la altura de las de la nave, en la cual se desplantan arcos de descarga a lo largo de toda ella.

El coro parece posterior; descansa sobre una bóveda de cañón rebajado pero muy imperfecta. La bóveda original era de nervios, pues aún pueden verse las ménsulas con los arranques de aquéllos.

Es indudable que el convento ofrecía sólo un claustro bajo y que el de arriba es posterior, pues visitando la iglesia nos damos cuenta de que las ventanas que miran al lado del claustro fueron tapadas por el muro de éste. Para darles claridad se recurrió al procedimiento de edificarles unos verdaderos pozos de luz entre el muro de la iglesia y el del claustro y la solución es tan perfecta que hasta el sol penetra por los vanos.

Contrastando con la riqueza de las bóvedas el interior del templo casi se ve desolado. Sólo subsisten en la nave dos retablos de interés: son churriguerescos moderados, pero no ofrecen gran calidad.

De pinturas sólo anoté dos: una *Santa Rosalía* firmada por Juan de Correa y un *San Jacinto* que lleva una inscripción así: "Ju° SS (una rúbrica) fC." Las letras corresponden a las iniciales de Juan Sánchez Salmerón.

Otro retablo, al parecer del siglo XVII, se esconde en uno de los brazos del crucero, pero está lastimosamente pintado de azul, en tanto que en el otro brazo se encuentran restos de retablos y esculturas. El púlpito parece datar del siglo XVII pero sólo el tornavoz se ve en buen estado. Otros despojos, sólo despojos se hallan: una santa, con estofado de calidad, que parece provenir de un retablo primitivo.

La historia de Oaxtepec es bastante compleja, como corresponde a un poblado de importancia. Su nombre ha sido víctima de un modernismo inexplicable: debería ser Guaxtepec o, por lo menos Huaxtepec. Sólo así se le encuentra etimología razonable. Quiere decir, según Plancarte, "en el cerro de los guajes". La palabra *guaje,* un tanto popular, ofrece varios significados. Aquí debe tomarse como el nombre de esos pequeños calabazos, secos y pintados o sin pintar, pero de forma característica, con una parte casi esférica de la cual sale otra cilíndrica, encorvada.

La región de Oaxtepec en la época prehispánica fue habitada por los *tolteca* y los *xochimilca.* Sus dioses eran femeninos, para desgracia suya, pues sobre adorar la feminidad, caprichosa, voluble y cruel, se veían obligados a reconocer en ella la supremacía y perfección que impone toda deidad.

Más tarde fueron conquistados por los *mexica.* Supongo que entonces darían al traste con sus dioses hembras, para adorar a los dioses excesivamente machos de los aztecas. Establecieron éstos, conociendo la excelente calidad del clima y las tierras de Oaxtepec, jardines de aclimatación en que cultivaban plantas de Veracruz y aun de Chiapas. Por eso se dice en Oaxtepec que allí existía el jardín de Moctezuma. Lo más probable es que, sin que él visitara personalmente estos vergeles, de ellos le suministrarían las flores más raras y preciosas.

Después de la conquista de México por los españoles, Oaxtepec formó parte del feudo de Hernán Cortés, el más rico del virreinato. Fue una de las famosas "cuatro villas" del marquesado, junto con Yautepec, Tepoztlán y Yecapixtla.

El convento de dominicos fue el segundo que fundaron estos frailes, después del de México. Los cronistas afirman que en los cimientos del edificio se emplearon los fragmentos del gran ídolo que adoraban los indios en Tepoztlán, el famoso *Ometochtli* que fue derrocado desde su templo —todavía hoy admirado lo que de él subsiste— y que cayó indemne. Hecho pedazos, fue llevado a Oaxtepec para utilizarlo en los cimientos del monasterio. La imagen del dios gentilicio servía de base a la del dios conquistador. Sin embargo, en el capítulo celebrado en 1538, la casa de Oaxtepec ocupa el tercer lugar. Residían allí fray Juan López como vicario, y cuatro religiosos más. La vida conventual duró tranquila y fecunda más de dos siglos: la secularización se efectuó el 12 de enero de 1756. El primer cura secular fue don Manuel Díaz Leal. Para esas fechas el poblado ha de haber descaecido bastante hasta quedar poco más o menos como hoy se encuentra.

Tales son, a la ligera, como conviene a un paseante culto, las noticias que podemos ofrecer acerca de Oaxtepec.

Surgimos a la luz del paisaje, a la luz de los árboles, del agua, del aire, de la tierra, del fuego que el arte ha encendido en nuestros corazones. Somos portadores de los cuatro elementos que han sabido fundirse en uno solo: el espíritu.

Y llegamos a aquella arboleda de ahuehuetes —*viejos de agua*— nutridos por esos manantiales de donde surge el río de Yautepec. Allí, en ese lugar, en que la Naturaleza nos ofrece todo su ser en desnudez completa, como en la *Primavera* de Boticelli, nos sentimos Adanes de un nuevo paraíso: el de estas regiones del trópico. Un paraíso al que hemos podido añadir todo un mundo de emociones desconocidas antes: para bien o para mal, no hemos podido prescindir de nuestro pasado bagaje: cultura.

Oaxtepec nos despide con sus mejores ornatos. La tarde procura dorar con oro fino los perfiles de los monumentos y la silueta de los árboles. Un dejo de ternura parece adivinarse en los recodos de los arbustos y en el claroscuro de las colinas. Oaxtepec corresponde así a nuestro afecto. Salimos presurosos, preguntándonos a nosotros mismos, como si expresáramos el más íntimo deseo: ¿cuándo volveremos a Oaxtepec?

22 de octubre de 1946.

22. Ruinas del templo franciscano de Tecali

LA ARQUITECTURA religiosa que floreció a mediados del siglo XVI en la Nueva España, presenta un carácter peculiar. Es a la vez fortificación y edificio eclesiástico, cosa que sólo puede encontrarse en antiquísimos edificios de la Edad Media europea, en que el templo formaba parte de las murallas de una ciudad o servía además de baluarte. Así son la mayor parte de nuestros grandes monasterios de mediados del 1500. La primera impresión que se recibe al verlos, es la de una fortaleza inexpugnable; cuando penetramos al monumento, nos encontramos con una iglesia gótica, adornada con bellos retablos renacentistas, que nos traslada a otro mundo donde impera un arte más amable y una vida de misticismo.

Excepción a estos monumentos fortificados, y al mismo tiempo supervivencia de los primeros templos que se edificaron en la Nueva España, son aquellos que presentan la planta y la estructura de una basílica de tres naves, con armadura a dos aguas o techos planos de viguería. Algunos de estos edificios son magníficos como el del templo franciscano de Zacatlán de las Manzanas, en el Estado de Puebla. Otros presentaban una rudeza que denotaba bien su primitivismo, como el de la parroquia de Coyoacán, destruida lastimosamente para edificar un templo en estilo colonial californiano. Indudablemente uno de los templos mas notables de este género, a juzgar por los despojos que aún se conservan, es el que va a ocuparnos en estas breves consideraciones que siguen.

Cerca de Tepeaca, población que guarda magníficos restos de nuestra arquitectura colonial, sobre todo por su convento franciscano que es ejemplo típico de lo que mencionaba antes, por su carácter de fortaleza inexpugnable y, además, por su torre mudéjar denominada *El Rollo,* se encuentra el pintoresco pueblecillo de Tecali, famoso por los yacimientos de ónix que existen en sus cercanías y que reciben exactamente la misma denominación de *tecali,* y en el cual se hacen pequeñas piezas, decorativas y curiosas, que generalmente adolecen del peor de los gustos.

En Tecali existía también un convento franciscano de los más notables de México. Su iglesia presentaba el aspecto de basílica a que antes me he referido. Desgraciadamente perdió su techumbre, *109* acaso un alfarje mudéjar, y quedó únicamente el casco del edificio, con una magnífica galería doble, de arcos esbeltos, que divide el perímetro en tres naves. El artesonado, de rica madera de cedro, fue desmantelado por el general Calixto Mendoza para hacer con la madera ¡una plaza de toros!

Nada sabemos de la fecha de fundación de este monasterio; lo que sí puede afirmarse es que para 1569 la iglesia estaba concluida pues ostenta esta fecha, escrita tanto en cifras arábigas, como a la manera indígena; es de presumirse que la fundación date de mediados del siglo XVI. Cuando lo visitó el padre Ponce en 1585, el monumento estaba concluido con su claustro alto y bajo, dormitorio, celdas e iglesia, hecho todo de muy buen edificio. Fue secularizado por el obispo Palafox el 19 de enero de 1641. Ignoramos cuándo tuvo lugar el abandono y destrucción del templo, suponemos que fue posterior a 1728 en que fue construida la actual parroquia, pues en ella se conservan dos de los magníficos retablos renacentistas que adornaban la iglesia conventual.

Al visitar estas ruinas nos asombra la pericia del arquitecto que supo imprimir a la piedra, un tinte de expresión como en ninguna otra parte. La planta, ya lo dijimos, es basilical, de tres naves con un ábside rectangular terminado hacia arriba en forma de nicho con bóveda de medio punto, decorada en su intradós con pinturas al fresco que imitan un artesonado mudéjar de casetones ochavados. A los lados del presbiterio hay dos nichos con rudas labores de argamasa, a la manera indígena y que acaso datan del siglo XVII. A los pies del templo estaba el coro; todavía se ve el arco audaz sobre el cual descansaba y se cruza en forma admirable con los esbeltísimos arcos de la basílica.

Pero si esta nave, en su naufragio por las olas encrespadas del tiempo, es bellísima, más atractivo para el estudioso ofrece la portada principal que mira, como todas sus congéneres, al poniente. Dentro de la arquitectura que llena la época designada con el nombre de Renacimiento, varias modalidades se distinguen. Una está constituida por fachadas ricamente ornamentadas en sus columnas, en sus ventanas, con escudos, con perillones, medallas con cabezas, guirnaldas, crestería, etcétera. Ese estilo llamado *Plateresco* porque recuerda las obras de los orfebres, está plenamente representado en la portada del templo de Acolman en el Estado de México. Paralelamente se edificaron otros monumentos también renacentistas, pero de un estilo más sobrio, menos adornado, más puro. Por eso a este estilo se le llama *purista*. Pues bien, la portada de la basílica de Tecali es característica, en su pureza, de esta manifestación de arte. Y comparándola con la estructura del famoso *Túmulo Imperial* levantado en la capilla de San José de los Naturales, anexa al convento grande de San Francisco de México en 1569, por Claudio de Arciniega, el arquitecto del virrey don Luis de Velasco, que trazó el plano de la catedral metropolitana, como se ve es idéntica. Ahora bien, una inscripción en jeroglífico y en números arábigos marca el año de 1569, de modo que es más que probable que sea obra del mismo Arciniega. Y ¡bien que atestigua la pericia y el buen gusto del arquitecto! Nos conmueve por la belleza de sus proporciones, por la euritmia de sus columnas y a la vez por la finura de la técnica. Parece que estas piedras fueron esculpidas más que por cinceles humanos, por dedos de ángeles.

La fachada de la iglesia tiene tres portadas, las laterales son sencillas, de gusto renacentista sobrio, marcando los sillares y las dovelas con ranuras, exactamente igual que en los palacios florentinos. La portada central es un ejemplar de renacimiento purista, acaso el más notable que haya existido en la Nueva España. No es un herreriano a pesar de que está ornamentado simplemente con nichos, perillones y puntas de diamante, porque sus columnas ostentan capiteles riquísimos en vez de los secos capiteles dóricos o toscanos de que gustaba Herrera.

Coronándolo todo hay un piñón o frontispicio con un gran espacio liso, encuadrado por pilastras, y en el cual, seguramente, se veía el escudo imperial de España.

A un lado de la fachada hay una alta torrecilla coronada con chapitel, exactamente como las de Tepeaca y Cuautinchan y que, vista desde el interior, tiene un cierto airecillo francés. Probablemente existió otra torre en el otro extremo de la fachada pues existe su basamento muy semejante al de la torre sobreviviente. Al lado del norte quedaba el monasterio que es en la actualidad un impresionante montón de materiales destruidos; acaso buscadores de tesoros, que no comprenden que el único tesoro que en estos monumentos se encuentra es el arte, minaron los pies de los muros, las basas de las columnas y todo vino por tierra, formando montones de escombros que acaso han segado las puertas. Lo único que resta de tanta grandeza como allí ha de haber habido es la puertecilla de ingreso al monasterio; de arco plano con ángulos redondeados y ornamentada con casetones que ostentan lazos y rosetas.

La parroquia no ofrece gran interés en su arquitectura: es una iglesia del siglo XVIII de las que existen millares en la República. Una bella cruz con relieves indígenas se yergue en el centro del atrio; otra, muy sobria, se ve al frente del cubo de la torre concluida, porque la otra sólo llegó al primer cuerpo. Si penetramos al templo, la admiración vuelve a apoderarse de nosotros: allí se conservan dos retablos de la iglesia conventual y nos asombra, al estudiarlos, pensar cómo era rica esa iglesia, ¡cubierta con suntuoso alfarje mudéjar y cuajada de retablos renacentistas!

Es uno de ellos un gran retablo que acaso ocupara el ábside plano que hace fondo al nicho del presbiterio, que en su parte alta ofrece pinturas que indudablemente completaban la composición, ya que el retablo no es tan alto para que llenara totalmente el nicho. Sus labores son de fina talla dorada y policromada y quizás lo más admirable en él es el sagrario con sus puertecillas doradas que ostentan esculturas en alto relieve. En la parte baja se ven de busto los apóstoles formando una serie magnífica, y el retablo ostenta en todos sus compartimientos cuadros de pintura de indiscutible mérito sin que podamos decir, desgraciadamente, quién fue su autor. Al centro se ve la figura de *Santiago* patrón del templo, también en cuadro pintado al óleo.

El otro retablo es pequeño, sus finas columnas renacentistas sostienen un remate y todo él es un enorme marco a un gran lienzo de pintura al óleo que representa a *San Francisco,* de tamaño gigantesco, y a cuyo alrededor en la misma tela aparecen escenas de su vida, aquellas emotivas escenas del autor de las *Florecillas.* Allí está predicándoles a los pájaros, allí está dando de comer a los pobres, allí está repartiendo sus vestiduras.

Vale bien la pena hacer el viaje a Tecali cuya carretera se encuentra en perfectas condiciones más allá de Tepeaca, para saborear esta magnífica visión de arte que nos traslada al siglo de oro y nos deja una emoción conmovedora al pensar que México, remoto país de América, tuvo el mismo florecimiento artístico que la maravillosa Europa del Renacimiento.

Tecali, septiembre de 1947.

23. El claustro de Jonacatepec
un viaje a la edad media

ENTRE los Estados de la República Mexicana más ricos en monumentos del siglo XVI, se cuenta el de Morelos. Mucho ha sido estudiado, pero no podemos jactarnos de conocerlo todo. Algunos edificios apenas aparecen con una mención, cuando son verdaderamente dignos de una visita detallada. Tal acontece con Jonacatepec, el viejo monasterio agustiniano que existe en la ciudad de su nombre, la tercera en importancia, después de Cuernavaca y de Cuautla, en esa rica entidad.

La excursión a Jonacatepec era antes pesada y se necesitaba más de un día para hacerla. Hoy se realiza cómodamente por la carretera de Cuautla de la que dista un cuarto de hora. De México se encuentra a ciento treinta y ocho kilómetros. El clima es cálido pero no exagerado; la vegetación tropical despide perfumadas exhalaciones que nos llenan de vida. Entre el verde brillante de las hojas que parecen de esmalte, grandes mariposas blancas vuelan displicentes; sus giros armoniosos, su belleza realzada por el fondo esmeralda del paisaje o el azul purísimo del cielo morelense, nos evocan, con el suave agitar de sus alas, a aquella diosa del ritmo: la incomparable Ana Pawlova.

Es bueno siempre conocer la historia de lo que deseamos visitar, aunque no sean sino unos cuantos datos que nos permitan situar en el tiempo el monumento que vamos a ver. Las observaciones que realicemos en el terreno completarán lo que nos ha dicho nuestra biblioteca y así la visita será verdaderamente fructífera. Poco se sabe de Jonacatepec. El sabio obispo don Francisco Plancarte y Navarrete supone, en su *Geografía del Estado de Morelos,* impresa en Tepoztlán en 1909, que en la época de los chalcas cayó en poder de los mexicanos cuando éstos rindieron el señorío, tras de constantes correrías contra Tlaxcala, Huejotzingo y otros pueblos del hoy Estado de Puebla.

Consumada la Conquista, la región fue evangelizada por dos apóstoles de la Orden de San Agustín, fray Jerónimo de San Esteban y fray Jorge de Ávila. La fundación se debe a fray Juan Cruzate y fue realizada antes de 1566, pues entre esa fecha y 1569 el convento fue elevado de vicaría a priorato. La advocación de la casa era la de San José y el edificio se vio terminado en 1571.

A mediados del siglo XVIII la parroquia fue secularizada, es decir, se quitó la administración a los frailes agustinos y se puso un sacerdote secular que fue el bachiller don José María de Madariaga. Los religiosos siguieron en su monasterio, pero sin administrar los sacramentos.

Tales son las escasas informaciones que poseemos ¿qué más? ¡Ah!, en Jonacatepec nació el patriota general Leandro Valle, corifeo liberal que fue fusilado por los conservadores y cuyo nombre lleva la calle más inútil de México.

Pero dejemos estas disquisiciones empolvadas, que no han sido bastantes para opacar la racha de juventud que nos exalta. El cálido ambiente, bajo un sol de hoguera nos presta bríos para sumergirnos en otra pretérita realidad, el viejo convento agustiniano, testimonio vivo de esos siglos muertos, vivo con la vida inmarcesible del arte.

En efecto, hemos llegado a la risueña y activa población. La carretera parece haberle infundido savia vigorosa, despertarla de su marasmo y sopor.

Desde el enorme atrio que han dejado al monasterio, contemplamos el conjunto. Desde luego nos damos cuenta de que existen dos épocas en la historia arquitectónica del monumento: el monasterio y la iglesia. Es ésta muy posterior, del siglo XVIII acaso. Su fachada, de dos cuerpos, se organiza a base de pilastras de sección cuadrada, de torpe arquitectura, obra de algún maestro de obras regional. Son cuatro abajo, dos a cada lado de la puerta con arco de medio punto y bastante separadas para escoltar entre ellas nichos no menos burdos. Se prolongan las pilastras hacia arriba, en el segundo cuerpo que ofrece una ventana rectangular, casi cuadrada y las dos inmediatas a la puerta y ventana terminan en pináculos piramidales sobre bases prismáticas, a modo de almenas, ya en el remate. Éste se halla cobijado por grueso moldurón que forma una gran semielipse. Al centro, entre dos pilastrillas volando, lo único interesante de la fachada: un arcaico relieve con un *San Agustín*.

Mas, para compensarnos de esta ramplonería arquitectónica, al lado se yergue algo que despierta nuestro interés: la capilla abierta. Como los fieles indígenas eran tan numerosos que no cabían en el templo, los frailes idearon edificar capillas cuyo frente se abría en uno o varios arcos, de modo que podía verse el altar colocado en el fondo. Así los indios presenciaban las ceremonias desde el *112* gran atrio, al aire libre. Esta capilla abierta constaba de tres grandes arcos, hoy tapiados y con ventanas, cuyos cerramientos son de los que llamamos rebajados. El central más ancho correspondía al presbiterio. Toda la estructura es de piedra cortada y la cubre un gran recuadro o alfiz. En la parte alta, tres ventanas con arcos de medio punto y sillares con junturas rehundidas. La estructura forma un enorme muro liso, sin más huecos que los arcos de la capilla y las ventanas y, como remate, se ven almenas muy espaciadas. Todo ello de gran sabor español y característico de nuestro siglo XVI.

Satisfechos con nuestro hallazgo, ya que ningún autor menciona esta capilla abierta, penetramos al edificio para estudiar el claustro que, sabemos, se conserva en bastante buen estado. Al encontrarnos *113* en él nuestro asombro rebasa sus límites: ¡estamos en la Edad Media, antes del gran florecimiento ojival, es decir en pleno siglo XII! Es una supervivencia del estilo románico la que contemplamos. Todo el claustro es de piedra cortada con arcos de medio punto, tres en cada piso y, entre ellos, vigorosos contrafuertes en forma de proa de navío o tajamar de puente. La novedad que ofrece este claustro con otros semejantes que conocemos, es que entre las dos series de arcos existía una faja con pinturas; éstas han desaparecido y sólo se ve la faja lisa sin el aparejo de piedra que forma el resto. Otra novedad es que el antepecho de los arcos de arriba es el original y presenta una forma *114* completamente románica: no es vertical sino inclinado en talud y con un grueso baquetón que lo limita.

Contemplando una y otra vez estas piedras cuatro veces seculares, pues no vacilamos en fijarle una fecha de mediados del 1500, y teniendo en cuenta nuestros datos históricos, suponemos que lo último que se edificó fue la iglesia, hoy desaparecida, con lo que el monumento quedó terminado en 1571.

¡Qué vetustez, qué arcaísmo revela esta construcción! Al estudiar nuestras fotografías, ya en el tibio reposo de la biblioteca, nos figuramos que, si no hubiéramos visto con nuestros propios ojos este claustro, eran las ilustraciones de algún libro acerca de la arquitectura medieval, dignas de aquellos dibujos tan nítidos, tan rebosantes de amor y comprensión que realizó el gran arquitecto e historiador Violet Le Duc.

Jonacatepec, Abril de 1952.

24. El convento agustiniano de Cuitzeo

UNO DE LOS más bellos monumentos coloniales del siglo XVI que aún existen, es el monasterio que fundaron los padres de San Agustín en el pueblo de Cuitzeo de la Laguna, Estado de Michoacán. Consérvase en excelente estado y permite estudiar esta clase de edificios a todo nuestro sabor.

Para ir a Cuitzeo se sale de Morelia por la carretera que parte del barrio del Carmen y se llega en 45 minutos de camino. Es éste bastante bueno, aunque sin petrolizar, y cruza por una serie de lomeríos bajos, de escasa vegetación hasta que, al llegar al kilómetro 24 se descubre toda la anchurosa extensión del lago de Cuitzeo, el más grande, si no el menos profundo, de Michoacán, maravillosa tierra de lagos. Desde la altura, el lago parece un pequeño mar; sus coloraciones toman matices cambiantes en esta fresca mañana de enero y, al acercarnos sus innumerables habitantes se dejan ver en muchedumbre: patos, pelícanos, gallaretas, garzas grises y blancas, gaviotas. Sobre ellos, como perpetua amenaza, gavilanes hambrientos trazan vuelos concéntricos. A pesar de que el agua es salitrosa, crea un pececillo, el *charai*, que constituye la principal riqueza de los pueblos ribereños y, cerca de la desembocadura de los ríos que ceban el lago, bagres.

Los cronistas refieren que cuando el lago se seca crece en él una yerba, llamada *barilla*, con la cual se hacía vidrio. Ignoro si aún es explotada esta rica planta.

Para llegar al pueblo se atraviesa el lago en su parte más estrecha por una calzada de mampostería que mide 3,705 metros, es decir, casi una legua. Fue construida en el siglo XIX e inaugurada en 1882. Consérvase en buen estado salvo que ha perdido sus pretiles.

Y llegamos a Cuitzeo después de un pequeño ascenso, y nos encontramos con un pueblecito alegre, limpio, con sus calles bien trazadas, sus casas de colores claros, rosa, verde, azul. En el centro se destaca la gran iglesia con su monasterio al costado. Un grupo de mujeres bulliciosas extrae agua del aljibe construido en el atrio y mezcla su alegre algazara con esta felicidad matutina.

El convento de Cuitzeo fue el quinto que, bajo la advocación de Santa María Magdalena, fundaron los agustinos en Michoacán. Antes habían establecido los de Tiripetío, Tacámbaro, Valladolid y Yuririapúndaro. Fueron los fundadores fray Francisco de Villafuerte y fray Miguel de Alvarado. La primera piedra de la iglesia fue puesta el 1o. de noviembre de 1550 y el edificio terminado por el padre fray Diego de Soto. El padre Villafuerte, que no pudo ver concluida su obra, falleció en el trienio de 1575 a 1577.

Los demás datos históricos consignan los siguientes informes: fray Jerónimo de la Magdalena hizo en 1612 una torre muy fuerte; el retablo, que estaba considerado como uno de los mejores de las Indias, fue obra de fray Dionisio Robledo y hecho poco tiempo después de la iglesia; el provincial fray Francisco de Cantillana dio para el decorado de la iglesia y para la sillería del coro. El convento estaba techado de viguería y fray Jerónimo de Morante lo hizo de bóvedas; esto tuvo que ocurrir antes del 3 de febrero de 1603 en que falleció dicho padre. Fray Juan González, prior en 1724, dotó ricamente la sacristía y fray Matías Palacios enlosó el claustro bajo, enladrilló el alto, puso lienzos de pinturas en las testeras de ambos y, para muestra de la incultura de su tiempo, hizo unas rejas de madera para el claustro bajo, hoy desaparecidas afortunadamente, y blanqueó todo, cubriendo con gruesa capa de cal los frescos que decoraban el claustro de los que aún se ven restos.

Mas visitemos ya el monumento y veamos qué es lo que resta de lo que describen los cronistas. El atrio ha sido cercenado en gran parte: no existen sus "posas" ni una gran cruz cuya peana, hueca, servía de capilla, y el muro del nuevo recinto está siendo arreglado con arcos invertidos, copiando una forma antigua pero muy posterior al viejo convento. En los ángulos, en el lugar de las posas, se han dejado entradas estrechísimas por las que sólo cabe una persona. Desde una de ellas, del lado de la derecha, ¡qué magnífica vista se descubre!: el monasterio, la gran iglesia, la airosa espadaña que acaso sea la torre de fray Jerónimo de la Magdalena, pues la que ostenta el reloj, moderna, es abominable. *115*

Al costado de la iglesia se ve un portal de seis arcos que da entrada a la portería y forma nave delante de la capilla abierta. En ésta, como la describe Escobar, un simple nicho con su altar. Los arcos parecen ser modernos, del siglo XIX, hechos en su interior a imitación de los del claustro bajo, también por dentro, y en su exterior está formado por una serie de medias muestras de una desproporción y con unos capiteles corintios verdaderamente lamentables. Además, el techo de este portal viene a quedar a la altura de los antepechos de las ventanas del convento, cosa absurda en una obra original. De modo que hay que aceptar o que este portal sustituyó a uno antiguo, o que antes no existía y es obra moderna. Debe notarse que Escobar, tan minucioso, no lo menciona y cita en cambio, al hablar de la capilla abierta, que "asimismo en la pared y testera está hasta hoy pintada la vida mística la cual por aquel lienzo explicaba el ministro a la muchedumbre". De tal pintura no existe ni huella y claro es que para poder explicar con ella a la muchedumbre, el portal estorbaba.

La iglesia se conserva tal y como la describen los cronistas salvo en sus retablos, ya que los actuales son neoclásicos y por ende carecen de interés. Su bóveda es un gran cañón, con ábside semicircular que por fuera parece un torreón de castillo medieval, y por dentro está cubierto con una bóveda de casquete esférico sobre nervios, unos directos de la imposta a la clave y otros formando arcos apuntados en la parte baja y unidos de su vértice a la clave. Son de admirar en el interior de la iglesia dos bellas portadas y una reja del siglo XVIII, pero lo más notable, no sólo del templo sino del monumento entero es su gran fachada, muestra admirable del arte plateresco en México.

Por sus lineamientos generales puede ser clasificada, y lo ha sido, como un ejemplar de "plateresco *116* puro". Se forma entre dos columnas esbeltísimas, muy semejantes a las de Acolman, pero con sus tercios inferiores ornamentados de diversa manera; la puerta es de medio punto, más airosa que la de Acolman y como ella, con doble arquivuelta, reminiscencia acaso románica que no vemos en los monumentos platerescos españoles. Sobre cada columna hay un perillón o candelabro y la ventana *117* es menos pura que la de Acolman, si bien parecida a ella: prolonga hacia ambos lados, como ha hecho con el entablamiento principal, a semejanza de Acolman, las cornisuelas de su antepecho, de su propio entablamiento y aun la del nicho que está sobre ella, en forma absolutamente inútil y que, además, le resta pureza.

Pero, si en su disposición de conjunto, la obra es europea, en el detalle del ornato revela las manos de varios artífices indígenas lo que le da extraordinaria importancia. Puede decirse que sobre el dibujo de una portada plateresca los indios han hecho algo suyo pero conservando el carácter general. Sólo un estudio detenido pudo llevarnos a esta conclusión. Desde luego, no aparece el escudo español de castillos y leones, *carolino*, como en Acolman. Se ha formado un escudo especial "agustiniano", colocando el símbolo de la Orden, el corazón cruzado por dos, que aquí son tres, flechas, en el pecho de un águila bicéfala, coronada en sus dos cabezas nada más. Este escudo se repite tres veces en la parte más alta del hastial, rematado por el báculo y la mitra del obispo de Hipona, y con tal carácter indio que el águila, que parece muerta pues sus cabezas caen sobre las alas explayadas, como tomada de un ejemplar real que hubiese sido clavado en una puerta. Así, más que el águila imperial, se diría que es el águila indígena muerta y cobijada por la religión agustina. Aparece el mismo escudo otras dos veces, cubriendo los tercios inferiores de las columnas principales de la fachada, en vez de los clásicos angelillos de Acolman. Y aquí el águila se ve estilizada en tal forma, detrás del escudete agustino, que sólo está formada por la cola, dos patas torpemente ejecutadas y dos nervios con plumas, que son las alas, pero retorcidas y de las cuales salen las cabezas, que parecen de guacamayas y están vueltas hacia dentro.

Otros dos escudos figuran en la fachada, a ambos lados del nicho central donde se mira la estatua de la Virgen. A primera vista se creerían escudos españoles de castillos y leones, como en Acolman, pero, examinándolos, nos damos cuenta de que sus cuatro cuarteles están ocupados por jarrones y pelícanos alternados. Es un escudo del pueblo: *Cuitzeo* significa *tinaja* en tarasco, y el pelícano simboliza la laguna.

Las coronas de estos escudos son absolutamente indígenas: están formadas por gruesos anillos metálicos en los que se insertan plumas encorvadas hacia afuera. Puede notarse, además, que estos dos escudos provienen de manos diversas: uno tiene la división en cuarteles marcada por cintas y el otro no. En éste, uno de los pelícanos aparece volteado, como en rebelde bastardía.

La flora en que se han inspirado los canteros parece ser toda indígena. Observaremos sólo el precioso ornato que rodea el escudo agustiniano que se mira entre la puerta y la ventana y cuyo corazón, por cierto, está atravesado, lo mismo que el de arriba, por tres flechas en vez de dos. Este relieve parece una estilización de la calabaza y en el interior de la faja de dibujo geométrico escolta al escudo cuatro calabacitas.

La estilización de los ángeles, que constituyen el principal motivo, después de la flora, también es indígena; parecen ángeles de códice o de pintura mural, hieráticos y uniformes.

Esta fachada portentosa tiene dos inscripciones religiosas y una firma que constituye un enigma. Bajo la prolongación de la cornisa del entablamento principal, a ambos lados, hay finas cartelas de piedra que simulan estar colgadas de lazos y abajo de ellas cornucopias renacentistas. En la de la izquierda se lee la advocación del monasterio: Santa María Magdalena y en la de la derecha lo que se alcanza a leer desde abajo dice: "Fr. Io. METL ME FECIT." ¿Es el nombre de un fraile traducido al náhuatl? ¿Es el nombre de un indio, Francisco Juan Metl? ¿Es una abreviatura, por ejemplo, fray Jerónimo Morante? Desgraciadamente, por ahora, no puedo contestar a estas preguntas pero sí hay que hacer constar que el indigenismo de la obra aparece hasta en la firma.

Del convento magnífico lo más notable es el claustro, muy semejante al de Yuriria aunque menos
118 rico de bóvedas. En su exterior es más grácil, más renaciente. El claustro bajo está cubierto por una bóveda de cañón corrido sobre arcos fajones que se apoyan en mensulitas; las de las esquinas
119 sobre nervios cruzados. Percíbense restos de pinturas murales y hay bellas puertas cuyo molduramiento, uno solo y de múltiples entrantes y salientes y sin impostas, recuerdan de modo vívido las puertas románicas. Semejantes a éstas se encuentran en Yuriria.

El claustro alto presenta doble arquería sobre el bajo y sus elementos son de un renacentismo más
120 puro en la fineza de sus columnas y la sobriedad de sus arquivueltas; su bóveda es también de cañón corrido, pero sin dobletes y sólo con nervios cruzados en las esquinas.

La escalera monumental que comunica ambos claustros es notable por su amplitud, su bella bóveda nervada y una especie de cenotafio que recuerda, a quienes suben o bajan, lo fugaz de la vida.

Lo que más llama la atención en este claustro, sobre todo a los ignaros, son las formas variadas de las gárgolas esculpidas que arrojan el agua para que la recoja el aljibe generoso que fue edificado bajo el claustro y cuyo brocal elegante parece el de un simple pozo. Todas las gárgolas son diversas, figuran monstruos fantásticos, sirenas, dragones, perros acuáticos y emplumados, hombres. Por su técnica, recuerdan vivamente las esculturas románicas: esos capiteles dobles de tantos claustros españoles, y como tales deben ser estudiados.

El claustro está coronado por unas elegantes almenas: "unos merloncillos en forma de llama" que marcan la supervivencia medieval de los templos fortalezas que tan necesarios fueron a mediados del siglo. Porque el convento de Cuitzeo, a pesar de su arcaísmo, no parece que pueda ser referido propiamente a la mitad del siglo: su época es ya mejor, de paz, de bienestar, de arte renacentista. Sus reminiscencias ojivales, casi son nulas.

Y así, después de haber disfrutado ampliamente de esta mañana, trabajo fecundo, retornamos a Morelia, en pos de otras tareas, si no tan atrayentes, no menos necesarias.

Cuitzeo, enero de 1940.

25. Huaquechula,
su monasterio franciscano

EXISTEN pueblos tan lejanos, con caminos tan abominables para llegar a ellos, que a pesar de que allí se conservan monumentos de primer orden, una vez que los hemos conocido, juramos no volver. Así es Cuauhtinchan, así es Huaquechula. A pesar de que figura éste en nuestras listas negras, el recuerdo de algo bellísimo nos acicatea y así incurrimos en prejuicio: ¡vamos a Huaquechula!

Siguiendo la magnífica carretera que va de Atlixco a Matamoros, hay que desviarse a la derecha, cruzar por la Escuela Agrícola llamada Champusco, y seguir en la misma dirección hasta Huaquechula. ¡Terso y limpio el asfalto sobre el cual nos deslizamos muellemente, bien pronto termina! Nos sumergimos entonces en un océano de baches, de barrancas, de ríos, secos y mojados. Allí por donde precisamente nuestras ruedas tenían que pasar se erguía majestuosa una piedra —o dos—. A cada instante había que apearse y aun ayudar a pulso al vehículo. ¡Ay Huaquechula, cuántos tumbos me cuestas! Juro no volver a verte, si es que ahora puedo lograrlo, si un pedruzco de éstos, que tanto pavor nos causan, no logra paralizar nuestro coche!

A cada transeúnte, a pie o en burro lo interrogamos cuidadosos: ¿Dónde está Huaquechula? —Allá, señor amo, tras lomita—. Nada es comparable a este esperar, a este anhelar la ruina amada. Somos otros Colones en busca de un nuevo mundo, si pequeño, no menos deseado.

Por fin llegamos, con hambre de arte y con hambre de viandas. Pudo más lo primero, pues nos lanzamos decididos al monumento. ¡Qué admirable severidad, qué sencillez de líneas, como de una creación clásica, nos ofrece el convento de Huaquechula!

La gran iglesia se ve flanqueada por dos contrafuertes esquinados. El campanario es posterior, lo *121* mismo que la ridícula espadaña del centro con una campanita aún más ridícula. ¡Cuánto ganaría el monumento si desaparecieran estos agregados posteriores! A la derecha se encuentra la capilla *124* abierta hoy murada y con dos puertecitas insignificantes. Subsiste el alfiz, el gran arco rebajado *125* y, en el interior, la bóveda ojival más rica que se conserva en México.

Pero, aún no hemos penetrado al monumento. Hay tanto que admirar en el exterior que casi puede decirse que nos faltan ojos. La cerca del atrio con grandes almenas; una posa, de estructura sencilla y luego, sobre todo, como algo extraordinario, las dos portadas. La principal es muestra *122* notable de arte gótico isabelino, ejecutada por indios. Los relieves que la cubren son bellísimos. Su *123* arco es ligeramente sobrealzado y en las enjutas aparecen dos ángeles que sostienen el escudo de las cinco llagas. Recuerdan aquellas águilas admirables del templo de San Juan de los Reyes en Toledo que ostentan el escudo de Isabel y Fernando.

Sobre el primer cuerpo de la portada que está coronado por una doble cornisa de salientes modillones, sin explicación clara de su existencia, se ve un fino relieve con San Martín, patrón del convento coronado por un alfiz de cortos brazos. ¿Es que existía aquí una ventana? El hecho de que se hayan abierto dos grandes grietas que ahora se ven sujetas con "amarres" posteriores parece indicarlo. El óculo circular que remata la portada sin duda es posterior.

La portada lateral reviste mayor emoción. Es única, puede decirse. Acaso recuerda un poco las *126* posas de Calpan, pero las supera en sobriedad y en técnica.

Desde luego, el material: está tallada en una fina piedra dorada que ostenta vetas rojizas como un jaspe. No ofrece arco de medio punto sino adintelado, con sus ángulos en cuarto de círculo. En su parte baja monogramas de sabor ojival; en las jambas, dentro de encasamentos poco profundos, San Pedro y San Pablo, en traje talar, con barba y cabello perfectamente arreglados como si acaba- *128* sen de salir de la peluquería. Pequeñas gorras a la moda los tocan pero, contrastando con el lujo y pulcritud que se nota en su indumento, aparecen descalzos.

Sobre el arco se desarrolla la escena del Juicio Final de una sobriedad y de un ritmo incompara- ble. Jesucristo en su trono, bajo los amplios pliegues de su vestidura, ofrece sus manos, con las *127* palmas vueltas hacia nosotros en tanto que la espada y la palma se colocan a sus lados. Cuatro ángeles, dos por banda tocan a juicio en largas trompetas en tanto que dos reyes —¿David y Salo- món?— simbolizan a la humanidad entera, arrodillados en los extremos. Que es obra de indios lo revela la ingenuidad del relieve, el empleo de plumas en los ornatos de arquitectura y ese sabor in- confundible que presentan estas creaciones, donde encontramos la supervivencia indígena en su ex- presión más entrañable. Esta portada sólo —me decía uno de mis acompañantes— vale bien el viaje a Huaquechula.

Ninguna inscripción la exorna, pero, en el mismo muro del templo en que se encuentra, cuajado de leyendas y petroglifos, aparece uno en que se ve una cruz sobre unos peñascos puntiagudos y, al lado, seis discos numerales. La interpretación correcta creo que debe ser la de "seis pedernal" que corresponde al año de 1576.

En el interior, al lado del ingreso al claustro, se encuentra otra inscripción en dos piedras colo- cadas allí con posterioridad según parece. En ellas aparece la fecha "12 casa" y su correspondiente 1569. Y cabe preguntarse: ¿serán éstas las fechas de la construcción de Huaquechula?

Si consideramos que Mendieta dice (página 654) que fray Juan de Alameda edificó la iglesia de Huaquechula donde falleció en 1570, debemos aceptar la fecha de 1569 para su conclusión. La de 1576 debe corresponder a la portada lateral. El dicho de Mendieta lo entendemos nosotros, lo mismo cuando se refiere a Huejotzingo, de que fray Juan de Alameda fue quien con su actividad y su celo hizo construir estos edificios, nunca que haya sido arquitecto. Pueden, efectivamente, ser comparados los conventos e iglesias de Huejotzingo y Huaquechula y nada se encontrará más dife- rente. Mendieta nos dice (página 284) que ya existía el convento de Huejotzingo y en Huaquechula aún no había nada. Y, sin embargo, compárese la portada lateral de uno y otro templo. Cuanto más arcaica, más medieval es la de Huaquechula; la de Huejotzingo, riquísima, se afilia más bien al arte manuelino de Portugal.

Pero nos hemos detenido mucho en el exterior: hora es de penetrar al templo. Encontramos la gran nave habitual con cabecera en planta de trapecio y bóvedas nervadas. Noto en ellas una pe- culiaridad: las claves ofrecen un disco al centro, como si estuvieran huecas. ¿Se habrían empleado en ellas, como en otros casos ollas de barro? No es difícil. Recuérdese que las grandes esferas que en Tepeaca coronan las aristas de los chapiteles de los garitones no son sino ollas que han ascendido a un oficio más noble.

El retablo del ábside ostenta bien visibles dos fechas: 1675, la de su origen, y 1792 la de su reno- vación. Es de un barroco gracioso, pero la renovación, que acaso consistió en pintar de blanco el dorado deslucido por el tiempo, y ya de acuerdo con el gusto neoclásico vino a echar a perder esta obra de arte.

Otros retablos se ven en la nave, en estilos que van desde el barroco al churriguera. Uno es nota- ble por las columnas de fajas caladas que ostenta, pero tiene agregados posteriores de acuerdo con su fecha: 1794.

Lo más notable del interior del templo es el púlpito que no vacilo en considerar como el más im- *129* portante que existe en México. Es de piedra, cubierto de relieves en que se ven ángeles en cada en-

97

trepaño, directamente policromados y con huellas de oro. Obra indígena, sabe aunar el lujo y la suntuosidad del arte medieval-renacentista con la sencillez ingenua del aborigen. Nos subyuga, nos conmueve, nos arranca lágrimas casi, al sentir que estamos frente a uno de los monumentos más entrañables, aquellos en que se funde la añorante tradición india con los ideales del arte de Occidente. Como si fuera una semilla de nuestro ser actual.

Se conoce que el coro era pequeño y los religiosos quisieron ensancharlo. Para eso desplantaron un nuevo arco paralelo al antiguo y sobre él prolongaron su estructura.

Pasamos al claustro en el que se notan dos épocas perfectamente marcadas: el claustro bajo arcaico, debe ser el primitivo; es de sólo tres arcos por banda; está cubierto con bóveda imperfecta de cañón corrido y al exterior se desplazan contrafuertes en proa de navío. El claustro alto es posterior, desproporcionadamente bajo con relación al otro. Los forman danzas de columnas con arcos ligeramente rebajados y su techo lo constituyen modestos envigados.

Por aquí se pasa al interior de la capilla abierta por una puertecita de cerramiento conopial y orlada toda ella de pomas, de pleno gusto gótico isabelino. La bóveda ojival, riquísima, semeja un
125 verdadero encaje de piedra en un alarde constructivo y artístico digno del siglo XVI español. Desde la tribuna arreglada, que de fijo era el coro de la capilla abierta notamos la pintura moderna y el pobre altar insignificante. Agradezcamos que, al menos, supieron respetar la estructura.

Surgimos nuevamente a la luz de la tarde: las nubes blancas ponen manchas de algodón en el cielo azul. En la plaza encontramos dos monolitos indígenas arreglados en sendos pedestales. Vamos a la parroquia que parece avergonzarse junto a la riqueza del templo conventual. Y encontramos —¡oh asombro!— un barandal del coro tallado en madera y ricamente dorado con curvas caprichosas en su perímetro y estípites en vez de balaustres. Obra verdadera de churriguerismo, única en su género que yo sepa. El Santísimo está expuesto en el altar mayor. La custodia nos presenta una silueta rara desde lejos. Nos acercamos cautelosos y vemos, contemplamos, admiramos, una bella custodia de plata dorada al parecer, con su viril sostenido por un San Agustín mitrado que presenta los brazos extendidos formando ángulo recto con las palmas de las manos hacia nosotros.

Así, en esta ocasión, Huaquechula se nos entregó toda entera.

De regreso a nuestra biblioteca, deseamos inquirir algo acerca de la historia de este pueblo. Monumentos tan valiosos no pueden carecer de un abolengo, de un historial distinguido. El padre Ponce que estuvo allí el 25 de octubre de 1585, nada nos dice como no sea de sus trabajos para llegar; de los frutos del pueblo: naranjas, limas, limones, cidras, aguacates, guayabas, plátanos, zapotes, dátiles y muchas cañas. Agrega que el convento está acabado "con su iglesia, claustro, dormitorio y huerta" y añade que "la casa es de cal y canto y el primer suelo de bóveda".

Acudimos a Mendieta y nos hallamos con una enormidad de datos, pero casi todos acerca de información religiosa, mas no artísticos.

El primer dato revela la antigüedad y nobleza de Huaquechula, pues hace remontar a Xelhuec uno de los primeros pobladores surgidos de Chicomoztoc, la fundación del pueblo. (página 145.)

Establecida la religión cristiana nuestra región es subsidiaria de Huejotzingo como todos los circunvecinos. Bien pronto deben haberse establecido los frailes franciscanos pues se trataba de un lugar muy poblado. Prueba de ello es la información de Mendieta, preciosa, acerca del sayal de los padres. Andaban éstos mal vestidos, por falta de tela, pero el señor de Huaquechula don Martín, cuyo nombre era el del Santo de la advocación del convento, sabiendo que acababa de llegar a México un oficial de sayalero, el primero que hubo, envió a varios vasallos suyos que entraron a trabajar a sueldo y averiguaron todos los secretos del oficio. Cuando lo supieron regresaron a Huaquechula y los frailes tuvieron todo el sayal que necesitaban. (página 255.)

Otro episodio conmovedor se encuentra entre los indios que pedían el bautismo en Huaquechula. Reunidos los obispos en el primer concilio determinaron que no debía bautizarse a los adultos sino sólo a niños y enfermos. Ante la solicitud de grandes cantidades de indios los frailes de Huaquechula determinaron conceder el bautismo a los indios adultos. "Al principio comenzaron a ir de doscientos en doscientos y de trescientos en trescientos y siempre fueron creciendo y multiplicándose hasta venir millares." ¿Quién podía atreverse a decir que éstos tenían fe, pues de tan lejanas tierras venían con tanto trabajo, no los compeliendo nadie, a buscar el sacramento del bautismo?

En una ocasión entraron en "la iglesia dos viejas, asidas la una de la otra, que apenas se podían tener y pusiéronse con los que querían bautizar. El que los examinaba quísolas echar fuera de la iglesia, diciendo que aún no estaban bien enseñadas. A lo cual respondió la una y dijo: "¿A mí que creo en Dios me quieren echar fuera de la iglesia? ¿Por qué lo haces así? ¿Qué razón hay para que a mí que creo en Dios me echar fuera de la iglesia de Dios? Si me echas de la casa del misericordioso Dios ¿a dónde iré? ¿No ves de cuán lejos vengo? Si me echas sin baptizar, en el camino me moriré. Mira que creo en Dios, no me eches de mi iglesia." Afortunadamente llegó el sacerdote que bautizaba "y gozándose de la plática y armonía de la buena vieja, consolóla, y dejólas a ella y a su compañera con los demás que estaban aparejados para baptizarse". (páginas 276-277.)

La historia religiosa de Huaquechula consta de una serie de ternuras así. "Una india de Guaquechula llamada también Ana, todo cuanto ganaba lo ofrecía a la iglesia y llevando alguna cantidad de dinero, acudía al guardián y le decía: "Padre estos cien pesos o doscientos me ha dado Dios: mira lo que es menester para su iglesia." Y como algunas veces el guardián no los quisiese recibir, diciendo que de ninguna cosa había necesidad, afligíase la buena mujer y decía: "Padre, ¿para qué lo quiero yo? No tengo hijos ni marido, ¿a quién lo tengo de dar sino a Dios que me lo prestó?" (Mendieta, página 424.)

En la paz de la estancia los libros brillan a la luz de la lámpara. Lomos dorados, lomos lisos; pobres otros, sin encuadernar. ¡Qué tesoros de hazañas encierran unos, qué de desengaños guardan otros! Nuestro recuerdo de Huaquechula, admirable como obra de arte, se mece entre estos relatos inefables. Así se complementa un perfecto paseo colonial: la realidad que es una subsistencia del arte pretérito y la historia que parece una flor que perfuma las piedras supervivientes.

Huaquechula, 1o. de septiembre de 1946.

26. Zinacantepec y su convento de San Francisco

La CARRETERA de Toluca coquetea bellísima este día. Retuércese muellemente entre los campos verdes, y colinas y cerros y montes destacan sus siluetas vigorizadas por el claroscuro de la mañana, voluptuosa como nunca. Es que la patria ha querido engalanarse para celebrar con sus hijos su más heroico recuerdo: una mañana como ésta, hace un siglo, seis cadetes imberbes se cubrían de gloria ofrendando su vida en defensa de México y ennoblecían inmarcesiblemente la derrota.

En nuestros corazones palpita el reflejo entusiasta de la ciudad. Soldados del arte, servimos humildes a nuestro país explorando sus tesoros. Vamos a Zinacantepec.

Excursión fácil, acaso por eso preterida indefinidamente, hoy saldamos una deuda con nuestro deber y nuestra curiosidad. A una legua de Toluca el risueño pueblo nos acoge asombrado. Una capilla pintoresca destaca sus modestias populares en el cielo surcado de nubes. Pero el convento franciscano atrae toda nuestra atención. La portada de la iglesia es de un sobrio barroco; la capilla 130 abierta, en forma de portal con el arco central más peraltado, ofrece aún su retablo que recuerda 132 vivamente los retablos primitivos españoles, salvo la ausencia del oro.

El templo presenta la planta cruciforme y las bóvedas características del siglo XVII, mas conserva joyas anteriores: el púlpito de piedra, con adorno de escamas, torpemente pintado de blanco; dos esculturas del primitivo retablo del siglo XVI, magníficas, sobre todo un *San Agustín*, a pesar de que han perdido su estofado; algunas pinturas y una espléndida pila de agua bendita de barro que data seguramente del quinientos.

El claustro sí parece ser el original por sus dimensiones moderadas, sus columnas y su aparejo. Vanse descubriendo en él numerosas pinturas como las que decoraban todos los monasterios primitivos y la reparación de las galerías se lleva a cabo con tan buen acuerdo que nos sentimos satisfechos y lamentamos que en otros viejos monumentos no campeen este cuidado y atingencia.

Y seguimos visitando el monumento que nos brinda tesoros: en la sacristía una pintura de la *Piedad,* ostenta gran vigor dentro de su barroquismo; una inscripción nos indica: "hízose en tiempo del padre fray Juan de Sanabria. — Año de 1626". Y abajo otra fecha: "Año de 1720" de una restauración sin duda. Acaso el torpe restaurador cubrió la firma que de fijo mostraba el cuadro.

Buen número de joyas eclesiásticas enorgullecen esta sacristía: una custodia del siglo XVII timbrada con el mismo nombre de Sanabria que parece haber sido el mecenas de este convento; un pie de custodia, barroco del siglo XVIII y varios cálices de la misma época. La primera custodia, tan bella y rica como las mejores, es un encanto.

Pero la presea más valiosa de Zinacantepec es la gran pila bautismal, ya conocida. El bautisterio se acoge en un extremo de la capilla abierta, opuesto a la iglesia, y allí cobijado por una penumbra que sólo se atreve a aclararse un tanto cuando el sol penetra por la ventana, yace el venerable monolito, fechado en 1586. Sus relieves, trabajados por indios, su gran tamaño, su fecha, todo, otorga 134 a esta pila la más importante categoría entre sus compañeras.

Algunos datos históricos se conservan acerca de Zinacantepec, lo que indica su importancia. El nombre significa "En el cerro de los murciélagos" y no "Pueblo de murciélagos" como escribe erróneamente el bachiller Vera, según costumbre. La etimología está de acuerdo con la especie de que el pueblo se asentaba antes "sobre el cerro del molino, en el cual se encuentran señales de haber estado la capilla, algunas casas y varios fragmentos de trastos de barro". Peñafiel supone que adoraban a Tzinacantéotl del cual existía un vaso de origen zapoteca en la colección Boban.

Según algunas tradiciones populares subsistían en este lugar reminiscencias de la leyenda de los cuatro soles prehispánicos pues dicen que "en una época anterior a la conquista llovió caliente y se perdieron las sementeras y murió la gente de la tierra". Además "hubo una gran enfermedad que acabó con casi todos los hombres y animales del territorio, los cuales sólo duraban dos o tres horas".

Después de la conquista Zinacantepec cayó en encomienda de Juan de Sámano, personaje de cuenta en el gobierno virreinal y así vemos desde la *Suma de visitas de pueblos* de mediados del siglo XVI, que constaba de quinientas cuarenta y seis casas y ochocientos quince casados y treinta y cinco viudos y ciento sesenta y tres mancebos y doscientos treinta y seis muchachos sin los de teta. Para estas fechas el pueblo se había cambiado ya a su sitio actual pues al pie de la tasación se lee una nota que dice que "está asentado en tierra llana y fría".

El contador Ortuño de Ibarra en su célebre *Tasación* formulada en 1560 fija el pueblo el tributo de mil setecientos cincuenta pesos anuales en dinero, trigo y maíz. Para 1597 seguía en encomienda de Sámano, acaso de sus descendientes, y el número de tributarios era de mil ciento noventa y uno.

Del monasterio podemos decir lo que sigue: En 1558 posaba en Zinacantepec, seguramente en visita pastoral, el arzobispo Montúfar que llevaba de intérprete o nahuatlato a fray Jerónimo de Mendieta. Estando en este lugar recibieron la noticia de la muerte del segundo obispo de Tlaxcala, ya en Puebla, don fray Martín de Hoja Castro. El señor Montúfar se conmovió mucho "y con muchas lágrimas se levantó de la mesa (que estaba asentado para cenar) y se retrajo a su aposento, diciendo que esta nueva iglesia había perdido su principal pilar. Tanto era el amor y respeto que todos le tenían". No existía el convento pues Mendieta que es quien lo refiere, lo mencionaría. El arzobispo y su intérprete estarían alojados en alguna casa, quizás la de Sámano si es que el encomendero poseía casa en Zinacantepec.

La primera mención del convento la encontramos en 1569 en el llamado *Códice Franciscano:* "Una lengua de Toluca al poniente se edifica otro monasterio de San Miguel en Zinacantepec." Antes era visita de Toluca y hacía cinco o seis años que el arzobispo, a pedimento del encomendero Sámano, puso allí un clérigo y después hubo varios que ni los indios ni el mismo encomendero pudieron soportar. Entonces pidieron a los franciscanos que levantaran el convento aunque fuera a costa del encomendero. Lo mismo dijo el virrey don Martín Enríquez. La fundación se había llevado a cabo pero el edificio no. En tanto esto se lograba, los religiosos residían en Toluca.

En la *Descripción del Arzobispado de México* realizada, por el mismo señor Montúfar en 1570, Zinacantepec no aparece. Y así no volvemos a oír mencionar nuestro monumento sino en 1585.

Dos referencias podemos comparar: la de la *Descripción de la Provincia del Santo Evangelio* que sirvió a Gonzaga para su gran libro y la que consignaron los redactores del *Viaje del padre Ponce,* ambas del mismo año de 1585.

Según la Descripción el convento, que lleva el número 32, está en "pueblo de Otomíes y por la comarca haya algunos españoles en sus alquerías. La advocación de la iglesia es de San Miguel. Residen dos sacerdotes, ambos predicadores."

"Mi dilecto amigo el padre Fr. Alonso Ponce llegó a dormir a Zinacantepec la tarde del 3 de enero de 1585 y salió de madrugada el 4: no pudo volver a visitarlo."

Los relatores del viaje tuvieron tiempo de ver y anotar que los indios son otomíes con unos pocos mexicanos; que pertenecen al arzobispado de México; que el convento es uno de los cuatro del valle de Toluca, con el de esta población y los de Metepec y Calimaya; que el monasterio no estaba acabado pero que iba construido de muy buen edificio y que moraban en él dos frailes. No dicen si son predicadores pero sí hacen notar que "hace por allí finísimo frío". Claro, estaban en enero.

Es indudable que la iglesia no es la primitiva. No presenta el aspecto de fortaleza que es característica de aquéllas. Su estructura y sus ornatos son ya barrocos si bien moderados. Ignoro cuánto tiempo haya vivido en Zinacantepec fray Juan de Sanabria y así no puedo sostener la suposición que se me ocurre de que él reconstruyó la iglesia. Si así fuere, debemos agradecerle que haya sabido conservar los valiosos restos del siglo XVI que perduran.

El bachiller Vera, si se ha equivocado en la etimología del nombre del pueblo, nos da solícito, como siempre lo fue, las dos últimas informaciones históricas que podemos mostrar acerca del convento de Zinacantepec: el último cura propio lo fue el bachiller don Joaquín de Bracamonte, gentil nombre, y la secularización de curato tuvo lugar antes de 1775. ¡Gracias!

Zinacantepec, 13 de septiembre de 1947.

Después de esta primera visita y descripción hay que consignar un trágico codicilo: las pinturas murales que con tanto cuidado iban siendo descubiertas, fueron retocadas al final, para hacerlas más *133* bonitas, y ¡hasta se atrevieron a meter manos en el retablo de la capilla abierta, dejándolo tal que no lo conocería no sólo el pintor que lo realizó, sino quienes lo vimos antes! ¡Oh, divina ignorancia de quienes creen hacer bien y destrozan las obras de arte! Ante la imposibilidad de refrenar este afán destructivo sólo nos queda el consuelo, bien triste por cierto, de repetir la sobada exclamación: ¡Perdónalos Señor, no saben lo que hacen!

Mayo de 1955.

27. El convento de Jilotepec
y la Cruz de Doendó

EXISTEN dos caminos, desde la ciudad de México, para llegar a este pueblo al que llama Mendieta el riñón de la raza otomí. El otro riñón, después de siglos de servir a su propia raza, los tolteca, era Tula.

Uno es el camino que seguían los virreyes cuando se les ocurría o les mandaban que visitaran las obras del desagüe de México. El otro va por la carretera de Laredo hasta Actopan, de allí a Tula y luego a Jilotepec. Es el primero el que seguimos, sin tan encumbrado cargo —!qué buen cargo que era!— ni tan sanitaria comisión. Llegamos a Tlalnepantla, seguimos a Cuautitlán que atravesamos, con un guiño a la cruz del atrio, otro a Martín de Vos y otro, bien prolongado, a nuestro seminario jesuita de Tepotzotlán. Pero estos tres imanes son impotentes cuando se nos ofrece como meta un sitio para nosotros inédito: Jilotepec. Cruzamos Teoloyucan nos detenemos unos momentos en Huehuetoca para admirar la casa de los virreyes, el sitio en que sus excelencias reposaban, saboreando los manjares que su servidumbre les había aderezado, antes de realizar la fatigosa inspección de las obras. El edificio es un interesante ejemplar de arquitectura civil de la colonia: con amplio soportal al frente, flanqueado por dos torrecillas, anchuroso patio y, como detalle que acentúa el arte, una portadita de la capilla, ricamente ornamentada y saliendo directamente al portal a fin de permitir el acceso a determinados vecinos.

El camino se tornó mucho menos generoso más allá de Huehuetoca, a pesar de nuestros raptos entusiastas y a pesar y con vergüenza de nuestros planos turísticos de las carreteras de México. Y aquí, un detalle pesimista: ¿Por qué se mejoran en teoría las carreteras que existen? Es una falsa propaganda pues lleva al visitante a no creer nada de lo que dicen —y soy el primero en aconsejárselo— esos planos de propaganda errónea. Un camino empedrado, acaso el antiguo camino Real del Interior, finamente cubierto con un polvo sutil que cambiaba el color de nuestra indumentaria a cada kilómetro nos entregó maltrechos en Jilotepec.

Era día de mercado, maravilloso, según me había dicho un amigo. Mercado indígena, otomí, todo de fajas tejidas de colores, de bolsas, de folklore. ¡Qué desilusión! No vimos una sola faja, una sola bolsa, sino una muchedumbre ebria que interrumpía el paso y era, fue, una pantalla humana, colmenar de avispas, que nos impidió gozar de Jilotepec como debe ser en un día normal. Navegando en ese mar de seres casi irracionales llegamos al convento. No es una joya de primer orden, pero ofrece puntos de gran interés para el investigador.

No existe delicia comparable para el trabajador de arte colonial en México a la de conocer, estudiar, recorrer en todos sus recovecos un convento del siglo XVI que no había visitado. Aunque otros lo hayan descrito, publicando planos y cortes, formulando hipótesis, elaborando teorías, he aquí que el sujeto mismo se ofrece dócilmente a nuestras disquisiciones.

Un atrio anchuroso con una bellísima cruz en el centro como en todos los conventos del XVI y al fondo el templo, la portería, lo que debió ser capilla abierta, todo. Nuestra admiración sufre un síncope: cortando el atrio, arruinando su magnífica cruz, se ha desplantado una nueva iglesia cuyos muros alcanzan ya cerca de un metro! ¡Qué horror! ¡Qué despropósito! ¡Qué ignorancia gigantesca! Está bien que se edifique un templo moderno si el que existe parece estrecho, como lo es, ¡pero no en este sitio! El arquitecto que proyectó el nuevo templo y dirigió sus comienzos debió haber sabido "localizar" su obra, que terreno sobra, sin destruir el conjunto del venerable monumento.

Pero hemos gastado ya mucho tiempo en dicterios y exclamaciones. Nos encontramos ya frente a la iglesia: su portada es sobria y elegante. Dos pilastras la encuadran rematadas por perillones y unidas en la parte alta por discreta cornisa de cuyos extremos arranca un alfiz modestísimo en cuyo centro se abre una sencilla ventana. La puerta es adintelada con sus ángulos en cuarto de círculo y está circundada por una serie de rosetas.

Antes de penetrar, admiramos la clavazón de las puertas: están ricamente ornadas de chatones y quicialeras de bronce.

La iglesia ofrece una sola nave angosta, con ábside rectangular, más estrecho, separado de ella por un bellísimo arco ojival muy apuntado y con modenatura del XVI. El techo es de viguería, con doble zapata en cada viga, lo que le da aspecto de artesonado mudéjar. Dos puertecillas se abren a los pies del templo, una acaso para subir a la bóveda y a la espadaña, ya que la iglesia carece de torre, y otra da acceso al bautisterio. ¡Qué hermosa, qué amplia, qué indígena, es la pila bautismal! 136 Se encuentra ornamentada con escudos franciscanos de las cinco llagas, escudos que vamos a encontrar más tarde en este mismo día, y que nos permiten dar a la pila una fecha anterior a 1555.

Los altares del templo son los mismos altares neoclásicos que como nube de langosta invaden nuestro siglo XIX y destruyen, para justificar su mísera existencia, los estupendos retablos barrocos y churriguera que nos legaran los siglos XVII y XVIII.

Buscamos más, queremos más y una puertecita nos conduce al claustro. ¿Es éste el claustro del convento de San Pedro de Jilotepec? Muy angosto, alargado, muy siglo XIX en sus pobres pilares, viene a ser una desilución más. Es indudable que el original fue destruido, mutilado quién sabe cuándo, y que después se hizo lo que se pudo. Para mitigar un poco nuestro desencanto, he aquí que en 137 su centro se levanta una cruz, otra cruz, cubierta de valiosos relieves y que data, al parecer, del XVII.

Habiendo visto todo lo visible y lo que nos permitió ver un sacristán estúpidamente otomí —es decir, perfecto— salimos a completar nuestro paseo. Ya en el atrio notamos a la izquierda del templo unas construcciones bajas, limitadas por una torre, la única torre, pues como ya hemos observado, la iglesia del convento sólo tiene espadaña. El local está ocupado ahora por la escuela "San Juan Bosco" pero como ofrece un gran espacio interior, que no es patio, penetramos en busca de "colonialismos". Y allí están los restos de la capilla abierta. Nunca San Juan Bosco se figuró que estas jóvenes y guapas monjitas que en su nombre se ocupan en "desotomizar" a una parvada de muchachos, habían de ocupar el sitio más noble, más santo, más conmovedor de Jilotepec: la capilla abierta. Allí, hace cuatrocientos años un pequeño grupo de santos Juanes Bosco, más pobres, más miserables, más arriesgados, enseñaron la fe de Cristo a los casi salvajes indios otomíes. ¡Y estos pobrecitos míos no están canonizados!

Mas he aquí que estamos en lo que fue capilla abierta de Jilotepec. Sólo quedan, al fondo, tres arcos empotrados en el muro, más amplio el central, y muestran arranques de otros arcos perpendiculares. Es decir que la capilla era de piedra en sus columnas y arcos y estaba techada acaso, de madera. Me fundo para esta última hipótesis en un dibujo que aparece en un manuscrito del siglo 135 XVI en el cual se ve el frente de la capilla. Kubler supone que era de madera y que ostentaba una torre, la que existe, como en otras capillas abiertas de planta de mezquita. Su opinión a mi ver se basa en lo que dicen los redactores del *Viaje del padre Ponce:* que pegada a la iglesia existía una

104

suntuosa ramada en que los indios oían misa. Esto pasaba en 1586 y yo lo interpreto en la siguiente forma: si era suntuosa no podía ser sólo ramada: lo suntuoso se refiere a arquitectura. Creo pues que se había concluido el conjunto de arcos sobre columnas y, a falta de techo se cubría con ramas para dar sombra. Respecto a la torre bien pudo haber existido, pero en el dibujo que publico no aparece y la actual no es sino una pobre torre del siglo XIX.

Salimos y vemos enfrente de esta capilla abierta otra cruz. No es sino una cruz de misión pero se yergue orgullosa y con buen derecho. Mas, ¿tantas cruces? Comienzan a obsederme. ¿Es que este pueblo debió o debe llamarse Jilotepec de las Cruces?

Y vamos en pos de la última, de la primera de las cruces de Jilotepec, la que hemos venido buscando desde México. Se encuentra en las afueras de la población en un cruce de caminos y marcando linderos de pertenencias. Llámanla en otomí *Cruz de Doendó* que quiere decir "sobre piedra". *138* Por eso existe la tradición, no ajena a la verdad, de que está edificada sobre un monolito indígena.

Llegamos, la vemos anegada de sol y resplandeciente: las buenas autoridades otomíes de Jilotepec, en muestra de aprecio, ¡acaban de encalarla en su integridad!

Muchas leyendas existen alrededor de esta bella cruz, una de las más famosas de México. La más certera es la que refiere que los franciscanos levantaron este humilladero, que eso viene a ser en esencia, a mediados del siglo XVI cuando el pueblo estaba todavía en encomienda de doña Beatriz de Andrade. Que esta señora, en su paso cotidiano a la iglesia encontraba la cruz muy limpia, muy barrido su contorno por los indios, por lo cual, conmovida, quiso edificarles allí una ermita. De acuerdo con los franciscanos que habían erigido la cruz puso manos a la obra. El alarife comenzó a cavar los cimientos pero los indios opusieron tal resistencia que hubo sospecha. En efecto, al seguir cavando apareció una "falsa mina" llena de ídolos y de huellas de sacrificios. Siguieron amonestaciones, conjuntos, quemazón de ídolos, etcétera.

Y quedó la cruz, sin la ermita, que desapareció con el tiempo, tal como podemos verla hoy. Su base consta de dos cuerpos: el bajo, liso, no muestra sino un muro sin interés que parece cubrir una estructura más artística, y el superior de graciosas líneas, ornamentado en cada cara con tres escudos franciscanos de las cinco llagas, idénticos a los de la pila bautismal de la parroquia. Los cabos de la cruz graciosamente flordelisados como los de sus hermanas, las cruces de tantos conventos del siglo XVI.

Así terminó, pleno de emociones, nuestro paseo colonial a Jilotepec de las Cruces.

82. Tepoztlán
el sitio más bello del mundo

UNO de los sitios más hermosos que existen en México es Tepoztlán. Alguien ha dicho que es el más hermoso del mundo. Puede ser, según el estado de ánimo con que se haya visitado Tepoztlán. Es extraordinario porque allí se reúnen y conjugan todas las ambiciones del hombre culto: en primer lugar la naturaleza, el paisaje único de la sierra de Tepoztlán; el clima, ligeramente cálido, pero más uniforme que el de Cuernavaca. Y después de estas obras de Dios, las obras de los hombres, creaciones realizadas para ensalzar al mismo Dios; pero creaciones artísticas que colman nuestra ansiedad espiritual. Unas son de los hombres que habitaban en este lugar antes de que llegaran a él y lo conquistaran los españoles; otras son las de estos españoles auxiliados por los indios.

El viaje a Tepoztlán era antes difícil y no libre de peligros. Había que tomar el ferrocarril de Cuernavaca hasta la estación llamada El Parque y de allí a caballo, para llegar al poblado. ¡Oh, aquella primera excursión para descubrir Tepoztlán! Era un septiembre y las lluvias se sucedían en diluvios, pero ¡qué diluvios! Calados hasta los huesos, el único reconfortante posible en aquella nocturna cabalgata, tremenda, era el alcohol. Y nos reconfortó... ¡demasiado! La noche pasó en aquellos lechos de varas que nos pellizcaban las carnes enjutas y luego la mañana, limpia por los torrenciales aguaceros, nos mostró la maravilla de este convento.

Hoy se va cómodamente a Tepoztlán siguiendo la carretera de Cuernavaca hasta el kilómetro 71. Allí, en una desviación a la izquierda, después de recorrer algo menos de 18 kilómetros, se llega al poblado. ¡Qué diferencia! Mas la mayor, lo que es realmente indescriptible, es este nuevo descubrimiento de Tepoztlán. Esta pequeña carretera es algo único: es una carretera *escénica:* empieza en lineamientos tortuosos, pasa por diversos poblados: Ocotepec, Ahuatepec; el primero de algún interés y, poco a poco, se va descubriendo la sierra y el coche metiéndose dentro de ella: no sabemos qué admirar más, si las formas fantásticas de los cerros que están al alcance de nuestra mano, o la disposición a veces arquitectónica de estos cerros que ofrecen arquitrabe, friso y cornisa.

Después de este preludio montañista logramos descubrir el hermoso valle en que se acurruca el poblado al cual enseñorea y rige, con autorizada majestad, el convento.

Nada mejor que este convento. Nos ofrece, en ingenua integridad, lo que eran los monasterios de Nueva España a mediados del siglo XVI. La emoción que nos sorprende, al llegar, es que llegamos a una fortaleza inexpugnable coronada por la cruz. ¿Cómo han podido aunarse estas dos ideas antagónicas? La espada y la cruz, la guerra y la paz; pero la paz sublimada, que no sólo significa una tregua en las contiendas de los hombres, sino la paz eterna de su conciencia. La solución ha de encontrarse en aquella sabia idea de don Antonio de Mendoza, magnánimo virrey de Nueva España. Enterado del desorden y capricho con que eran edificados los monasterios, ya que los frailes disponían a su arbitrio de materiales y obreros, los indios, y atendidas las justificadas quejas que sobre ellos llovían, convocó a los provinciales de las órdenes religiosas que se habían dado a levantar monasterios sin ton ni son y organizó, de acuerdo con ellos, un tipo moderado de edificios, que es el que siguen todos estos monumentos, ya que su disposición es igual, con variantes, claro, obligados.

La fortificación era necesaria y económica. Necesaria puesto que en cada pueblo había de buscarse, antes que nada la seguridad. Y era la iglesia la que debía ofrecer la mayor seguridad posible. Económicamente porque resultaba más barato y práctico fortificar el monasterio que tener que levantar, además, una fortaleza.

Pero lo admirable, lo único, lo que concede a don Antonio de Mendoza la palma de hábil político y gobernante, consiste en haber reunido estas dos ideas, simbolizadas por la cruz y la espada, en un solo edificio. En estos monasterios se conjugan, sin que los fieles se den cuenta, la conquista militar, férrea y cruel, con la conquista espiritual, tierna y consoladora. El propósito guerrero aparece latente, dispuesto a despertar a la más leve llamada. Superando, ennobleciendo estos ímpetus de la piedra inexorable, se abre el interior del templo, todo ternura, cuajado de retablos de madera tallada y dorada, con pinturas, con santos esculpidos en noble madera y cubiertos con fina técnica estofada.

Parece que asistimos a una lucha entre la piedra y la madera. No sé si podría afirmar que la piedra simbolizó la conquista férrea y la madera y sus adherentes, la tela, el yeso, la argamasa, el dorado, la conquista íntima, es decir, la del espíritu.

Mas he aquí que nos encontramos ya frente al monumento. Lo que más atrae nuestra atención es el enorme patio como le llamaban nuestros cronistas y que hoy designamos como atrio. Se penetra por tres arcos de ingreso, uno al poniente, otro al norte y otro al sur. Sólo el primero ofrece carácter monumental. Su arco es rebajado y se prolonga, hacia dentro, en una especie de capialzado conchiforme. Un bello pináculo prismático está rematado por cinco merlones, el central más alto y con esfera y cruz, como término del muro almenado que cercaba el recinto y del cual poco resta en su integridad. Ostentaba antaño merlones prismático-piramidales con la pirámide ligeramente volada en su base. En el gran patio hay que estudiar las posas, la capilla abierta, la cruz central y el pórtico del monasterio. Todas estas estructuras parecen pertenecer a la misma época, pues son del mismo estilo.

De las tres posas que adornaban este cementerio, sólo una se conserva en estado de poder estudiarla. Se halla en el ángulo noroeste del patio y uno de sus arcos ha sido tapiado a medias. Presenta arcos de medio punto, con columnas adosadas, capiteles característicos formados por una faja de ornatos entre los astrágalos, y arriba volutas jónicas. Un frontón peraltado con vista al oriente, termina en bella cruz. El interior muestra bóveda de crucería y, sobre sus plementos, se ha agregado una gruesa capa de mampostería, como puede verse en la posa contrapuesta, ya derribada a medias, lo que ha dado solidez extraordinaria a esta techumbre. En el pilastrón que forma el ángulo de la posa, se abre un bello nicho de hueco semicilíndrico y remate conchiforme. Estos nichos, hoy vacíos, se repiten como tema decorativo en otras partes del atrio. Las otras dos posas están destruidas, la del ángulo suroeste sólo muestra el arranque de las nervaduras de su bóveda y la del ángulo sureste está caída a medias pues, habiendo faltado el soporte angular, la mitad de la bóveda vino a tierra; el hecho de la gruesa capa de mampostería impidió su total derribo que hubiera sido inevitable sin ese refuerzo de la plementería.

La capilla abierta quedaba al sur del templo, pues el convento ocupa el lado del norte. Está ruinosa, pero puede apreciarse que estaba formada por una nave transversal; abierta en su mayor longitud en tres arcos cobijados por alfiz y para el interior en un solo gran arco que da por muros oblicuos, a un presbiterio más estrecho. El principio del alfiz y los restos de las columnas hacen suponer que el estudio de esta capilla era igual al de las posas.

La cruz del atrio, una bella cruz de piedra, flordelisada en sus cabos como tantas otras similares, parece haber sido cambiada de sitio, pues se encuentra ahora en el eje de la capilla abierta en vez de estar en el del templo como se acostumbraba. El basamento es moderno y la fecha de 1870 que ostenta, acaso es la del traslado de su sitio primitivo.

El pórtico de ingreso al monasterio forma dos grandes estancias abovedadas con cañones rebajados imperfectos. En la primera se abren, del lado del norte, dos pequeñas capillas para enterramientos cubiertas con bovedillas nervadas.[1] Las mismas columnas de las posas, con iguales capiteles y basas; nichos como el de aquella, iguales molduras en las arquivueltas indican el mismo estilo. Es aquí el Renacimiento el que ha dejado su huella en estas piedras que los siglos han patinado y que nos dan una vigorosa sensación de arte.

Lo que nos subyuga ahora es la enorme fachada del templo. Sobre la rudeza fortificada de la Edad Media aparece el escudo renacentista de esta portada. Es notable por su escultura decorativa. No debe dejar de mencionarse el aspecto extraordinario que presenta el templo visto por el exterior. Su carácter de fortaleza, común a todos los de su época, es bien visible en el ábside formidable que conserva sus almenas íntegras. Las del resto de la gran nave han desaparecido, quizás en una reparación de las bóvedas. Las torrecillas o campanarios, modernos y de pésimo gusto, vienen a restar grandiosidad a este monumento. Los grandes contrafuertes vigorizan el cuerpo de la nave y aparecen detalles constructivos que nos enseñan gran ciencia en la edificación, como la escalerilla que sube a las bóvedas de la iglesia, apoyada en dos arcos uno de los cuales sostiene al otro.

La portada principal de la iglesia es notable, y mucho, por su escultura decorativa. Es un arco de medio punto con su rosca ornada de relieves y que descansa sobre pilastras sencillas. Otras pilastras más bajas, de fuste estriado, las encuadran; su capitel se extiende hacia el exterior, a modo de imposta, y sobre ella descansan de cada lado, dos finas columnillas que prolongan hacia arriba la estructura y ostentan capiteles iguales a los de las posas.

La imposta es sostenida, en el espacio volado, por pequeños angelillos estilizados y sobre las cuatro columnillas descansa una ligera cornisa dentellada; sobre ella un ático, y otra cornisa del mismo carácter, pero más amplia, cobijada, hasta las columnillas más cercanas al arco, que resaltan ligeramente hacia adelante, por un gran frontón muy peraltado, enmedio del cual se ve a la Virgen con el Niño, sobre el octante de luna, y a los lados Santo Domingo con su perro que lleva una antorcha; Santa Catalina que ofrece su corazón, y dos bellos floreros con claveles a los lados. Los extremos del ático ofrecen resaltes, correspondientes a las columnillas más exteriores, y están rematados por candelabros. El muro sobre el cual se apoya la portada, se prolonga hacia lo alto para terminar con una cornisa a la altura de una ventana. Inmediatamente abajo de la cornisa se ve una gran cartela encuadrada en un vigoroso marco de cantería que sostienen dos ángeles que vuelan. Para abrir la ventana se ha roto la cornisa que coronaba la portada y el fragmento se ha utilizado para cubrir la ventana que descansa sobre el marco de la cartela y contrasta por su torpeza técnica, con la perfección del resto de la obra. La moldura interior de la cartela parece rehecha en estuco y el fondo ha sido cubierto con una capa de la misma materia. Es indudable que bajo esa capa de estuco, debe subsistir la inscripción original que acaso nos diera la fecha exacta, por lo menos, de esta bella portada. Las enjutas del arco, el ático y los espacios que se abren entre las columnillas, están cubiertos

[1] Respecto a estas "capillas para enterramientos", el autor dejó en el original de este *Paseo*, una nota manuscrita en la que indicaba que haría una corrección al texto de acuerdo con lo señalado por el doctor Francisco de la Maza, en la reseña bibliográfica que publicó en *Cuadernos Americanos*, número 3, 1949, a propósito de la aparición del *Arte Colonial en México* del propio Toussaint. En dicha reseña, De la Maza anotaba que tales capillas son, en realidad, la portería conventual y la cuarta capilla posa; lo que, al parecer, don Manuel Toussaint aceptó, más no alcanzó a modificar este texto que se publica tal como lo redactó. X. M.

de ornato en relieve de los cuales son característicos los discos que ostentan el monograma de María y la cruz flordelisada, escudo de la orden dominicana.

Por su espíritu y su composición esta portada es renacentista, plateresca. El Renacimiento se ostenta igualmente en la finura de la técnica, en esas columnillas, en esas molduras dentelladas, en esos candelabros típicamente platerescos. Pero aparece una gran supervivencia medieval en el carácter de las cinco figuras en relieve. La ingenuidad de sus actitudes y de sus paños, la expresión boba de sus caras, el ritmo de simetría a que obedecen, nos traslada a la plena escultura de la Edad Media, simbólica y llena de ingenuidad religiosa. Sobre estas influencias viene a sumarse el factor indígena, de modo visible. Su huella se nota en la técnica, como en este friso que se ciñe a la rosca del arco que nos recuerda los sellos de barro indígenas y en detalles iconográficos, como en estos perros de Santo Domingo, que son verdaderos *ixcuintles,* y las plumas de las alas de estos ángeles que están tratadas como las de las águilas o serpientes emplumadas de la época prehispánica.

Penetramos al templo de Tepoztlán. La iglesia presenta el tipo habitual: es de una sola nave con ábside hacia el oriente. Está cubierta por una bóveda de cañón corrido y aquél por una de crucería, pero ambas bóvedas son independientes pues los arcos que las sostienen, en el punto de unión, sólo se relacionan con su respectiva bóveda. Esto indica que el cañón corrido era la techumbre primitiva y que la bóveda nervada es posterior. El presbiterio comprende un tramo de la nave y el ábside propiamente dicho que es de planta en forma de trapecio. La bóveda de crucería es de los tipos más simples: tiene terceletes y ligaduras que se prolongan hasta los arcos de sostén y en el centro se forma un anillo circular. El coro descansa sobre bóveda de cañón rebajado bastante primitiva.

La nave presenta tres ventanas al sur, acaso las originales; del lado del norte se ven dos puertas; una conduce al claustro y ocupa el lugar de las portadas laterales en los templos del siglo XVI; está curiosamente formada con piedras que, al parecer, pertenecían a otro sitio; los capiteles de las pilastras parecen basas invertidas. En el coro se ve otra puerta tapiada; corresponde, quizás, a la salida de una escalerita que existe en el espesor del muro, del lado del Evangelio, y cuya entrada se encontraba en la iglesia, enfrente del púlpito.

La pobreza del templo es desoladora. No puede citarse ninguna obra maestra en su ámbito. Aparte de las abominables esculturas modernas debemos mencionar: una figura de la *Virgen con el Niño,* estofado pero a la que la restauración ha restado importancia; un grupo de la *Piedad* que se ve en el petril del coro, es también estofada e igualmente ha sufrido reparación; su masa revela habilidad y, seguramente, la pieza de mayor interés. Un *Santo Entierro,* cuya cabeza muestra algún realismo; la urna de madera tallada y dorada y con cristales, para el mismo; acaso date del siglo XVII y es obra aceptable. Un Cristo de factura popular, cabeza agradable, pero cuerpo defectuoso.

De pinturas solamente pueden mencionarse dos: un *Calvario* con la Virgen, la Magdalena y San Juan, del siglo XVIII, popular, acaso por restauración de otro, y una *Virgen de Guadalupe,* de la propia centuria, y sin más interés que un paisaje en que aparece el santuario y el caserío. Todos los retablos datan de mediados del siglo XIX y carecen de interés.

Quizás la obra de las artes menores más interesante que resta en Tepoztlán, sea el facistol, que se ve abandonado en el coro. Es un mueble gótico, formado por un gran banco ochavado, cuyos tableros ostentan la decoración característica de la carpintería ojival: pergaminos plegados en sentido vertical. Sobre ese banco gira el soporte del libro y arriba se ve una pieza encorvada de hierro que acaso servía para impedir que las hojas del libro se volteasen solas.

La iglesia está intacta, decorada con pinturas modernas que le quita toda dignidad y que será difícil substituir.

Después pasamos al convento que presenta diversas construcciones y que no es fácil describir; además son de interés desigual.

El claustro es, sin duda, lo más interesante del monasterio. La parte baja está formada por gruesos machones achaflanados, con arcos de medio punto, en que se continúan los mismos chaflanes de los machones. Está cubierta por bóvedas de cañón corrido que se penetran imperfectamente en los ángulos, en algunos de los cuales se ven hornacinas para pinturas. Los machones presentan en su parte inferior un fino enjarrado rojo, semejante al de los braseros de las cocinas, y luego unos frisos pintados, al parecer al fresco. Las pinturas que han sido descubiertas en el claustro y en algunos otros sitios del convento constan de anchos frisos decorativos, con reyes que presentan el cuerpo en forma de sirenas; medallones con el escudo de la Orden y floreros con claveles y róleos renacentistas; hay un santo dominico que al parecer estaba al lado de un calvario, en una estancia abandonada.

El claustro alto, un poco menos tosco, es de pilares de sección cuadrada con los ángulos también achaflanados. La techumbre es asimismo de cañón corrido, pero en los ángulos presenta bóveda de nervios. La cornisa del claustro es un simple talúd o botaaguas.

144 Todo el claustro está coronado de almenas y merlones; éstos son prismático-piramidales como los del atrio, pero rematados por esferas. En los ángulos se repite el motivo de que ya hemos hablado; sobre dos bancos que, unidos a uno central, forman un ángulo, se levantan merlones cilíndrico-cónicos, con el cono ligeramente volado en la base y rematados por esferas. Los de los lados, más bajos, escoltan al central, más elevado y forman unos pináculos característicos de este claustro. Nadie podrá olvidar, si lo ha visto una vez, el espectáculo de estas bóvedas con el maravilloso paisaje

145 al fondo: la Sierra de Tepoztlán. Es aquí donde justificamos nuestra tesis acerca de la arquitectura colonial: la perfecta adaptación del edificio con el paisaje, la unidad de concepción artística con el ambiente.

El claustro subsiste tal como lo edificaron, exceptuando la escalera que conduce al piso alto que presenta gran deterioro. La parte central se ve en buen estado mas la de los extremos, ruinosa en su mayoría. El convento es rudo; no se puede comparar con otros de su época, más ricos y más sabios; pero en esa misma rudeza debemos admirar el titánico esfuerzo que su construcción representa.

Del lado del norte existía otra entrada al monasterio, con portal y varias estancias hoy ruinosas y en un cuerpo del edificio que destaca en la parte posterior, es visible un mirador angular de piedra, cuyos arcos han sido tapiados.

Dos son, fundamentalmente, las manifestaciones arquitectónicas que se aprecian en el monumento que estudiamos. Una la primitiva, comprende el templo en su construcción original; el claustro, el almenado, con sugestiones góticas a veces mezcladas de influencia indígena que proviene del ambiente. La segunda es ya renacentista, también con resabios góticos y comprende los monumentos del atrio, la bóveda del ábside, una hornacina interior y la portada del templo, si bien en ella la persistencia de motivos aborígenes y de técnica prehispánica la hacen única. Si se toma en cuenta la época en que Francisco Becerra estuvo en la Nueva España es de presumirse que la obra que ejecutó en Tepoztlán se relaciona con la segunda modalidad arquitectónica que hemos reseñado. Él sería el autor de las manifestaciones renacentistas, aunque esto sólo puede señalarse como hipótesis, pues mientras no se conozcan los documentos que fijen los trabajos, y tengamos que contentarnos con la vaga cita de Llaguno, nada puede afirmarse rotundamente.

29. *Atotonilco el Grande y sus pinturas murales*

ENTRE los muchos lugares de México que ostentan el sonoro nombre de Atotonilco —lo que indica la abundancia de sitios con fuentes de aguas termales, que eso significa la palabra— Atotonilco el Grande, en el Estado de Hidalgo, es el de mayor importancia. Antaño cabecera del Distrito de su nombre, hoy lo es de la Municipalidad y nos recibe con el risueño aspecto de una población floresciente. Cerca se encuentran los baños termales que designan a la localidad.

Bien sabido es que allí existe un monasterio de la orden de San Agustín que ofrece el interés de todos estos edificios. Así ha sido estudiado minuciosamente en el *Catálogo de construcciones religiosas del Estado de Hidalgo,* publicado por la Secretaría de Hacienda; en el primer volumen de la *Historia del arte hispanoamericano* de Diego Angulo y finalmente en el libro *Mexican Architecture of the sixtheen century* de George Kubler. Parecería, pues, inútil repetir lo que tres autores ya han expresado, pero el hecho es que en lo que va transcurrido de este año de 1951 se hayan descubierto interesantísimas pinturas murales, que ninguno de los tres autores, ni nadie conocía, hacen que el monumento resulte ahora semiinédito. Además, en una visita reciente, efectuada para conocer las pinturas, pude realizar observaciones que juzgo interesantes: rectificar algunos juicios y aun corregir ciertos errores.

Con objeto de que esta pequeña monografía aparezca relativamente completa, para quienes no conocen los otros trabajos, reproduzco en resumen los datos históricos que son del dominio público.

Historia del pueblo. En el *Códice Mendocino,* folio 8 se ven dos geroglíficos de Atotonilco que corresponden a distintos pueblos. Ambos fueron conquistados por Moctezuma el primero. En el folio 28 se marcan los tributos de uno de ellos con otros seis pueblos más. Debe ser Atotonilco de Tula, porque en la misma plana aparece Tlamaco en tanto que el folio 30 figura nuestro Atotonilco el Grande con sus tributos. Me fundo para creerlo así en que en la misma hoja se ve Tulancingo. Como hace notar Troncoso, el dibujante marca la diferencia en el tamaño de los geroglíficos por lo que supone que el pueblo que estudiamos se llamaba ya desde entonces Atotonilco el Grande, "Huei Atotonilco" en náhuatl.[1] Debe haber sido conquistado desde los primeros tiempos pues hay que notar que se encuentra en el camino que va a la Huasteca por Huejutla.

El primer encomendero fue Pedro de Paz, natural de Salamanca e hijo del escribano Francisco Núñez y de Inés de Paz. Pasó a Nueva España en 1525.[2] Le sucedió a su muerte su mujer Doña Francisca Ferrer que casó en segundas nupcias con Pedro Gómez de Cázares, hijo de Andrés de Tapia.[3] Según la Tasación de Ibarra fija el tributo en dinero, trigo y maíz por cinco mil quinientos pesos.

Historia del convento. Fue fundado cerca de 1536 pues en la junta que celebraron ese año los agustinos determinaron enviar por prior a fray Alonso de Borja que habían quitado de Santa Fe al

---

[1] *Papeles de Nueva España* VI, 200.
[2] *Conquistadores y pobladores de Nueva España* núm. 401.
[3] Anaya. *Bosquejo,* 46.

abandonar esta casa y que parece haber sido el primero que ocupó ese puesto en Atotonilco. Fueron con él fray Gregorio de Salazar y fray Juan de San Martín.[4] El primer edificio debe haber sido muy pobre. A la muerte de fray Alonso de Borja en 1542, entró de prior fray Juan de Sevilla a quien "se le debe... la grandeza de aquel edificio y la mucha riqueza de los altares".[5] Terminó su priorato con su vida en 1563.

Probablemente se le deban la nave del templo, el claustro y la portada. Las bóvedas del presbiterio y del sotocoro así como las portaditas de las capillas son posteriores como veremos. Esto nos lleva ya a describir y estudiar el edificio.

La iglesia. Como todos los ejemplares de su especie se compone de una gran nave con la fachada al poniente. El presbiterio es más angosto y su testero ofrece planta de trapecio. Es notable la cantidad de contrafuertes que por ambos costados existen y que dejan organizar capillas en el lado sur o de la Epístola. Bellas ventanitas germinadas iluminan la nave. Vese ésta, cubierta por una gran bóveda de cañón seguido que se prolonga hasta cubrir el coro; el presbiterio y el sotocoro ostentan ricas bóvedas de nervaduras.

146

Existen en el templo tres manifestaciones arquitectónicas: la gran bóveda arcaica que corresponde sin duda a la época de fray Juan de Sevilla (1562–1563); las bóvedas ojivales concluidas en 1587 y los elementos renacentistas en los arcos de las capillas y en la portada. La bóveda de cañón presenta una grieta en su espinazo, lo que seguramente motiva la multiplicidad de apoyos en ambos lados.

Las bóvedas góticas fueron terminadas en 1586, fecha que se lee en uno de los plementos.[6] En otro aparece una inscripción que es seguramente una firma y que copié en 1941, la primera vez que estuve en Atotonilco. Ninguna de las publicaciones citadas la registra, acaso porque sus autores la tomaron por algo sin sentido. Reproducida más o menos fielmente es así:

En caso de ser una firma de la bóveda sería algo insólito por la forma casi geroglífica que ofrece y el *faciebat* que sólo vemos en pinturas. La idea de que se tratase de pinturas, hoy desaparecidas, no es descabellada, ya que así las encontraron en el sotocoro de Tecamachalco. Sin embargo, aquí la firma está al centro del plemento, lo mismo que la fecha, es decir, en el lugar preciso que ocuparían dos de los cuadros.

Revisando mis nóminas hallo que en 1542 vivía en México Bartolomé Gómez, maestro de hacer molinos que, según el acta de cabildo del 29 de agosto, dictaminó con juramento que se podía hacer un molino en Santa Fe, arriba de los que había hecho Nuño de Guzmán y que entonces eran de Juan Juárez en Tacubaya.

4 Todas estas noticias proceden de la *Crónica de la Orden de San Agustín,* de fray Juan de Grijalva.

5 Grijalva, p. 337.

6 Esa es la fecha y no 1546 que da el *Catálogo de construcciones religiosas del Estado de Hidalgo.* El estudio de Atotonilco en este libro está desgraciadamente plagado de errores. Se hace decir a Grijalva lo que no dice. Se nombran Provinciales en 1536 cuando la provincia mexicana se independizó de la de Castilla en 1545. Se habla de "bóvedas baldías muy aperaltadas" en vez de "vaídas muy peraltadas"; se sitúa la capilla abierta al norte cuando Mariscal y Gorbea la coloca en sus dibujos al poniente

¿No se tratará de un descendiente suyo: Juan Bartolomé Gómez que quiso ejercer una profesión más noble, la de arquitecto? Naturalmente que presento esta idea como una hipótesis. De lo único que podría jactarme acaso, es de haber descifrado el jeroglífico.[7]

Los arcos del baptisterio de la capilla del Santo Entierro han sido acertadamente estudiados por Angulo (I, 325): "En la capilla bautismal tanto el arco como las jambas los cubre el tronco nudoso, al que se enrosca no sólo la cinta... sino la cardina. Las baquetoncillos que flanquean aquéllas siguen siendo testimonios de la vitalidad del gótico, mientras que en los capiteles compuestos hace acto de presencia el Renacimiento. Probablemente obra del mismo artista es la portada hermana de la anterior que decora la capilla del Santo Entierro."

El arco de triunfo que separa la nave del presbiterio también ofrece elementos renacentistas y lo mismo puede afirmarse de la portada del templo. Ostenta ésta los lineamientos platerescos pero nunca el lujo de las portadas de Acolman, de Yuriria, de Cuitzeo o aun de Actopan. El primer cuerpo ostenta dos pares de columnas que flanquean un arco de medio punto; en las enjutas medallones con los bustos de San Pedro y San Pablo muy primitivos. El segundo cuerpo se organiza a base de pilastras, dos pares a los lados a los ejes de las columnas y otras dos, absurdas, descansan en ménsulas; nichos angostos entre las laterales y uno más ancho al centro; arriba, una ventana parece descansar sobre las pilastras centrales; es de medio punto y se ve rematada por una venera.

Parece que en el mismo paño de la gran fachada se alzaba la capilla abierta en alto como en Acolman, hoy murada.[8]

En el interior de la iglesia subsisten algunas obras de arte, pinturas, fragmentos de la pila original del baptisterio pero sobre todo una bellísima cruz de madera tallada y dorada, al parecer del XVII y una gran urna para un Santo Entierro, obra de aliento, de la época de transición del barroco al churriguera. En la sacristía es de valor una cajonera del siglo XVIII que en sus extremos ofrece armarios.

El claustro. De sumo interés, por las observaciones que después ofrecemos, es este claustro. Está *147* formado por cuatro arcos en la parte baja y otros tantos en la superior. Los arcos, de medio punto, descansan sobre columnas, mas la disposición de éstas explica la solución arquitectónica correcta sin necesidad de acudir a contrafuertes como en los conventos más viejos. En efecto, los ángulos están constituidos por grandes machones de sección cuadrada que ostentan dos columnas adosadas, así como en el centro de cada ala en que un pilar robustece a las dos columnas que forman la serie.

Parece que estos pilares flaquearon de modo alarmante en el siglo XIX y entonces se les agregó por algún maestro de obras ignaro, desprovisto de todo sentido arquitectónico, unos enormes contrafuertes, de sección cuadrada, en los cuales se ven ahogados los juegos de pilar y columnas. Estos adefesios, que se prolongan hasta la parte más elevada, destruyen por completo la belleza arquitectónica del edificio en esta parte. Son, además, inútiles. El techo del claustro bajo es de viguería, de modo que no ejerce ningún empuje lateral; el alto, con bóveda de cañón seguido fue el que seguramente amenazaba ruina, pero pudo haber sido salvado por otros procedimientos; por ejemplo: tirantes de hierro, como existen en tantos monumentos de Italia, colocados después de aligerar el peso del terrado enorme que carga sobre las bóvedas.

Valdría la pena, dada la gran importancia de las pinturas que han sido descubiertas en este claustro, que el gobierno del Estado de Hidalgo, de acuerdo con la Dirección de Monumentos Coloniales, emprendiese la tarea de restaurarlo, ya que el resto del edificio se encuentra en relativo buen estado. Retirar los contrafuertes resolviendo el problema de la estabilidad; arreglar el pavimento; asear los muros para que resalte la belleza de los frescos encontrados. Eso es todo... ¡por lo pronto!

[7] Indudablemente que estos sujetos tenían algún parenteesco con el conquistador Bartolomé Gómez.
[8] Véase lo que digo en la nota 6.

El estudio del claustro nos permite realizar interesantes observaciones. Pertenece, como ya lo advirtió Angulo, a la serie Acolman, Molango, Atotonilco. Analizándolos de cerca, suponemos que el más arcaico es este de Atotonilco. Conserva, en efecto, cierta parsimonia, cierta sobriedad que desaparece en los otros dos. Además, la solución del claustro alto es bastante ruda: edifica sus arcos según el mismo ordenamiento de los inferiores, pero, como el pretil de cantería, que parece original, llega a la mitad de la altura de las columnas, el arco resulta demasiado bajo, demasiado pequeño con relación al arco inferior. En Acolman, aunque el artífice recurra aun a los sartales de pomas góticas para ornamentar sus columnas inferiores, y a relieves de sabor indígena para alegrar los capiteles del claustro alto, como no obedece la disposición de la parte baja, su danza de arcos, arriba, es más airosa, más elegante, más renacentista. Además, ha resuelto su pretil arquitectónicamente: no se embebe en las columnas como en Atotonilco sino que a cada columna le forma su pedestal, perfectamente resaltado del paño, con su rehundimiento molduroado como debe ser. Redondea la rosca suavizándola pero sin el resalto que la delimita como en Atotonilco y Molango. El de este último convento me parece el postrero aunque desgraciadamente desconocemos cómo era en su parte alta. Las columnas ofrecen, además de sus capiteles más renacentistas, los mismos anillos de pomas pero con sabor menos medieval, y aun añaden un collarín de pomas mayores que se enrosca en la mitad del fuste.

El parentesco de los tres edificios en indubitable; las mismas ventanitas geminadas en arquillos de medio punto que iluminan el templo de Atotonilco recuerdan una que existe en Acolman y una preciosa puertecilla en el claustro de Molango.

Las pinturas murales. Los conventos agustinianos de la provincia de México —llamada del "Dulce Nombre de Jesús"— estuvieron por regla general decorados suntuosamente con pinturas murales. Nadie puede olvidar las de Acolman, Actopan, Ixmiquilpan, Epazoyucan, Atlatlahuacan y Culhuacán, para no citar sino las más importantes. Nada de raro tiene, pues, que se encontraran en la casa de Atotonilco, como deben existir en los demás conventos que no han sido explorados en este sentido.

De Atotonilco sabíamos ya que en la portería del convento estaban retratados, abrazándose, fray Juan de Sevilla y fray Antonio de Rosa, pues así lo refiere Grijalva, pero nadie se había dedicado a la tarea de descubrir pinturas. Fue el señor Luis Sagaón Espinosa, padre de un joven sacerdote progresista el que, después de iniciar un aseo en el claustro bajo, que estaba convertido en inmundo chiquero, encontró que los muros ofrecían decoraciones pictóricas. Prosiguió su tarea en forma personal ignorando los ordenamientos legales. Había comenzado sus trabajos en enero de este propio año de 1951. La señora Antonieta Espejo, de paso por Atotonilco, se dio cuenta de la importancia de las pinturas y comunicó el descubrimiento al Instituto Nacional de Antropología e Historia. Desde entonces el hábil experto de la Dirección de Monumentos Coloniales, don Abelardo Carrillo y Gariel, ha vigilado los trabajos que continúa el señor Sagaón.

Las fotografías de los murales revelaron algo extraordinario; era necesario verlas, apreciarlas *in situ*. Aunque distan de estar bien conservadas o totalmente descubiertas, ofrecen diferencias tales, en temas y técnica, con las pinturas de otros conventos agustinianos o de cualquiera otra orden religiosa, que para un investigador del arte de Nueva España, causan admiración y asombro.

Vamos por partes. En el claustro bajo se encuentran las pinturas más importantes: en sus ángulos, verdaderos cuadros, que representan escenas de la Pasión, como en Acolman: *El Calvario,* el *Descendimiento de la Cruz* y *El Entierro de Cristo.* Faltan dos pinturas por descubrir. Como en Acolman, también un friso de grandes letras capitulares con leyendas litúrgicas ornamenta la obra, aunque aquí ciñe completamente los tableros. La correa agustiniana se desarrolla a todo lo largo, con rosquillas de vez en vez, a modo de serpiente. La pintura que exorna la puerta que comunica con la escalera es magnífica. Examinando los cuadros de la Pasión y comparándolos con los de Acolman, comparación inevitable, hallamos en éstos más fantasía, mejor técnica, renacentismo más acusado. Si el Calvario de Acolman recuerda a Durero, este Calvario, este Descendimiento, parecen deudos de Schongauer. No lo puedo afirmar en absoluto, pero sus barbas están peinadas a la moda de él y lo mismo puede decirse de su indumentaria y sus tocados.

En el claustro alto se conservan restos de bellas decoraciones en sus puertas, pero lo que me parece más interesante por original es la combinación armónica de la pintura mural con la escultura arquitectónica: una serie de ménsulas que soportan los arcos que sostienen la bóveda, se ven prolongadas, continuadas hábilmente en su parte inferior por decoraciones pintadas en el muro.

Lo último, que debiera ser lo primero en importancia, es la decoración mural del cubo de la escalera. No vamos a encontrar, como en Actopan, un conjunto de pinturas renacentistas, una serie de prelados que desde sus escritorios fantásticos dictan las leyes del mundo católico.

Es lástima que no se hayan descubierto en integridad estas pinturas que parecen representar toda una teología: la de San Agustín según creo sin que pueda sostenerlo. Debo contentarme pues, con describir las pinturas que vi.

En el muro opuesto al embarque de la escalera existía una puerta, hoy murada. La corona la efigie del santo, riquísimamente ataviado con sus insignias obispales. A su derecha aparecen tres filósofos griegos: Sócrates, Platón y Aristóteles. A su izquierda Pitágoras, Séneca y Cicerón. En los otros muros figuras simbólicas que aún no pueden ser identificadas. Sobre la figura de *San Agustín* aparece una leyenda que dice: *148* *149*

> HIC DOCET ARCANA CAELESTIA CUNCTA MAGISTER;
> HIC EST SANCTUS DOCTOR THEOLOGORUM PRINCEPS.
> NON IURAMUS VERBA, SED VERITATEM FATEMUR.
> PRAE CETERIS OMNES DOCUIT SANCTIUS.

Que ha sido traducida así:

Este maestro enseña todos los arcanos celestes. Este Santo Doctor es el Príncipe (o el primero) para el teólogo (o quizá: de los teólogos). No juramos en sus palabras, sino que confesamos la verdad. Por sobre los demás, él enseñó a todos más santamente (o sea: más divinamente, o con más pureza, o bien: Por sobre todos los demás).[9]

Lo notable e insólito del caso es que este es el primer convento mexicano del siglo XVI en que aparecen, junto a escenas bíblicas y retratos de santos, las efigies de los filósofos paganos. ¿Qué fraile humanista, filósofo, fue quién ordenó se pintaran?[10] Naturalmente que las figuras son convencionales y que Platón se reiría al verse retratado con sombrero de bombín. Esto no resta trascendencia al hecho.

Cuando sea terminado el descubrimiento y limpia de todas las pinturas que existen y el claustro se vea completamente aseado, con pavimento decoroso, y sin esos horrendos contrafuertes, el convento de Atotonilco el Grande será un monumento, entre los de su índole, que alcance la primera importancia.

Atotonilco, septiembre de 1951.

[9] La inscripción fue copiada por don Francisco de la Maza, la traducción se debe al doctor don Alfonso Méndez Plancarte. Mis agradecimientos muy cumplidos.
[10] Recuérdese que de 1545 a 1547 fray Alonso de la Veracruz, el célebre filósofo augustiniano, dio cátedras de Filosofía y Teología en el convento de Atotonilco.

30. Tecamachalco y las pinturas
de Juan Gersón

NUNCA he escrito un "paseo colonial" acerca de Tecamachalco. Redacté un presuroso artículo sobre las pinturas notabilísimas que encontré en el sotocoro de la iglesia conventual, pero no un paseo. Pongo por testigo al libro que publiqué en 1939 con ese título de *Paseos coloniales*. Allí no figura Tecamachalco.

Ahora bien, mi buena o mala fortuna ha querido que mi dilecto amigo Diego Angulo Íñiguez cite en las copiosas bibliografías de su excelente primer volumen de la *Historia del arte hispanoamericano* un paseo colonial a Tecamachalco por Manuel Toussaint.[1] Ante el dilema de hacerlo quedar mal o echarme a cuestas el trabajo de autorizar su cita, aunque sea anacrónicamente, he preferido esto último y he realizado una visita a dicho pueblo y a su interesantísimo monasterio. No me arrepiento. He visto cosas que antes no llegaron a mis ojos, deslumbrados por las pinturas de Juan Gersón. He encontrado detalles de sumo interés no sólo para la historia de este monumento sino, creo, para la historia del arte llamado colonial.

Salimos de México tarde contra mi gusto y hábito pero, buena compensación, con excelente compañía de personas antes no conocidas, es decir, podía yo realizar, y, realicé, varios paseos espirituales antes de llegar al colonial. Carretera de Puebla, pequeña pesadilla de curvas y contracurvas sin sentido; tangentes monótonas, pueblos incoloros, tráfico de grandes carromatos, automóviles, tedio. Esta carretera es bellísima para quien la ve por primera vez, cansada para quien la recorre una segunda, e intolerable para el que pasa por ella una ocasión más. La conversación, divina presea, aligera el camino, suaviza las cuestas, nos mece en las curvas, nos oculta los riesgos, pudiera inclusive traernos una muerte feliz, ya que ocurriría en medio de uno de los más nobles deleites concedidos al género humano la conversación.

Nuestro automóvil devora leguas; cruzamos sin sentirlo calzadas bordeadas de árboles con tobilleras blancas; los números de los kilómetros brincan sin permitirnos controlar nuestra propia velocidad interior: estamos desquiciados. Nos reconforta el almuerzo. Después de buscar y buscar sitio apropiado —aquí hay mucho sol, aquí sopla demasiado viento— encontramos el sitio ideal: "Iztaccihuatl", con vista a ese volcán y a muchos paisajes más. ¡Pobrecitos, ignorábamos que Dios guiaba nuestros pasos!

Volvemos a la loca carrera. Al cruzar frente al convento de Huejotzingo hago un pequeño saludo a mi amado conocido; luego Cholula; luego Puebla por la que paso con los ojos cerrados, para no ver su belleza que se me escapa, ni sus ruindades que me atosigan y después, en Tepeaca con una mano saludo a mi viejo amigo, el convento, y con la otra hago cuernos al abominable y vil mercado que ha destruido para siempre la nobleza y abolengo de la vieja plaza de Tepeaca, comparable antes, a la de cualquier ciudad de Andalucía. El Rollo, torre mudéjar, única en México, sólo es testigo hoy de lo que pueden lograr los traficantes del gobierno.

[1] *Op. cit.*, p. 262.

116

Pero la lluvia se nos echa encima: un horizonte negro y flecos oscuros que por doquiera se descuelgan. Nuestro Tecamachalco se nos deshace en agua. ¿Por qué dudas, hombre de poca fe? Dios guiaba nuestros pasos. Así llegamos a este pueblo que se encarama como cabra montés en los riscos de un cerro y así nuestro coche trepa por las calles-barranca hasta llevarnos al tesoro deseado.

Aquí estoy, una vez más, frente a este grandioso monolito de convento e iglesia, frente a sus portadas, a su capilla abierta, a sus detalles externos. El sol del occidente coquetea con las nubes y nosotros tenemos que aprovechar cada enojo, cuando él brilla y ellas huyen, para dar prisa a la cámara fotográfica.

Cerrando el enorme patio se yergue el monasterio. Su historia puede trazarse con relativa facili- *152* dad, pues poseemos un documento de suma importancia: los *Anales de Tecamachalco* publicados por don Antonio Peñafiel en 1903. Comprenden de 1398 a 1590 de manera que reseñan más de un siglo de historia indígena y casi uno de historia colonial. Es de desearse una buena edición de estos "Anales" pues la de Peñafiel, que presume de ofrecer una traducción literal, no llega sino a traducir las palabras indígenas, y eso no todas, sin ilación ni concierto.

El pueblo, habitado por indios de los llamados popolocas, fue fundado en 1441, *Uno calli,* según este documento. Sostuvo guerras con los de Tepeaca, Cholula y Huejotzingo que vienen brevemente reseñadas. Marca la llegada de don fray Julián Garcés en 1527 y la de don fray Juan de Zumárraga un año después. Añade en seguida, dato importante: fray Juan de Rivas se instaló en Tepeaca el año de 1530. Como Tecamachalco desde 1525 acudía al convento de Huejotzingo, fue preferible para los fieles tener uno más cerca. Así, todos los cambios acontecidos en Tepeaca son registrados. Por ejemplo nos dice que en 1534 se hizo casa, es decir convento en ese lugar.

Los primeros religiosos que se establecen en Tecamachalco llegan en 1541 con fray Francisco de las Navas que bautizó a muchos popolocas. Dos años después nos dice que se nombró guardián a fray Andrés de Olmos y menciona por primera vez al apóstol de Tecamachalco fray Francisco de Toral que fue quien primero aprendió la lengua popoloca. Un detalle de ternura se desprende de la escueta relación: al escribir el nombre del fraile querido le llama *Toraltzin,* es decir *Toralito.* Después se multiplican las referencias acerca de este bendito hijo de San Francisco.

Es indudable que para esas fechas edificaron un convento pequeño como lo prescribían las reglas. La iglesia se quemó en 1557 y fue reconstruida luego, tal como hoy la vemos, pues en 1561 era cerrado el arco toral según los Anales. Ya estaba allí el pintor Juan Gersón que en 1562 pintó el coro y comenzó la decoración de la capilla el 19 de mayo. Parece que para el 14 de agosto había terminado su obra. Podemos pues fijar con cierta precisión la fecha de este edificio entre 1557 y 1561. La torre es posterior y, de acuerdo con la bellísima lápida que a sus pies se admira, fue edificada entre *154* 1589, 1590 y 1591. Los signos cronográficos que ostenta son tan valiosos que han servido para que los arqueólogos fijen la correlación entre el calendario náhuatl y el mixteco.

Tecamachalco significa "Mandíbula de Piedra"; la advocación del monasterio es la Asunción de la Virgen y la parroquia fue secularizada en 1640. Esto completa nuestros datos.

En la historia religiosa de Tecamachalco se encuentra un pasaje conmovedor que Mendieta nos refiere en su prosa castiza y elegante (p. 443):

A un indio natural de la ciudad de Cholula, que no se contentó con procurar de salvar su alma, sino que anduvo allegando por los pueblos circunvecinos (como son Tepeaca, Tecali, Tecamachalco Guatinchan) los indios que pudo atraer a su opinión y devoción, y habiendo buscado en todas las sierras que caen detrás del volcán y sierra nevada de Tecamachalco, lugar cómodo y aparejado para lo que pretendía, que era tener quietud para darse a Dios en recogimiento y vida solitaria sin ruido, los llevó a los que tenía persuadidos y los que quisieron seguir, con sus mujeres y hijos (los que los tenían) a un asiento cual deseaba, entre dos ríos que salen de la misma sierra nevada, el uno grande y el otro pequeño. El grande lleva una espantable barranca, que para bajar a ella desde el sitio que Baltasar escogió, no pueden sino por escaleras de madera. En este lugar hizo una población con hartos vecinos, a la cual puso por nombre *Chocaman,* que quiere decir lugar de lloro y penitencia, y púsolos en muy buenas costumbres, haciendo de común consentimiento ciertas ordenanzas y leyes de cómo habían de vivir y lo que habían de rezar y, finalmente, el modo de cómo en todas las cosas se habían de haber, que si yo imaginara ahora cuarenta años que había de escrebir esto, lo oviera sabido todo y lo pusiera aquí por extenso. Sólo me acuerdo que dieron estos indios grande olor de buena fama, por donde los llamaron beatos, y que fue mucho su recogimiento y mortificación, tanto, que las mujeres por ninguna vía ni causa miraban a la cara a algún hombre.

Si recordamos que Mendieta acabó su *Historia eclesiástica indiana* en 1596, resulta que los *Beatos de Chocaman* existieron en 1546 apenas establecido el monasterio.

Felices hombres que supieron huir del mundanal ruido en un siglo aún de silencio. Me temo que hoy no hubieran podido realizar su noble propósito: en el lugar más escondido y fragoso, los turbarían por lo menos el horrendo trepidar de un aereoplano, o un "jeep" de impertinentes exploradores bajaría con toda facilidad hasta el sitio en que ellos se habían descolgado por escalas de madera.

Mi recuerdo de Tecamachalco vacilaba entre un atrio lleno de matorrales y de sepulcros, una iglesia en que las pulgas ofrecían una barrera infranqueable y obstáculos mil que celaban su joya de arte. Mas, ¡oh asombro!, el atrio limpio, aun sin el árbol que sombreaba la portada principal, la iglesia aseada, todo rejuvenecido en dos siglos por lo menos.

El edificio ofrece un aspecto imponente. El gran bloque del templo, coronado de almenas que se apretujan estrechamente dejando huecos angostos para mejor defensa; esa gran torre cuadrada cuyo 152 último cuerpo es de fijo posterior. A la derecha la capilla abierta, en alto, de un solo claro y otra capilla perpendicular al gran templo, seguramente la del Tercer Orden, que imita pobremente a su similar de Tepeaca. Merecen estudio especial las dos portadas que deben ser catalogadas entre las más notables que existen en México.

La principal, con arco de curvas entrantes y salientes, a la manera que siglos después empleó el barroco, nos indica desde luego la filiación del edificio: mudéjar. En efecto, encuadrando este bello arco, finamente claroscurado por sus molduras, se ve un alfiz a lo largo del cual una serie de pomas 153 nos recuerda el gótico isabelino. Todavía se desplanta un bello marco de cantera con escudo arriba del alfiz, y una ventana rematada por una cruz corona la obra. Esta portada parece un escudo que blasonara la enorme austeridad del muro desnudo.

La portada lateral, más sobria, es acaso más bella. Su arco es trilobado y a las molduras que lo forman se ciñe una faja de relieves vigorosos que semejan a primera vista labor renacentista pero 155 que, ya bien estudiados resultan indígenas. Conocemos ejemplares de esta noble amalgama. Un alfiz con pomas, semejante al que hemos descrito cobija el conjunto. Pero el espacio libre entre impostas, arco y alfiz, está cubierto por un finísimo "placage" de sillarejos de tezontle azul. Es, acaso, la muestra más arcaica que existe del aparejo que más tarde ha de ser famoso y que los alarifes coloniales designaban con el nombre de "tezontle rostreado".

Por este mismo lugar, hacia el ábside del templo subsisten tres enormes arcos rebajados, del acueducto que llevaba de beber al convento.

Penetramos al interior del edificio después de vencer la mayor dificultad: encontrar al hombre que guarda las llaves. ¡Es más fácil averiguar las fechas de construcción, los nombres de los primeros

118

frailes que poblaron Tecamachalco, toda la historia del pueblo, antes y después de la conquista, que dar con la llave de la iglesia! Hay que recurrir al soborno, a todo, hasta al rapto, para poder entrar. Hombres pacientes, lo soportamos todo, por fin llegó. Aquí están las pinturas de Juan Gersón, aquí *156* está la nave anchurosa, aquí estamos nosotros, todos ojos para admirar todo una vez más.

Las pinturas de Juan Gersón representan sólo escenas del *Antiguo Testamento*. No aparecen allí una sola vez Cristo, la Virgen o los Apóstoles. Están ejecutadas al óleo sobre tela y ésta adherida *157* a los plementos de la bóveda. Algunas son pequeñas en exceso y les han agregado fragmentos alrededor. Esto indica, de modo evidente, que Gersón llevaba ya concluidas sus pinturas cuando llegó a Tecamachalco, pues no es creíble que *in situ* las pintase mucho más pequeñas de lo que era necesario. *158*

Revelan gran maestría y diversidad de influencias, sobre todo flamencas e italianas. La imagina- *159* ción del artista es muy fecunda y su espíritu unas veces infantil e ingenuo, otras poético, otras narrativo. Cuánto deseamos ver reproducidas en color estas veintiocho escenas bíblicas con el texto sagrado a que corresponden. Y, en secreto, nos preguntamos: ¿fue algún fraile judaizante que, de acuerdo con el pintor, expulsó de esta decoración a los santos del Nuevo Testamento?

La nave se ve cubierta con rica bóveda nervada y muchas de las nervaduras fueron fabricadas de barro como pude comprobarlo en una visita anterior cuando estaba descubierta la bóveda del ábside. En la actualidad éste, restaurado, muy pintadito, alberga un altar mayor abominable.

Dos detalles notables deben marcarse en la arquitectura del interior del templo. Las basas y capiteles de las columnas del arco principal están formadas por grandes cestas, así: varias molduras en la base, un fleco, luego una parte convexa formada por fajas entrelazadas, con cuentas en los espacios del entrelace, otro fleco, y luego el cuello de la cesta, ligeramente cóncavo y con dos asas simétricamente dispuestas a los lados.

La puerta que conduce a la sacristía es también valiosa. Su cerramiento está formado por dos curvas convexas de cada lado que rematan en punta. Recuerda el mudéjar portugués. Pero, propiamente no es un arco: las dos primeras piedras se prolongan horizontalmente, y, sobre esos salmeres fingidos descansa un gran bloque en que está tallado el remate. Toda ella está circuida por una faja cóncava ornamentada con medallones.

Antes de abandonar la iglesia, conviene reseñar lo que de notable encierra. Desde luego una enorme pila bautismal de piedra, tallada a la manera indígena, con dos anchas fajas de relieves muy profundos y cuatro ángeles en alto relieve colocados epigonalmente.

Las pilastras que sostienen el arco del coro son de sabor renacentista y atrás de ellas, relacionándose con su capitel se ven las ménsulas de que arrancan las nervaduras de la bóveda.

Sobre un altar se exibe un ejemplar de rico arte barroco. Son unas andas con nicho y cristal, de madera tallada y dorada para un Santo Entierro. No desdeñaría esta obra de arte cualquier catedral.

Coronando otro de los altares se levanta un gran lienzo de pintura, de técnica bastante apreciable. Representa *El Juicio Final* en una forma a la vez realista y llena de fantasía, con un sinnúmero de personajes, pero insistiendo sobre todo en el castigo de los réprobos que aquí se encuentran ya en plena hoguera. Como detalle curioso hay que consignar que cuadros semejantes se encuentran en muchas iglesias de esta región. Servían acaso para atemorizar a los indios feligreses, con lo cual la pintura recobra en estas fechas su papel educativo que tanto provecho lograra a principios del coloniaje.

Salimos al claustro ruinoso y nuestras observaciones crecen en interés. Ofrece éste sólo tres arcos por banda en la parte baja. Casi todos subsisten. Son rebajados y los capiteles y las basas no presentan aspecto original pues ofrecen simplificada, la forma de basas y capiteles que hemos reseñado en el templo. En vez de estar constituidos como todos los de su época por dos toros y una escocia, aquí aparecen los primeros con una estructura convexa que da la idea de un cojín circular.

La molduración de los arcos es vigorosamente ojival, pero lo más interesante de esta visita al convento lo juzgo en el descubrimiento de cómo era el claustro alto. Posterior de fijo, techado de vigas como el de abajo, estaba formado por dos ventanas pareadas, de esas que llaman ajimeces, en cada lado. Sólo quedan restos de una en un sitio en que fue levantado un enorme machón con botarel para sostener el templo. Puede apreciarse el arranque del pequeño arco de medio punto de un lado y del otro el arco completo descansando en un pequeño pilar ochavado, con capitel y basa característicos del siglo XVI, como de un metro de altura y de labor finísima. Estudiando las otras alas se encuentran huellas del mismo partido. Debe haber sido admirable y hay que considerarlo como ejemplar único en la arquitectura monástica del siglo XVI.

Y llego a pensar que este edificio en cuya construcción encontramos piedras arqueológicas, como que debe haber sido levantado sobre la misma altura que sostenía el adoratorio indígena; piedra caliza, dura y porosa como la del convento de Tepeaca y grandes ladrillos gruesos y fuertes, constituye un nido de recuerdos mudéjares que sólo está reclamando un magnífico alfarje de lazos, y atauriques en sus muros.

Ya para salir, visto cuanto hemos podido ver, descubrimos restos de pinturas al fresco, aquí mismo, en el claustro. Monogramas de Jesús característicos de la época, ángeles, pero otras, estilizando decoración vegetal, a base de una línea negra continuada, parecen rememorar motivos prehispánicos. Al lado del judaizante que ordenó las pinturas del coro, de los moros conversos o de sus descendientes, que trazaron portadas y arcos, aparece, fiel, sumisa, la mano del indio traduciendo como un reflejo de su espíritu ancestral.

Abandonamos la ruina dejando en ella nuestro afecto y compasión.

La tarde lluviosa nos espera como si deseara un agradecimiento por habernos dejado laborar. Tecamachalco nos despide con un último detalle de afecto: con la miel única que saben recoger de las florecitas silvestres infinidad de abejas presurosas. Un viaje, por breve que sea, constituye una vida que se incrusta en la uniformidad inmutable de nuestra vida cotidiana. Ofrece sus cambios; se complace en hacernos sufrir o en hacernos gozar. Nuestra pequeña vida que tuvo por centro Tecamachalco no pudo terminar de modo más dulce.

Tecamachalco, 31 de agosto de 1946.

31. Alfajayucan
y su monasterio franciscano

EL SEÑOR Raúl Guerrero, de Ixmiquilpan nos comunicó la noticia: se había descubierto una pintura mural en el claustro del convento de Alfajayucan que ostentaba una fecha, ¡caso insólito! *El Catálogo de Monumentos Religiosos del Estado de Hidalgo* nada dice pues cuando se hizo la descripción del predio, aún no habían sido encontradas.[1]

Por la excelente carretera de Laredo, muy de mañana, como buenos paseantes colonialistas que somos, nuestra *camioneta* se desliza rauda en pos de una intensa emoción: un convento que no conozco. Nos detenemos un momento en Tizayuca en busca de refrigerios que nos fortalezcan ante la jornada que nos aguarda; seguimos rápidos; aparecen los Frailes de Actopan, luego Actopan, cuyo convento saludamos con un guiño, y al fin Ixmiquilpan que nos acoge con un ruidoso y cordial día de mercado. Hay que obtener ceñidores y bolsas de los que tejen las indias otomíes. Tan difícil es lograrlo que quien no compra lo que primero encuentra después no vuelve a ver nada.

Incorporado el señor Guerrero en nuestra expedición salimos en pos de la meta. En el kilómetro 175 de la carretera de Laredo entronca la desviación que conduce a Querétaro. Después de veinte kilómetros, aproximadamente, nueva desviación a la izquierda nos lleva sanos y alegres, en esta radiosa mañana de abril, a Alfajayucan la de las celebradas tunas.

Antes de penetrar al convento, refrenad vuestra impaciencia. Oigamos lo que dice la historia. No entremos a ciegas, cubiertos nuestros ojos con la venda de la ignorancia.

Nuestra primera curiosidad se dirige al nombre del pueblo: ¿qué significa Alfajayucan? Y nos enteramos con sorpresa de que no es sino una versión no sólo extraña sino, casi podríamos decir anárquica del nombre original: éste parece haber sido, al decir de los lingüistas, AHUEXOYOCAN, lugar de huejotes o sauces de agua; más bien vendría a ser "lugar de sauces llorones". La etimología puede ser correcta pero la realidad no la confirma: en esta tierra caliza y seca no encontramos sauces llorones, ni sauces austeros, sino sólo árboles que clavan sus raíces potentes, árboles raíces, para chupar el escaso jugo de la tierra. Así existen algunos en el atrio del viejo edificio. Parecen monstruos prehistóricos, serpientes vegetales que se enroscan en una infinita ansiedad de sed.

El convento, no el pueblo que parece remontar a tiempos anteriores a la conquista, fue fundado por los franciscanos en 1558 bajo la advocación de San Martín. Debe haber sido edificado desde luego pues para 1576 estaba concluido y cuando lo visitó el padre Ponce en 1585 dice que "está aca-

---

[1] Es penoso pero necesario consignar los errores en que incurre esta descripción (I, 67-9): "La fundación del pueblo tuvo lugar el 5 de noviembre de 1558, en cuya fecha y por merced del Virrey Arzobispo don Alonso Núñez de Haro y Peralta le fueron cedidos veinte mil varas . . ." El arzobispo Núñez nació en 1729 y gobernó la mitra de 1772 a 1800.— "El templo de planta en forma rectangular y de una sola nave se halla cubierto por una bóveda de cañón corrido y cúpula octogonal, con pechinas, rematada en linternilla." Leo en mis apuntes: "Iglesia una nave orientada, bóveda cañón imperfecto; ábside trapecial con curiosa bóveda cupuliforme con linternilla." Ni es cúpula, ni es octogonal, ni tiene pechinas. La cruz del atrio no ofrece escudos de la orden agustina, que es un corazón traspasado por dos flechas, sino sólo los símbolos de la pasión. Quien describía no se dio cuenta de la capilla abierta, a pesar de que en el edificio y aun en el plano es bien visible.

bado con su iglesia, claustro, dormitorio y huerta, todo bien edificado, aunque pequeño. La iglesia es de bóveda, de una nave, sin clave ninguna. Hízose así por ser la tierra caliente y peligrosa de chichimecas''.

Lo demás de su historia nos lo entrega el edificio mismo. El atrio reciamente almenado data de los orígenes del convento. De sus tres portadas sólo una ofrece construcción primitiva. Es raro que no aparezca una cruz en su centro; acaso, la preciosa cruz que vamos a ver en el centro del claustro y que tiene base moderna era la que existía en el atrio, para no abandonar la costumbre —Cuautitlán, Huichapan, Jilotepec de franciscanos, o Acolman de agustinos— de estas cruces monumentales.

Vista de lejos la iglesia, nos damos cuenta de que ha perdido sus almenas, se le ha añadido un frontón triangular al modo agustiniano, un modesto campanario de dos cuerpos y un abominable reloj. El convento no está construido del lado sur del templo, como es uso y costumbre, sino a la inversa. Allí está el gran arco de la portería, después otro conopial rudimentario que dan acceso al monasterio. Y esta forma de arcos se convierte en una obsesión. Al lado del gran arco de la portería aparece una serie de arcos tapiados para convertirlos en ventanas: son cinco y corresponden sin género de duda a la capilla abierta; al fondo existe el presbiterio en forma de encasamento y en el extremo opuesto la sacristía de la capilla abierta que pertenece al tipo de las que podemos llamar de portal simple.

La portada del templo y la ventana que la corona muestran un verdadero renacentismo en su ornato de casetones rehundidos y una supervivencia medieval —románica— en la prolongación de ese ornato de las jambas a la rosca del arco. Recuerda, aquélla, la portada del templo franciscano de Tula, en este mismo Estado de Hidalgo, mas la de Tula es más renacentista en su arco carpanel —el que vemos ahora es de medio punto— y en que los casetones sólo siguen el perímetro del arco.

Penetramos al edificio. ¿A dónde vamos primero, al convento o a la iglesia? ¡Al claustro, al claustro, a estudiar la pintura fechada! Reprime tu impaciencia, ¡oh joven de sesenta años! Si hemos comenzado a describir el templo, bueno es terminar con él.

Triste aspecto el de estos enormes recintos, despojados de sus retablos del siglo XVI, y de los barrocos del XVII y XVIII, para dotarlos de paupérrimos altares en que el estilo neoclásico difícilmente podría encontrarse a sí mismo, y elaborados en viles materiales. No se les puede aplicar ningún género de crítica ya que ni los honores de una somera descripción merecen. Así son los que se alínean en esta larga y desolada nave del templo franciscano de Alfajayucan. Cúbrela una bóveda de cañón, imperfecta que se sobrealza en el presbiterio para ofrecernos una especie de inicio de cúpula pero no es tal: carece de arcos para organizar las pechinas y del anillo que sostendría el casquete esférico. En tiempos muy posteriores, acaso, se le hizo el agregado de una linternilla. El ábside es poligonal, en plano de trapecio; el coro, como de costumbre, se encuentra a los pies del templo sostenido por una bóveda corrida de perfil rebajado. Buscamos qué admirar en esta desolación: siempre nuestra curiosidad encuentra algo: un Cristo de regular mérito; pero sobre todo, un púlpito barroco, decorado con pinturas en sus tableros y de buena calidad, ostenta la fecha de 1772. Ya es algo. Nada en la sacristía: salimos al claustro a refrenar nuestras ansias y a reanimar nuestro espíritu. La claridad del día nos recibe alborozada, luchando entre la jocunda vitalidad de la vegetación que invade irresistible su claustro y la austera inconmovible, perenne eternidad de las piedras, que le forman marco.

Es este pequeño, precioso claustro del convento de Alfajayucan, excelente ejemplar en su género. Menos estrecho, menos rígido que el de Huexotla, su casi homónimo, muestra todavía cierta pequeñez: cuatro arcos por banda. Ostentan éstos en sus columnas, los característicos capiteles y basas a que estamos acostumbrados, pero les agregan unos ábacos arriba y dados abajo, con rehundimientos en sus cuatro caras, que los hacen diversos. Los arcos del claustro bajo pretenden sin lograrlo llegar al medio punto, pero los del alto francamente se declaran rebajados. Techados los dos con viguería, en humildad franciscana genuina; con puertecillas que siguen siempre el mismo perfil conopial rudimentario, nos ofrecen, empero, lo que nuestra ambición anhela: pinturas murales.

No puedo afirmar que el claustro bajo estuviese decorado con murales en su totalidad: lo que vi y fotografié en parte fue un gran friso en negro y blanco que lo circunda todo. Es delicioso y excelente como muestra de arte renacentista. Aparecen en él grifos, ángeles, máscaras. En los testeros *161* del claustro cuadros que desgraciadamente no pueden apreciarse. A los lados de las puertas, pinturas que recuerdan los famosos candelabros renacentistas. Así en una puertecilla de piedra, del mismo perfil conopial incipiente que he mencionado se ven dos pinturas murales del mayor interés: sobre la puerta, tallada en ruda cantera negra, y semejante a las otras, prolongando a los lados los capiteles, llamémosles así, de sus jambas, aparece una pintura semiborrada: es San Francisco que recibe los estigmas mientras su compañero duerme. Pero las fajas, digamos pilastras, que se encuentran a los lados revisten profundo interés. Parecen estas pinturas recordarnos todo el arte renacentista: es- *160* tán constituidas por el clásico candelabro, una espiga ornamentada a cuyos lados aparece decoración vegetal, figuras mitológicas, todo. Enmarcando la pintura un grueso cordón franciscano sobre fondo rojo completa la decoración. Al centro de los vástagos del candelabro, dos pequeñas cartelas, bien visibles, ostentan una la fecha: 1576 y la otra la firma, desgraciadamente solo en iniciales: S. M. D. ¿Te figurabas tú, que seguramente eras bien conocido en tu siglo, que poco menos de cuatrocientos años después íbamos a saber quien fuiste? Porque no es un cualquiera, de fijo no un indio. La calidad de su fresco, sus colores, negro, azul, verde y tierra roja, acaso almagre; su dibujo en las figuras que rematan estas pilastras; los frescos del claustro alto, revelan a un verdadero artista europeo a quien tendremos que enlistar en nuestras nóminas de pintores con sus simples iniciales S. M. D., hasta que aparezca el documento que lo identifique.

La importancia del hallazgo no se refiere sólo a estas pinturas: la fecha nos indica que para entonces el claustro, por lo menos, estaba concluido. El arcaísmo del templo así lo hace suponer y podemos, además, comparando estas pinturas fechadas con otras que no lo están, intentar una cronología de las decoraciones murales que aparecen en nuestros monasterios del siglo XVI cuyas pinturas hemos podido sólo enlistar hasta donde es posible pero sin fijarles un orden en el tiempo. Éstas de Alfajayucan nos ofrecen una fecha clave.

En el centro del claustro, sobre un basamento moderno, se yergue una bellísima cruz esculpida en piedra. Es acaso la que estaba en el atrio, ya que estas cruces no se encuentran en los claustros. Sus relieves de mano indígena nos trasladan a los primeros años del convento que nos acoge. Todos los símbolos de la Pasión de Cristo han sido fiel e ingenuamente interpretados: una corona de espinas, a manera de chimalli, con tres fechas paralelas y perpendiculares revelan al indio.

Alfajayucan, abril de 1951.

32. El convento de San Francisco en Oaxaca

HACIA el sur de la ciudad de Oaxaca se encuentra un edificio derruido. Al frente, una plazoleta extiende los muros desiertos de sus casas cerradas: parece que estamos en el barrio de los muertos, cuyo silencio es apenas turbado por uno que otro perro trashumante o por algún turista curioso que se acerca con deseos de visitar la iglesia que señoreaba este barrio, convertido hoy en ruinas.

Por el exterior apenas columbramos un muro en cuyo ángulo se levanta una cruz y una serie de contrafuertes característicos de toda la arquitectura oaxaqueña que se aferra al suelo con la máxima potencia posible para resistir las sacudidas de los terremotos: ¡vano empeño!, puede más la fuerza plutónica que todas las artimañas y las llamadas ciencias constructivas del hombre.

Largo rato esperamos para poder penetrar al recinto. Una puerta de madera carcomida por los años, pero todavía resistente para impedirnos la entrada, se cierra ante nosotros. Es necesario investigar quién guarda la llave y lograr así que se abra la entrada al enigmático edificio.

Penetramos a un pequeño atrio y nuestro corazón sufre torturas al contemplar la ruina de que ha sido víctima este monumento. Todavía hace años, en 1926, pudimos gozarlo completo, con su interior cuajado de retablos tallados, cuyo oro mortecino reflejaba tenuemente la luz de una tarde fugitiva. Eran churriguerescos, trabajados en excelente calidad dentro de ese estilo. Hoy, en cambio, después de ver que la fachada muestra profundas grietas, cuando penetramos al interior nuestra desesperación se exalta aún más.

Ha caído la cúpula y en el crucero florece una verdadera selva. Manos ignaras han profanado el sagrado recinto excavando tontamente para buscar tesoros. Como si los pobrecitos hijuelos de San Francisco de Asís poseyesen grandes tesoros, ellos que habían profesado votos de no poseer nada sobre la tierra.

Nos dejaron muchas joyas, pero no de las joyas que el torpe vulgo busca para fundirlas y aprovecharse sólo del metal. Las joyas franciscanas se encuentran en los monumentos desperdigados por toda la Nueva España. Los indios solícitos trabajaban unciosamente, según las indicaciones de los frailes, y nos legaron la serie estupenda de conventos franciscanos del siglo XVI, con sus portentosas capillas abiertas, y después los monasterios, algunos reconstruidos en los dos siglos posteriores de la colonia.

Pocas noticias históricas poseemos acerca del convento de San Francisco. Bien sabido es que Oaxaca fue zona evangelizada por los dominicos y aunque los franciscanos hayan aprovechado una que otra vez, su trabajo fue esporádico y no sistemático como el de la Orden de los Predicadores. Dicen los cronistas que los franciscanos deseaban poseer una casa que les sirviese de descanso cuando pasaban a Filipinas y que, por el año de 1592, fue fundado este convento que perteneció a la provincia Filipina: Fue fray Francisco de Torantos quien en 1592, siendo obispo el señor fray Bartolomé de Ledesma, colocó las piedras de los primeros cimientos del convento y del templo que se dedicó entonces a San Ildefonso. Prevaleció después, por la advocación de los fieles, el nombre de San Francisco. Uno de los primeros guardianes fue fray Cristóbal de Ibarra que murió en la ciudad de un accidente repentino que le aconteció en el momento de terminar la celebración de la misa.[1]

El mismo historiador que hemos aprovechado se refiere al templo de la Tercera Orden en los términos siguientes: "El templo del tercer orden de San Francisco, contiguo al principal, se comenzó a edificar en 1733, dándosele una extensión de 45 varas de largo con 11 varas de latitud; terminó el trabajo en agosto del siguiente año y se dedicó la iglesia en los primeros días de enero de 1735. La custodia en que se colocó el Divino Sacramento el día de la dedicación tenía de costo mil pesos".[2]

Analizando los estilos que se encuentran en el edificio podemos aclarar un tanto las fechas. Partiendo de la iglesia del Tercer Orden, cuya fecha exacta conocemos, se pueden formular las siguientes observaciones: la portada de esta iglesia es lo más antiguo que se ofrece a nuestra vista y data de 1733 al 1735; pertenece a un estilo barroco moderado, a base de pilastras almohadilladas, y nichos en los intercolumnios; los de abajo se encuentran curiosamente rematados por tres veneras que forman un trébol; los de arriba por una sola venera. En el segundo cuerpo, al centro, aparece otro nicho con la imagen del fundador de la Tercera Orden y el todo se ve rematado por un curioso ojo de buey doble, uno de cuyos vanos ha sido cegado; las pilastras más externas están rematadas por perillones y toda la portada concluye en una bella curva realzada por discreta moldura. Nos encontramos frente a un barroco de fines del XVII, que todavía se prolonga en Oaxaca hasta el primer tercio de la siguiente centuria.

La planta del edificio ofrece la cruz latina con los brazos del crucero cortos; una cúpula sobre pechinas y bóvedas de arista; la del coro, de cañón con lunetos, y los muros del templo ostentan arcos de descarga que cobijan altares. La disposición del templo es en extremo curiosa pues la nave se encuentra en sentido paralelo al eje de la iglesia grande y su única entrada se abre por la portada lateral que da acceso al coro bajo. Es lastimoso ver el estado en que se encuentra esta capilla, que ha sido dedicada a bodega desde tiempos inmemoriales. *165*

Examinando la iglesia principal resalta desde luego que es más moderna que la del Tercer Orden su portada es de pleno estilo churrigueresco, pero no alcanza las locuras y empuje que complicaron ese estilo en otras regiones de Nueva España. Es sobrio, discreto, elegante. Presenta desde luego la *164* característica rara de encontrarse bajo un gran arco que forma una especie de nicho: allí se desplanta el arco de medio punto entre pares de pilastras-estípites finamente decoradas, pero que no se encuentran en el mismo paño, sino que forman un ángulo discreto; en el centro admiramos bellas estatuas *166* de San Francisco y San Diego de Alcalá. *167*

Las pilastras estípites, formadas de elementos barrocos moderados, marcan el estilo nítidamente, así por su composición como por encontrarse formando ángulo. Las pilastras que flanquean la portada se prolongan hacia arriba en otras que presentan también la forma de estípite y están rematadas por agudos perillones, después de haber sobrepasado una especie de imposta que se forma por molduras discretas al gran arco que como nicho cobija toda la portada. A los lados fajas realzadas con curvas y contracurvas relacionan las pilastras exteriores con la parte central y al medio se abre una ventana con bello cerramiento de tres curvas y dos pequeños ángulos rectos y, sobre ella, un nicho flanqueado por dos pilastrillas estípites, coronado por un cartón.

La planta de la iglesia ofrece una disposición interesante ya que varía dentro de la monótona serie de plantas cruciformes que se estilaron en tantas iglesias de los siglos XVII y XVIII. Compónese de *165* un gran cañón que consta de cinco tramos: el primero, más angosto, corresponde al coro; los dos siguientes a la nave, el cuarto al centro del crucero que ofrece una cúpula sobre pechinas y el quinto es el ábside con otra cúpula también sobre pechinas. A los lados del cuarto espacio se abre el crucero, de brazos muy amplios, con bóveda de medio cañón con lunetos y después un gran arco que

---

[1] Gay. *Historia de Oaxaca*. México, 1881. Tomo II. p. 156.
[2] *Idem.* Tomo II. p. 289.

cobija el altar. Entre los brazos del crucero y el ábside, se abren capillas bastante amplias y todavía atrás de esas capillas, dos también de regular amplitud. El conjunto ofrece así una disposición notable por su macicez y que le ha permitido resistir la furia de los terremotos que se han cebado sobre las bóvedas y las cúpulas.

El convento es una ruina. Apenas subsiste un pequeño claustro que presenta en su parte baja pilares cuadrados y en los ángulos se ofrecen pilares más gruesos; los arcos son rebajados. Seguramente este claustro era secundario, acaso el primitivo, pues el claustro grande, de mucha mayor importancia, fue convertido en hospital posteriormente.

Es indudable que en el viejo convento de San Francisco de Oaxaca existieron obras de arte de gran importancia: lo prueba una bella estatua del Santo de Asís que podemos clasificar entre lo más valioso que existe en Oaxaca en escultura y que ha sido conservada en una esquina del actual hospital en un nicho moderno, cuya vulgaridad no alcanza a la serena belleza del santo.

Así es este convento. Así ha subsistido después de sufrir el terror de la naturaleza y el terror de los hombres. Ojalá que manos piadosas se preocuparan por salvarlo de la ruina total. No parece esto difícil, salvo el caso de la cúpula principal, pero con las mismas manos y los mismos materiales con que se trabajó hace dos siglos, algo puede intentarse. Los manes del seráfico de Asís los ayuden.

33. Tlalpujahua y su parroquia

TLALPUJAHUA, El Oro, poblaciones limítrofes de los Estados de Michoacán y de México que se disputan la supremacía de la rica zona minera que entre ellas se extiende. Tlalpujahua representa el pasado, la tradición, la historia; El Oro se acoge a lo moderno, a la industria, al progreso. Sobre la reyerta extiende su capa la Naturaleza magnífica, con sus panoramas de espejismo y sus bosques al parecer encantados. Tras un viaje en ferrocarril, tedioso por la avaricia de luz del invierno, nos apeamos en El Oro y de allí en automóvil por senderos tortuosos en que la noche curiosa nos acecha, llegamos a la famosa mina llamada "Dos Estrellas" donde la hospitalidad más gentil nos aguarda.

Sensación inaudita la de vivir en medio de los montes más encrespados; el frío nos enerva pero el reposo rehace las fuerzas y a la alborada ya estamos en pie para disfrutar a todo cuerpo esta nueva vida. Frente a nuestra ventana los cerros cubiertos de vegetación parecen de nacimiento; pero están desiertos; más he aquí que de improviso se pueblan de gente: los senderos invisibles están llenos de pastorcitos presurosos: son los mineros de "Dos Estrellas" que llegan a su trabajo.

Tlalpujahua dista de la mina media hora a pie o diez minutos en automóvil. Y llegamos a desahogar nuestras ansias, largamente contenidas. El pueblo presenta el aspecto de todos los reales de minas; las calles son tortuosas y hay que subir y bajar con frecuencia; es menos pintoresco que otros porque los techos de teja no abundan; los más son de tejamanil y de la odiosa lámina acanalada. Al acercarnos al pueblo nos muestran una amplia zona devastada y desierta; es el barrio que fue arrasado en la catástrofe del día de Corpus de 1937. Las llamas, acumuladas en años inmemoriales, derribaron sus muros de contención y se lanzaron contra todo lo que encontraban con una furia de venganza feroz. El santuario del Carmen quedó destruido, sólo su torre, atalaya inmarcesible de un hálito divino, resta en pie. El corazón quedó a salvo: la imagen de Nuestra Señora del Carmen, pintada sobre un muro de adobes que fue llevada al altar mayor de la parroquia, donde se venera.

Como en todas nuestras viejas poblaciones, el alma es su gran iglesia. Hemos visto antes el convento franciscano fundado en 1600. Es un edificio pobre, con su iglesia, su claustro solo, bajo y algunas bellas puertas, características del siglo XVII en sus almohadillados. Aquí murió fray Manuel Navarrete y aquí reposan sus restos de enamorado poeta. La parroquia, pues, nos deslumbra.

Las obras que ha realizado el actual señor cura son en general acertadas: la iglesia da idea de gran aseo y no parece haber sufrido nada en su integridad. Antes de describir este monumento conviene examinar los datos históricos que poseemos o, mejor dicho, que necesitamos, para formarnos una idea cabal de la fábrica.

No existen datos históricos de Tlalpujahua en el siglo XVI. El Barón de Humboldt dice que sus minas fueron de las que primero se explotaron en Nueva España, pero no lo comprueba con citas históricas. Él no estuvo en Tlalpujahua y no da ninguna información concreta acerca de sus minas. Tlalpujahua no figura en la *Suma de visitas de pueblos* de mediados del siglo XVI, que publicó don Francisco del Paso y Troncoso. Tampoco aparece en la llamada *Tasación de Ibarra* de 1560. Don José Guadalupe Romero dice en sus *Noticias para la historia del obispado de Michoacán* que el curato fue erigido por el señor obispo don Antonio de Morales en 1767. Esto no puede ser exacto porque, además de que el señor Morales gobernó la diócesis de Michoacán de 1569 a 1572, si él hubiera fundado la parroquia, figuraría ésta en la Relación de su obispado escrita en su tiempo y publicada por don Luis García Pimentel. Debemos pues confesar que, por ahora, no tenemos ningún dato histórico acerca de Tlalpujahua y su parroquia.

Suponemos, fundándonos en los edificios, que también son documentos, que Tlalpujahua fue un real de minas establecido a fines del siglo XVI. Los mineros, congregados en el sitio que mejor les pareció, cercano de sus minas, construyeron un pequeño templo. Es el que se conoce por el de la Cofradía, y antes de la Santísima Trinidad, cuya portada revela bien su época. Dentro de un gran alfiz un tanto degenerado, pues su parte alta es una especie de cornizuelo, se abre el arco de medio punto cuya arquivuelta adornada con una faja de relieves arranca de impostas formadas por pilastras más anchas, que tienen en su extremo perillones empotrados. Arriba, una ventana rectangular con la misma faja de relieves en su marco. El interior nos muestra una nave cubierta con techo de artesón en forma de batea, pero sin cabezas, cuyos paños han sido posteriormente cubiertos con duela.

El espacio que rodea la gran parroquia, que hoy llaman atrio, ha sido muy cercenado con el tiempo: cinco grandes áreas dan acceso a él, algunas con escalinatas, y todo se encuentra cercado con ladrillo. Casi enfrente de la fachada principal del templo se admira una bella cruz de piedra, de forma originalísima: todo su perfil está formado de agudos picos salientes como las puntas de obsidiana en las feroces macanas aborígenes.

Un estudio somero de la gran parroquia de Tlalpujahua revela que en su construcción aparecen tres épocas. La primera comprende el espacio del cuadrante y la sacristía y es sin duda la más bella 173 por su arquitectura de un barroco sobrio que nos traslada al siglo XVII. Parece haber sido una iglesia completa con su torre cuyo primer cuerpo se ve hoy arruinado, o sin concluir. A espaldas de esta estructura fue levantado el gran templo de planta cruciforme, pero como sus muros se elevaban a mucho mayor altura que los de la capilla anterior, fue necesario tender tres botareles para contrarrestar el empuje de la bóveda. Como no bastaba la estructura de la capilla para asegurar el contrarresto, fueron edificados tres hermosos contrafuertes, los más bellos que yo conozco en nuestra arquitectura religiosa, por la parte exterior.

El interior de la gran iglesia está decorado en la peor forma posible. Algún señor cura que no 174 entendía en achaques de arte, junto con algunos munificentes vecinos, convirtieron ese sagrado recinto, que debe haber sido magnífico, con sus retablos churriguerescos dorados con oro fino, sus esculturas de mérito, sus pinturas dieciochescas aún interesantes, en algo tan vanal, tan frívolo, tan inadecuado, que nuestro corazón se contrista. Sólo la imagen de Nuestra Señora del Carmen, de la que antes hemos hablado, atrae nuestra atención y nuestro afecto en el altar mayor.

Fuera de esta pintura, que al parecer está hecha al óleo con bastantes desconchaduras en su superficie, sólo son de interés algunas que se ven en el cuadrante y otras en la sacristía: con esta se ha formado un tríptico. Representan la *Calle de la Amargura,* el *Calvario* y el *Entierro*. Son del siglo XVIII, apreciables.

Y recorremos a nuestro sabor el templo, descubrimos una capilla adosada a sus espaldas que por la inscripción que tiene parece dedicada a la Virgen de los Dolores. Es romántica, muy siglo XIX. Y subimos a las bóvedas donde admiramos la cúpula con sus azulejos blancos y azules y su bella cantera rosada como la de todo el edificio. La torre, a cuya vera nos hallamos, no parece contemporánea del momento: su material es ya distinto, ladrillos, tezontles, o lo que se puede. Por sus formas arquitectónicas parece ya datar del siglo XIX.

Otra vez en el atrio, nos dedicamos a contemplar la gran fachada del templo, sin duda la obra *168* de arte más notable de Tlalpujahua y que corresponde a una tercera época. Por sus líneas nos recuerda los grandes monumentos barrocos del siglo XVIII, Tepotzotlán o el Sagrario de México. Pero *170* es diversa, tiene personalidad aunque le encontremos semejanza. Su forma parece la de un gran *171* escudo invertido; su ordenamiento es muy regular. Fórmase por dos pares de columnas en cuyas entrecalles hay nichos conchiformes con estatuas, y que se prolongan hacía arriba por otros dos pares, en un segundo cuerpo. Abajo, al centro, la puerta con arco·de medio punto y relieves discretos; arriba una ventana con arco de tres curvas y dos ángulos entre pilastrillas tímidamente churrigueres- *169* cas si bien sus relieves son un poco más ricos. Al fondo, como en todos los huecos disponibles, los clásicos almohadillados del barroco. En el tercer cuerpo sólo las columnas centrales tienen otras que las continúan, en tanto que las de los lados terminan en ricos perillones esculpidos. En medio se ve un nicho doble, ejemplar único que yo sepa, sin columna divisoria, donde se ven las estatuas de San Pedro y San Pablo. Aquí en los intercolumnios hay escudos simbólico-religiosos y un relieve con la custodia en la parte más alta coronándolo todo, la estatua del Bautista.

Característico de esta portada es, aparte del nicho geminado, lo siguiente: la forma de las columnas salomónicas, con fuertes molduras enrolladas en sus fustes por la disposición de éstos que no son cilíndricos sino prismáticos, por lo que recuerdan un poco algunos del norte, de Zacatecas o de *170* San Luis. Los capiteles, calados algunos, como en obras de madera fina o marfil. Los relieves que se ven en el basamento: mascarones con remates como sirenas. El ático del segundo cuerpo, sobre el cual descansa el tercero, que sigue el perfil de la estructura con un ensanche conexo en su centro y forma así un saliente horizontal de suave curva.

¿Qué época puede asignarse a esta gran portada? Yo supongo que data de mediados del siglo XVIII: es barroca con inicios de churriguerismo, pero la preside un equilibrado sentido constructivo que ni pretende alardear audacias, ni se siente tímido o encogido. Acaso el primer cuerpo tenga sus columnas demasiado cortas con relación al basamento un poco excesivo, pero sus proporciones totales convencen. Para esa época el churrigueresco se había adueñado de casi toda Nueva España pero había sitios que le resistían sobre todo en la parte exterior de los templos para la cual se prefería el barroco que, como es bien sabido, coexistió con el churriguera casi todo el tiempo. Así en Tasco, tenemos en Santa Prisca un exterior barroco y un interior delirante de churriguerismo.

Tasco, Santa Prisca, nombres que han surgido de la punta del lápiz casi sin quererlos. ¿Qué semejanza hay entre aquella iglesia encastillada en las montañas del sur y la parroquia de Tlalpujahua que ahora visitamos? Muy pocas; apresurémonos a decirlo. La parroquia de Tasco fue construida por un solo corazón y una sola voluntad, los de Borda, y aquí hubo muchos esfuerzos que en diversas épocas, ya lo hemos visto, trataron y obtuvieron dar a Tlalpujahua un hermoso templo. Además, Tasco, en el siglo XIX no goza de la riqueza fantástica que antes tuviera y Tlalpujahua aparece en esa época riquísima con sus minas de oro: la pobreza protege nuestros monumentos a veces, pues cuando hay abundancia de dinero los fieles, ignorantes en arte, destruyen las obras del pasado, que ellos no han hecho, para adornar la iglesia a la moda, con obras que les hacen visibles a ellos mismos su munificencia. Eso pasó con Tasco y Tlalpujahua. Los ricos de aquí destruyeron los estupendos retablos de talla dorada para modernizar el interior; si los vecinos de Tasco hubieran tenido bonanzas semejantes Santa Prisca no conservaría seguramente sus portentosos retablos. Si comparamos los monumentos por su estilo, las diferencias son mayores que las semejanzas. Lo que más se parece son las cúpulas, mas la de Tlalpujahua se me figura más antigua, más dentro del barroco del siglo XVII.

Ignoro hasta qué punto sea verídica la versión que nos trasmite don José Guadalupe Romero de que don José de la Borda inventó reconstruir la parroquia de Tlalpujahua pero que, como los veci-

129

nos le exigieran fianzas bastantes de que concluiría la obra él se disgustó y fue a Tasco a edificar Santa Prisca. Entonces los vecinos de Tlalpujahua hicieron su propio templo.

Desde luego ya hemos visto que la parroquia no data de una sola época. Además, Borda trabajó en Tlalpujahua con don Manuel Aldaco en 1743 y no pasó a Tasco sino en 1745 cuando había muerto su hermano don Francisco, cuyas minas heredó. Sobre todo la reedificación de Santa Prisca no tiene lugar sino después de 1748 en que obtuvo la fabulosa bonanza de la mina de San Ignacio, de modo que puede creerse que, para entonces, había olvidado Tlalpujahua y Zacualpan y todos los reales de minas a que su vida aventurera y audaz le había llevado.

Lo que resulta verdaderamente divertido es que los vecinos de Tlalpujahua conservan aún rencor a Borda, el rencor más longevo que pueda existir puesto que cuenta nada menos que trescientos años. Dejemos empero estas pequeñeces humanas para admirar la magnanimidad de los hombres. Si hemos entonado himnos en honor de Borda por su creación de Santa Prisca, entonémoslos ahora para loar a los insignes mineros de Tlalpujahua que nos dejaron esta iglesia admirable.

Si no abundan los datos de la Tlalpujahua colonial, durante la época de la Independencia el real de minas fue nutrido semillero de acciones heroicas. Caen ya fuera de nuestro dominio, pero no podemos olvidar que aquí se vieron coronados los amores de Quintana Roo y Leona Vicario, ni que fueron de Tlalpujahua los Rayones, puñado de aguiluchos heroicos, cuyo culto fomenta fervoroso el vecindario. Todavía se ve en la cúspide del "Cerro del Gallo", elevada meseta cubierta de un bosque de pinos que señorea la población, los restos de sus fortificaciones. Y vamos allá en pos de una sencilla festividad con que se conmemora su aniversario. El cerro está de fiesta: vendimias y paseantes salpican con manchas de color la verdura de las coníferas, en un bullicio saludable y juguetón. Mas el cielo no parece participar del contento: nubes oscuras se apiñan sobre nosotros, amenazadoras. Y cuando la alegría alcanza su apogeo una formidable granizada pone fin a la fiesta. Regresamos a "Dos Estrellas" y después a México, rebosantes de recuerdos gratos de Tlalpujahua.

34. La parroquia de Lagos de Moreno

EXISTEN poblaciones que, si no alcanzan el prestigio de los grandes centros turísticos como Tasco o Pátzcuaro, encierran aún monumentos de gran importancia, rincones típicos y un ambiente de paz provinciana que es maravilloso calmante para los nervios, excitados al paroxismo, de quien viene de la ciudad de México.

Tal acontece con Lagos de Moreno en el Estado de Jalisco. Quien desea un descanso absoluto, reconfortado por emociones de arte —sin las cuales no sería descanso, sino ocio estéril—, no tiene sino que venir a Lagos uno, dos, tres días o una semana, o una vida si el feliz lo puede. Mas esto debe ser luego porque, o mucho me engaño, o Lagos, que debió su existencia a un crucero de caminos, como hemos de ver, va a sufrir su desgracia, su aniquilamiento como lugar típico, su calma serena de provincia por seguir siendo ese mismo crucero de caminos. La pequeña diferencia consiste en que antes eran diligencias y recuas las que transitaban, después un vetusto ferrocarril y hoy ómnibus y camiones en multitud atropellada, ruidosa e incómoda, para actuantes y pacientes y, con lamentable inconsciencia, destructora del espíritu íntimo, pueblerino, tradicional de Lagos. El tráfago mercantil que llevará a la ciudad caudales de dinero, como todos los comerciantes esperan y desean, destruirá aquello que no se pueda adquirir con dinero: la tradición, el resto de la antigüedad, el sabor arcaico, es decir, Lagos. Con el tiempo está condenado a convertirse en un pequeño Irapuato.

Mas dejemos estas lamentaciones sempiternas, nosotros, viejos locos parece deseamos detener el curso del tiempo para que todo lo nuestro, lo que nos identifica y diferencia del resto del mundo se conserve íntegro, y refugiémonos en lo que aún, por gracia de Dios, nos queda: la historia imperecedera de Lagos y la descripción de lo que un Don Quijote del Arte Colonial encontró en Lagos en mayo de 1949.

La historia de Lagos es una historia de caminos. Fue fundada en el sitio en que se cruzaban dos arterias de capital importancia: la ruta minera de México a Zacatecas, Durango y Chihuahua con la ruta agrícola y comercial del Bajío y Nueva Galicia a Guadalajara.

El acta de fundación de Lagos, que afortunadamente conservamos, nos enseña que "En los llanos de los Zacatecas, que es en los chichimecas, cerca de unos lagos que en lengua de indios se llaman Pechititane en postrero día del mes de marzo de 1563 años, el muy magnífico señor Hernando Martel" (nuestro familiar y consuetudinario D.U.G.H. le llama Francisco, lo que, en fin de cuentas, no obsta), "Alcalde Mayor de los dichos llanos". (Esto sí es más grave pues no he sabido hasta ahora que ningunos llanos hayan podido ser erigidos en Alcaldía Mayor, pero copio a la letra la *Historia Particular del Estado de Jalisco* del distinguido historiógrafo don Luis Pérez Verdía que sigue transcribiéndonos, T. I. p. 231:) "y juez de comisión por su magestas y en presencia de mí el escribano y testigos de yuso (dice justo!) escritos; dijo: que él viene a poblar el pueblo que se llama Santa María de los Lagos como se manda por la comisión que los muy magníficos señores Oidores... del Nuevo Reino de Galicia... puso una cruz y trazó el dicho pueblo y le señaló sitio, iglesia y plaza y solares para casas y calles, y asimismo señaló un solar para casa de su Magestad, y otro solar o casa de Consejo de dicho pueblo, que se ha de llamar y mandó se llamase la villa de Santa María de los Lagos..."

Pero los lagos pudieron más que Santa María y así Lagos se quedó sólo Lagos hasta que vino a añadírsele el "de Moreno", que hoy ostenta, para honra merecida del caudillo insurgente Pedro Moreno, que allí tuvo su cuna.

Debemos olvidar todos estos enfadosos papelotes y lleguemos a Lagos: hay que descubrir a Lagos.

Población amplia, bien trazada con una plaza enorme y, señoreándola, un templo más enorme y erguido: merecía ser una catedral. Es la parroquia. Como si no fuesen bastante altas sus dos torres esbeltas, el edificio todo se levanta en una especie de pirámide indígena, circunscrita por amplias y 175 cómodas escalinatas.

Edificada en esta suave y rosa cantera del Bajío, nos ofrece la ternura de sus relieves y la audacia y armonía de sus líneas generales. Y me pregunto: ¿por qué no es conocido este templo que por su esfuerzo arquitectónico —no por su interior destrozado— puede competir sin desdoro con los mejores de México? Y no encuentro más respuesta sino que nuestra vida, nuestros monumentos, nuestras ciudades, están catalogados y nadie se mueve fuera de sus fichas históricas o artísticas.

Pero he aquí que sale el primero que llega y el último de los investigadores y deja su impresión acerca de Lagos y de su magnífica parroquia.

Ofrece ésta, planta de cruz latina, con los brazos del crucero inexplicablemente cortos dadas las proporciones y dimensiones del templo. Su decoración es tan profusa que difícilmente puede uno adivinar cuál es la auténtica y primitiva. Acaso sólo la que cubre las pechinas y el tambor de la cúpula 180 que es riquísima.

En inexplicable contraste, los altares del templo han sido rehechos en un lastimosamente pobre estilo neoclásico, con miserable material y pésimas esculturas. Sin saberlo, acaso, fueron destruidas magníficas obras de arte para sustituirlas con lo que la piedad ingenua, de acuerdo con la ignorancia artística de los señores sacerdotes, creía que era lo mejor. Las bóvedas del templo, así como las de la sacristía, ofrecen un curioso remedo de nervaduras ojivales, pero esto es general en toda la región.

La sacristía es de primer orden: ocupa todo el testero del templo con tres tramos de bóveda, dos portadas esculpidas en piedra, y excelentes capialzados.

Después de verlo todo salimos al ambiente de una calurosa tarde de mayo y dedicamos nuestros afanes al exterior otra vez. Porque no nos cansamos de admirarlo cada y cuando podemos. El ima- 178 fronte es de proporciones magníficas. Magníficas porque son realmente proporciones. Los basamentos de las torres, están encuadrados por robustos contrafuertes, a la altura debida con relación a la portada. Sigue un cuerpo que a la derecha ofrece una ornamentación de tres arquillos ciegos y a la izquierda es liso, así como la ventana inmediatamente inferior está murada, en contraste con la de la otra torre que se ve abierta —detalles de etapas constructivas sin duda—. Sobre este cuerpo ligero y elegantemente más alto, con moderación, de la imposta del remate de la portada, se levantan los tres cuerpos de las torres, esbeltas, finas, gráciles. Me recuerdan un poco en su estructura, no en su pesadez, las torres inconclusas de Pátzcuaro. Están organizados sus cuerpos a base de columnillas y pilastras. El sistema alcanzará mayor énfasis en las torres de la Basílica de San Juan de los Lagos.

Pero he aquí que estamos frente a la portada principal de la parroquia. Con cierta gracia se nos ofrece en forma de biombo ligeramente plegado, que cobija una especie de concha. Toda ella está concebida como retablo, para dar realce y prez a las esculturas. Mas ¡ay! muchas de éstas han volado al cielo, o caído al muladar, o a alguna colección de anticuario que tanto vale.

Destacándose de los basamentos de las torres aparecen dos, digamos contrafuertes, de sección trapecial, que ostentan en sus caras, paralelas al paramento, nichos, hoy vacíos, y, en las que se inclinan amorosas hacia la portada, suaves relieves que escoltan también nichos, éstos sí con sus imágenes. El criterio es churrigueresco indudablemente. Pero aquí, como en otros templos de la región —y casi se le podría catalogar en un nuevo churriguera, el del Bajío— lo que en otros lugares es pilastra estípite, se le aplana, se le diluye, se le convierte en una simple decoración.

Arco de medio punto, ventana sobre él, escultura y medallón arriba. Todo esculpido en esta delicia de cantera sonrosada.

Todavía encontramos tres portadas en el exterior que nos enseñan la riqueza, la munificencia, el desprendimiento con que fue construida esta parroquia de Lagos. Una recuerda la principal en sus *176* estípites aplanados; otra procura que su relieves sean más audaces y encontramos a una Virgencita erguida en su ménsula, cobijada por su nicho.

Otra se atreve un poco más y marca dos pilastras estípites audazmente.

La tercera parece un escudo: sobre una puertecita de arco conopial, flanqueada por dos columnas salomónicas de ascendencia popular, se levanta un gran relieve con monogramas que por su estilo nos hace pensar en una obra anterior que fue colocada aquí porque no existía otro lugar para ella. A los lados, inmediatamente, dos óculos mixtilíneos de bello trazo, completan la composición.

Hemos dado ya lo que conocemos de la historia de Lagos extraído de abultados y polvosos mamotretos. Mas he aquí que el propio monumento, la parroquia, nos entrega su historia.

Coronando las dos portadas magníficas de la sacristía aparecen, en medallones circulares, los retratos de los beneméritos creadores de la parroquia de Lagos. En uno se lee: "Retrato del Sr. Lic. Presbítero Don Diego José Cervantes, quien a sus expensas comenzó la obra material de esta parroquia. Falleció el 4 de julio de 1766." El otro nos enseña: "Retrato del Sr. Presbítero Don Juan José Aguilera a cuyo infatigable celo se debe la erección de esta parroquia. Falleció el 20 de enero de 1797." Tenemos pues, los nombres de los dos insignes varones que animaron este edificio: Don Diego de Cervantes comenzó la obra aportando los dineros necesarios. Muerto él, Don Juan José Aguilera continuó los trabajos hasta lograr su erección —término acaso equivocado por dedicación— ya que cuando murió, en 1796, el templo estaba, por lo menos en su parte fundamental, concluido.

Dos inscripciones de las portadas completan armoniosamente esta historia pétrea. En efecto en *179* una de las portadillas laterales se lee la fecha de 1743, que corresponde a la época de Cervantes, y en el umbral de la portada principal, acaso insólito, su dato: abril 24, 1777. Es decir, en tiempos de Aguilera. Acaso las torres, que era lo que siempre se dejaba para lo último, sean posteriores; esto es casi seguro y dejo su investigación al cuidado de nuevos curiosos de nuestro arte virreinal. ¿Qué objeto tendría una historia completa? Sería verdaderamente injusto agotar todos nuestros problemas para los investigadores del futuro.

¡Lagos, Lagos! He saciado ya mis ansias de conocer tu parroquia. Mi fatiga me lleva a recorrer calles, buscar rincones, aspirar tu propio espíritu.

Y pude realizar todo eso y encontré casas que van desde el siglo XVI, una saliente, sobre un portal, hasta ricas mansiones del siglo XVIII y algunas graciosas del XIX. En una de éstas me cautivó una cancela de madera que parece simbolizar en sí misma todo el Romanticismo. Vi las otras iglesias: el Santuario, con dos torrecillas pretenciosas; otra, cuyo nombre he olvidado; la iglesia y despojos del convento de capuchinas, aquélla interesante, de una nave con dos portadas; éstos lamentablemente destruidos. Lo valioso en este templo son las decoraciones de sus muros externos. No sabría cómo calificarlos: acaso esgrafiados en argamasa. Pero son interesantísimos y únicos que yo sepa: parecen damascos murales.

Mas ya la tarde pardeaba: era necesario buscar un lugar de reposo, antes de ir a la malhadada venta en que difícilmente había encontrado hospedaje. Caminando por estas serenas calles de Lagos llegué a una explanada que sombreaban copudos árboles. Y, ¡oh asombro! allí se levantaba otra iglesia: el templo de la Merced. Pero ¡qué desengaño! ¡Lo estaban renovando en todo! Hastiado de la ignorancia de los hombres que se dicen cultos, puesto que también se dicen ministros de Dios, me volví a la obra de los otros, los ignorantes, los palurdos. Y allí encontré el rincón maravilloso de Lagos: abajo de la explanada que está frente al templo, se extiende una plazuela limitada por una casa antiquísima, de claros irregulares y balcones con antepecho de mampostería, al modo poblano. Un jumento esperaba paciente su carga.

No sé cuáles asociaciones de ideas o reminiscencias literarias me llevaron a pensar que así debe haber sido el Toboso y así he titulado mi fotografía, en el plan quijotesco del viaje. He aquí pues, Don Quijote del Arte Colonial que te encuentras en el Toboso. Pero Sancho anda en Europa; no olvides los consejos que te dio y recuerda que tu verdadera y única Dulcinea está pensando en ti en una casita de México. Ve a tu venta, duerme si puedes, soñando en tu Dulcinea y en Lagos, y apresta el rocín —la maleta— para que continúes en esta otra, inesperada salida. Por lo menos, llevas ya a Lagos en tus alforjas espirituales.

35. El Santuario de Tepalcingo una joya de arte desconocida

LA RIQUEZA artística de México es tan copiosa que todavía, a pesar de lo mucho que se ha trabajado, se siguen descubriendo nuevos tesoros. Uno de los monumentos recientemente estudiados, y que era poco menos que desconocido, es el Santuario de Tepalcingo en el Estado de Morelos.

Tepalcingo es un pueblo muy pintoresco, de una temperatura cálida, un poco más elevada que la de Cuernavaca, pero agradable.

El santuario tiene la advocación del Señor de las Tres Caídas y en la actualidad ha sido convertido en parroquia, despojando de esa categoría a la antigua parroquia de San Martín que todavía existe en el lugar. Dista éste 134 kilómetros de México, por la carretera que conduce a Oaxaca y el viaje se realiza cómodamente desde la capital en dos horas.

Una visita a Tepalcingo es de enorme interés porque no es simplemente un nuevo monumento el que estudiamos, sino una de las creaciones más extraordinarias que haya producido el barroco en Nueva España. A la llegada vemos desde luego un inmenso atrio, sombreado en parte por un gran árbol de ceiba que produce una penumbra que oscurece un tanto el imafronte del templo; pero una vez que hemos contemplado éste, se despiertan en nosotros las más extrañas sensaciones de asombro, rayano en estupefacción: nos encontramos frente a una fachada totalmente cubierta de relieves, con *181* un criterio arquitectónico diverso en absoluto de todo lo que conocemos. El exotismo que presenta toda obra barroca, aquí se ve exaltado por un fervor a la vez religioso que ingenuo. Es una muchedumbre de figuras desde Adán y Eva hasta el Martirio del Gólgota, con todos los personajes bíblicos que intervinieron en ese drama divino, bien con su presencia, bien con su espíritu.

Estamos acostumbrados en el barroco mexicano a encontrar este mundo de figuras en los interiores de los templos, recuérdese sin ir más lejos la Capilla del Rosario de Puebla y el templo de Santa María Tonantzintla. En España los enormes retablos góticos con series de figuras armoniosamente dispuestas como páginas de un libro eterno que enseñan a los fieles la Sagrada Escritura. Pero eso en un exterior, trabajado en argamasa por manos indígenas que copiaban quien sabe qué dibujos o grabados, es algo verdaderamente insólito. Así como Ruskin nos habla de la *Biblia de Amiens*, *184* así podríamos referirnos a un gran capítulo de la Biblia esculpido en esta fachada.

La enorme ceiba del atrio impide captar una fotografía del conjunto; sólo detalles podemos ofrecer, contentándonos con una descripción que no pretende agotar la iconografía del imafronte sino marcar únicamente sus líneas generales y las figuras más representativas. Los basamentos de las torres encuadran la fachada que no presenta una superficie uniforme sino que se quiebra como biombo, dando a la planta un aspecto de trapecio, cuyo fondo es mucho mayor que los lados. Se constituyen así dos cuerpos y un remate separados por cornisas que siguen las entrantes y salientes de la estructura. El primer cuerpo está limitado por dos enormes columnas adosadas que no pertenecen a ningún orden; su frente es más bien abalaustrado pero está cubierto de ornatos vegetales, de símbolos y una figura de Evangelista parece sostener el capitel. El arco de la puerta es de medio punto y des- *183* cansa sobre pilastras en cuyas impostas se encuentran reposando cómodamente las figuras de Adán *185* y Eva. La rosca del arco presenta una danza de querubines y la clave es una especie de escudo con *186*

135

el Divino Rostro, cuyo lambrequín es sostenido por ángeles de cuerpo entero que ocupan totalmente las enjutas. La puerta está flanqueada por otras dos columnas con sus Evangelistas respectivos, no menos fabulosas, y en espacio oblicuo del primer cuerpo, abajo, San Pedro de un lado y San Pablo del otro y arriba figuras de santos en encasamentos con arquillos de medio punto. Los símbolos de la Pasión se acomodan donde pueden: los clavos en la clave, naturalmente; la escalera y la caña con la esponja junto al ángulo de la fachada, y así todo.

El primer cuerpo está separado del superior por un entablamento cuyo arquitrabe, lo mismo que la cornisa, es en extremo angosto, en tanto que en el friso, muy ancho, se ven alineados los apóstoles con Cristo que sostiene la Hostia en el centro.

El segundo cuerpo descansa en un ático formado por esbeltas pilastrillas entre las que se ven unas a modo de celosías caladas que recuerdan los atauriques moros. En las partes angulares, águilas bicéfalas en claro anacronismo. Sobre el ático se derrama la fantasía aún más caprichosa: a los lados de la ventana rectangular con capialzado en fragmento de concha, dos soportes, que no columnas, parecen imitar dos serpientes enroscadas una en otra, con capiteles aislados cada una. En las caras oblicuas las estatuas de Cristo coronado de espinas, y atado a la columna, en nichos un poco más profundos que los de abajo.

El remate se apoya en una complicada cornisa que sigue las tortuosidades del perfil que forman entrantes y salientes, y se ve limitado por un moldurón que arranca de las extremidades como frontón roto, sube después y forma ángulo en curva para cobijar otras dos figuras y termina adoptando una forma de elipse. En el espacio plano se alza el Calvario: Cristo Crucificado, la Virgen y San *182* Juan y, en los extremos, los dos ladrones. Cada figura sobre su peana, como en un altar. Arriba el Padre Eterno, de medio cuerpo, preside el Juicio Final. El reloj que marca los instantes de nuestra vida y la eternidad de esta obra es moderno; afortunadamente casi no se le distingue.

La obra data, seguramente, del siglo XVIII y en el interior hay un cuadro relativo a la construcción del templo, por el cual nos enteramos que la Cofradía que le dio origen fue fundada el 5 de marzo de 1681; probablemente se construyó entonces un modesto templo. El actual monumento fue comenzado el 26 de febrero de 1759 y concluido el 22 de febrero de 1782. La gran fachada debe datar de una fecha cercana a esta última.

Como ha podido notarse por la descripción, no es posible clasificar en ningún compartimiento de nuestro casillero barroco el estilo de esta obra. Es exótica en grado superlativo; a veces se antoja un imposible reflejo del arte hindú; otras recordamos los interiores moriscos, pero éstos resultan demasiado eurítmicos junto a esta creación. Debemos ver en ella la obra de una fe exaltada, como decíamos, que supo trasmitir a las manos indígenas que la tallaron, cierto paroxismo rayano en locura.

Cuando hemos estudiado a nuestro sabor la magnífica fachada barroca penetramos al templo para conocer su interior. Presenta el Santuario una planta de cruz latina de proporciones airosas; grandes arcos de descarga flanquean los muros en el interior, y albergan pinturas al óleo en telas que han perdido sus bastidores y se ven así, adheridas al muro. Alguna de ellas está fechada en 1794. Son de tonos sombríos y representan escenas de la Pasión. En los brazos del crucero se ven retablos pintados en el muro, imitando sus tallas barrocas. La cúpula es octogonal, por paños, sin tambor, con lucarnas que se abren ricamente adornadas en el interior.

El altar mayor es del siglo XIX, con ciprés bastante esbelto y todo él de unas buenas proporciones que apaciguan el ánimo, que nos vuelven la tranquilidad y suavizan la tensión de nuestros nervios, aliviándonos del choque terrible que antes hemos sufrido, del desquiciamiento que en nuestro espíritu ha casuado la contemplación de la fachada del santuario.

Tepalcingo, 9 de octubre de 1952.

36. La Capilla del Rosario en Puebla

Ningún placer mayor puede encontrarse en Puebla, cuando se dispone de algunos días para estudiar la ciudad, que acudir, a eso de las tres de la tarde, a visitar, una vez más, la famosa Capilla del Rosario. Sus contemporáneos la llamaron la octava maravilla: para nosotros, empapados en el arte del México Colonial, es la primera maravilla. Primera por su arte, primera por representar una época del espíritu de México, primera porque podríamos presentarla como campeona en un concurso imaginario en que figuraran todas las obras de arte religiosas del mundo.

El sol poniente penetra acariciador por las ventanas de la cúpula. Las santas mártires resucitan en un momento de vida. Allí están, ofreciendo sus ojos, sus senos, su amor. Perecieron heroicas por su Dios. Y su Dios nos las devuelve intactas, en un último rapto de vida, gracias al arte.

La pequeña Capilla del Rosario, anexa al templo de Santo Domingo, fue construida de 1650 a 1690 por los empeños de algunos religiosos dominicos. Su dedicación tuvo lugar en abril de 1690 del 16 al 24, en memoria de haber sido fundada en la primera fecha la Puebla de los Ángeles.

Como entramos en la gran iglesia dominicana, al extremo del brazo del Evangelio de su crucero, se abre una suntuosa portada. Es de cantería, de estilo sobrio y ha sido dorada. Una reja de hierro impide a veces el ingreso. Si logramos penetrar, nuestra imaginación se confunde. ¡Es una gruta *187* de milagro, es una concreción de imaginaciones dementes, es algo que escapa a nuestra pobre razón!

Pero no. Una vez que hemos recibido esa impresión avasalladora, comenzamos a mirar, a la vez que admirar, y nuestras observaciones van ajustándose a la razón y a la crítica.

Se trata de un pequeño templo con planta en forma de cruz latina, es decir que los brazos de esa cruz son menores que el vástago. La nave está compuesta por tres tramos con bóvedas de cañón, o sea semicilíndricas que ofrecen penetraciones, llamadas lunetos, en sus costados para que puedan allí abrirse ventanas.

Todo el interior de las bóvedas está cubierto de ornatos en yeso, dorados y policromados, y al *188* centro de cada bóveda correspondiente a un tramo, se ven las figuras en relieve de las Virtudes Teologales: Fe, Esperanza y Caridad. En dos muros de la nave se admiran grandes cuadros del pintor poblano José Rodríguez de Carnero, en lujosísimos marcos. Representan escenas del nacimiento de Cristo que llaman los misterios gozosos del rosario. Se ven ahora demasiado ennegrecidos por el tiempo.

La gloria, el placer de la capilla, está en su crucero. Es de brazos cortos; el del fondo, el ábside, más profundo. Cuando levantamos los ojos para mirar esa cúpula cubierta totalmente con relieves policromados y dorados, de santas mártires, de ornatos, de aves, de ángeles, de todo lo que se le ocurría al artista, nuestro estupor llega a lo sumo. ¿Por qué esta minucia y por qué este lujo? No podemos entender que se edificaran iglesias como ésta, ahora que las iglesias presentan diverso aspecto, sobre todo de pobreza.

La razón se encuentra en que esta capilla fue construida en una época que abarcó la segunda mitad del siglo xvii en la cual imperaba el estilo artístico llamado Barroco. Se buscaba lo complicado, *189* lo lleno de ornatos, lo que sugería ideas y emociones rebuscadas. La causa de eso consistía en que la sociedad vivía en una era de riqueza, de lujo y de boato. La vida y el arte eran complicados. Los poetas escribían en forma especial buscando los más difíciles símbolos. Los predicadores hablaban en un lenguaje que sólo ellos y algún iniciado entendían. Expresión plástica de esa época y sincera, puesto que todo en la vida estaba teñido del mismo color, fue el arte llamado *barroco*. Expresa la fe complicada y encarna el espíritu de la época, como ningún otro, en el arte de Nueva España.

Ofrece, además, técnica excelente y, por lo tanto es trabajo de arte de primer orden. Además, fuera de las razones sociales expuestas, la Capilla del Rosario de Puebla ha sido considerada como una obra maestra del arte barroco del mundo.

Para sentirla y amarla es necesario poseer los sentimientos y creencias de quienes supieron crearla. Dejaron allí, en su nave el tránsito para la Gloria y en el crucero y la cúpula la representación más perfecta de la propia Gloria. El visitante culto admira y se sorprende de tanto ornato y de tanta suntuosidad. Si es un iniciado en el arte de España y de América comprenderá el mérito único de estos tallados.

Para sentirlos, para que la emoción sublime del arte nuble nuestros ojos con lágrimas al contemplar tanta maravilla, es necesario que el corazón y los sentidos vibren al unísono con los artífices que supieron crear esta obra. Hombres conscientes trabajaban para su arte. Y su arte estaba dedicado a Dios.

Febrero de 1948.

37. Visión de Morelia

Un misterio rodea la fundación de la ciudad de Morelia, como la de tantas otras poblaciones coloniales: no se sabe a punto fijo la fecha en que don Antonio de Mendoza, el virrey cazador, descubrió el sitio en que propuso a Carlos V la fundación de la antigua Valladolid. Como Puebla, como Querétaro, la ciudad parece querer guardar un secreto relacionado con su origen, como para hacer más incitante su impresión en el viajero que desea poseerla. Se ha dicho que las fechas de las reales cédulas relativas a la fundación de Valladolid están alteradas y que el virrey no estuvo en Guayangareo sino en 1540; pero ¿cómo había de proponer en 1537 la fundación de la ciudad dando toda clase de detalles acerca de un sitio que sólo tres años después había de conocer? Más que modificar la fecha de las cédulas hay que aceptar la idea de que el virrey, a quien gustaba en extremo viajar, pudo haber estado antes en el fértil país de los tarascos.

Sea como fuere, lo que sabemos de cierto es que el 18 de mayo de 1541 los comisionados del virrey tomaron posesión del sitio y que, un poco más tarde el alarife Juan Ponce hizo la traza de la ciudad. Juan Ponce parece haber sido hombre de las confianzas de don Antonio de Mendoza, pues a mediados del siglo XVI cuidaba, por comisión suya, de la traza de la ciudad de México que levantara a raíz de la conquista Alonso García Bravo.

La primera impresión que causa Morelia en el visitante es la de una grandeza inusitada. Todo ha sido hecho en proporciones señoriales, todo ha sido edificado con una bella cantera gris que da a la ciudad el aspecto de una población de Castilla la Vieja. Monumentos eternos los suyos, hechos para resistir el desgaste callado de los siglos y salir triunfadores de la prueba. Para quien conoce Oaxaca, el contraste entre ambas poblaciones es muy vigoroso: Oaxaca, toda temerosa de terremotos, parece adherirse al suelo con garra formidable y no levantar sus muros más allá de donde la prudencia medrosa lo permite. Morelia, edificada sobre una suave colina, cuyas entrañas de roca resisten vigorosamente, parece tender a elevarse en un anhelo de ágil espiritualidad. Sus columnas son ligeras; los arcos de sus galerías nos recuerdan por su gracia y esbeltez, los patios italianos del Renacimiento. La piedra parece haber olvidado su pesantez y trata de elevarse por encima de la tierra. Por eso las torres de sus iglesias buscan las alturas; por eso las fachadas de sus templos conventuales se elevan a manera de piñón en una forma característica y peculiar de Morelia; por eso la catedral, situada en la parte más alta de la colina, erige los dos centinelas de sus torres barrocas, cuyos defectos no pueden vencer su afán de ligereza y esbeltez que nos recuerda levemente las torres de la catedral compostelana en España.

Morelia conserva bastante puro su carácter de población virreinal. El afán modernizador no ha herido sus viejos muros sino en partes; tiempo es de que sus hijos y sus gobernantes se den cuenta de que, si aceptan sin medida el impulso del mal llamado progreso, descastarán su ciudad para convertirla en una población sin carácter, en que los monumentos parecen arrinconados como en la bodega de un museo, pero donde se ha perdido todo el ambiente castizo y personal, como pasa en Puebla, en Orizaba, y en tantos otros lugares de nuestro México. Bien está el progreso, bien las construcciones modernas, afines de nuestra época, pero en su sitio, sin destruir lo que existe; el verdadero progreso no puede ignorar el valor del pasado ni menos dejar de aprovecharlo; cuando tal hace, sólo es ignorancia disfrazada.

En la sacristía de la iglesia llamada de las Monjas se conserva un cuadro mural que representa el
190 traslado de la comunidad de su antiguo convento a éste, posteriormente edificado. El cambio se
verificó el día 3 de mayo de 1738, en la tarde, y el cuadro parece evocarnos toda la Valladolid colonial con su nobleza, sus mujeres, sus religiosos y sus indios. Las monjas caminan a pie con paso
marcial, los rostros descubiertos, y van en parejas escoltadas por dos sacerdotes. Un grupo de indios
flecheros, acaso supervivientes chichimecas, aparece en primer término. A la derecha, figuras de gi-
gantones y, delante de ellos, las trompetas y los tamboriles de una orquesta cuyos músicos están
191 vestidos de rojo. Las demás comunidades religiosas de la ciudad esperan a las monjas cerca de su
nuevo convento, con el patrón de cada una llevado en andas y, al final de la procesión, el Ayuntamiento lleva el palio donde va la custodia, los caballeros suntuosamente ataviados, y los maceros con
sus mazas de plata.

Las damas presencian el traslado desde los balcones donde han colgado ricas tapicerías que exi-
ben el lujo de sus poseedores. Ellas aparecen con extraña indumentaria pues todas, hasta las más
encumbradas, se ven cubiertas con un rebozo y sobre sus faldas abultadas cuelga un delantal. Así,
para este acontecimiento que debe haber sido célebre en los fastos de la ciudad, toda ella toma parte
en la fiesta, unos como espectadores y otros como actores en el regocijo.

Nada mejor que recorrer la población siguiendo el itinerario mismo de este desfile, para darnos
cuenta de cómo estaba en aquella época Valladolid, la noble y antigua capital del reino de Michoacán.

El templo que más tarde se llamó de la Rosas, de donde salían las monjas, no es el mismo que
actualmente se ve. Su convento había sido construido de 1640 a 1648 y se encontraba casi en las
afueras de la ciudad, pues al vender el terreno para el actual colegio de las Rosas, la insalubridad
del sitio originó que se rebajase el precio. El actual templo de las Rosas es más bello que el mismo
192 de las Monjas: su fachada nos muestra una portada doble en que cada puerta está coronada por un
muro prolongado hacia arriba, característico de los templos morelianos, como ya se ha dicho. Estos
193 piñones están cubiertos por bellos ornatos en relieve y en el ático de las puertas se ven figuras de
194 santos esculpidos en media talla. Entre las dos portadas se lee una inscripción que nos enseña que
el templo fue dedicado el año de 1757; había sido construido antes: de 1746 a 1756, fue destinado
para colegio de Santa Rosa por el obispo Mateos Coronado, y la construcción actual hecha por el
obispo Elizacoechea. La hermosa galería lateral, levantada para divertimiento de las colegialas, es
196 típica de esta ciudad.

Caminando por la calle que sale del frente de su templo, recorrieron las monjas la fachada del
201 colegio de la Compañía de Jesús. Grande y solemne es esta fachada, toda construida de piedra sillar, coronada de jarrones que forman almenas y que en sus curvas denotan cierta influencia oriental; la portada es sobria, como corresponde a un colegio de severidad monástica; así es su claustro
también, de elegantes arcadas de medio punto en su planta baja y con los arcos altos cerrados por
muros en que se abren ventanas, lo que contribuye a darle mayor austeridad. En la esquina del
edificio se levanta una esbelta torrecilla; lleva la fecha de 1582, pero fue, sin duda, puesta allí para
recordar el principio de los trabajos educacionales de los jesuitas en Valladolid, puesto que el actual
monumento data del siglo XVII y la misma torrecilla es característica de esa centuria: la primera piedra del edificio fue puesta en 1660 y toda la estructura nos revela el estilo barroco, pero lleno de
severidad como convenía al destino del edificio. El templo forma el límite del monumento; su fachada se prolonga en un coronamiento rematado en piñón y los adornos que lo cubren entrelázanse en
forma caprichosa y entre sus curvas se distinguen dos sirenas estilizadas, cuyas cabezas nos recuerdan a los indios tarascos que figuran en los códices michoacanos.

Al llegar a esta esquina el cortejo dio vuelta a la izquierda para seguir por la antigua calle real
de Valladolid, llamada más tarde Nacional y hoy Avenida Madero. La esquina que doblaba está
formada por el Colegio de San Nicolás de Hidalgo, así llamado en honra del padre de la Patria, que

fue su rector. Su fachada moderna nada nos dice de la vieja tradición del colegio que fundara en Pátzcuaro don Vasco de Quiroga, el benemérito apóstol de Michoacán, y fuera trasladado a Valladolid en 1580. Sólo el patio, de sorprendente gracia italiana, nos conmueve. La estatua de Hidalgo armoniza bien en su centro.

Pero el cortejo seguía, imperturbable, su marcha; dejaba a sus espaldas, a dos calles, el templo y convento de la Merced, fundado a principios del siglo XVII y que para este año parece todavía se encontraba en construcción. Su templo nos muestra una fachada formada de gruesos pilastrones pesados, como de un retablo churrigueresco que hubiese salido a alinearse delante de la puerta; pero el cortejo no paró mientes en ella, continuó por su ruta. A la calle siguiente estaba la plaza principal de Valladolid, rodeada de portales por tres de sus costados y con la gran catedral en el centro, que la divide en dos. Sobre los portales, las casas primitivas, todas de piedra, con balcones estrechos y algunas descansando sobre troncos de árbol en vez de arcos de mampostería: así debieron de ver la plaza. Muchas y nobles casas subsisten en Morelia; nadie debe dejar de conocer la que ocupa el Museo Michoacano, gran mansión; la que albergara la antigua cárcel de hombres, con hermosa portada; la que fuera de Morelos, el héroe máximo de nuestra historia, de cuyo nacimiento se enorgullece la vieja Valladolid hasta cambiar su nombre por el de Morelia en un acto de suprema justicia.

La Catedral no estaba concluida: faltábanle sus portadas y sus torres; la del lado poniente lleva la fecha de 1742 en su primer cuerpo, arriba de la base, de manera que cuando las monjas cruzaron, apenas se había iniciado la reanudación de la fábrica. No vieron la locura, poseída de vértigo, del *199* arquitecto que lanzó hacia lo alto el desafío de sus torres.

Atravesando la plaza, una calle más hacia el sur, el convento de San Agustín pugnaba por contemplar el cortejo, viejo edificio cuyo instituto fue fundado hacia 1550, su templo parece datar de fines del siglo XVI o principios del XVII y recuerda, en la disposición de su fachada, las de tantos otros templos agustinos repartidos en diversas zonas del país. Sólo es diversa la torre, que, en este afán de sobrepujar las alturas, se alza en un ángulo y es ya de pleno siglo XVII. El claustro, bella pieza arquitectónica, ostentaba aún en su centro la maravillosa fuente que hoy vemos abandonada enmedio del patio de una sórdida casa de viviendas.

Enfrente de la catedral estaba el magnífico edificio del Seminario, hoy Palacio de Gobierno del *200* Estado de Michoacán. Verdadera construcción palaciega erigida para formar sacerdotes, con sus hermosos garitones en los ángulos rematados de una manera chinesca, con su aspecto de grandiosidad y su hermosísimo patio rodeado de arcos. Sin embargo, las pobres monjas no pudieron contemplarlo a su guisa: aunque la primera piedra del edificio había sido puesta en 1732, la fábrica se interrumpió al poco tiempo y los trabajos no fueron reanudados sino de 1760 a 1770 en que fue concluido.

Siguiendo la calle que limita este palacio, se llega al magnífico convento del Carmen situado frente a una plaza que lleva su mismo nombre. El Carmen presenta construcciones de diversas épocas, pero en la portada lateral del templo se lee la fecha de 1619 que debe corresponder al conjunto de la iglesia. El claustro recuerda, por la esbeltez de sus arcos, los viejos claustros agustinianos; es solo, bajo y la ligereza de sus pilastras nos indica que también pertenece al siglo XVII. Bellas obras de arte quedan aún en este convento: algunos cuadros de Luis Juárez y la sacristía decorada con pintura popular que se abre tras una puerta delicadamente esculpida.

Entretanto el cortejo llegaba frente a la pequeña, iglesia de la Cruz que algunos dicen fue la primera catedral de Valladolid: quizá en aquel tiempo presentaba algún interés; en la actualidad carece en absoluto de significación, pero tomando por la calle que sale hacia el sur, se llega después de caminar un tramo, a la plaza de San Francisco, convertida en la actualidad en mercado que señorea la vieja iglesia franciscana. La fachada del templo nos sorprende por su semejanza con la de San Agustín; es quizá el único templo franciscano que se ha inspirado en esa forma para construir su portada. Mas si vemos en la parte alta la fecha de 1610 que lleva, nos explicaremos que haya podido imitar a la de su colega agustiniano. Su torre no fue concluida; la capilla del Tercer Orden ha desaparecido y sólo queda una portadita que pudo haber sido de su sacristía. El viejo convento, visto por su costado, nos presenta el aspecto de un palacio medioeval cuyos gruesos muros apenas perforan las minúsculas puertas y las diminutas ventanas.

202 Si no fuera descaminarnos mucho de la ruta que sigue nuestra procesión, os llevaría más al sur a visitar el templo Capuchino, único que resta del viejo convento. La iglesia, terminada en 1737, es típicamente moreliana: con su gran remate apiñonado prolongado hacia arriba y cubierto de ornatos en relieve, y con su torre parienta de las de la catedral y cuya demencia de altura raya en desproporción.

Paralelamente a San Francisco, camino hacia el norte, está el magnífico templo de San José en uno de cuyos ángulos tenemos una hermosa perspectiva arquitectónica. Este monumento, según afirman los historiadores, fue construido en 1760, de manera que sólo vieron el pobre edificio anterior: la capilla levantada en 1736.

197 Pero mientras hemos ido a San José las monjas han llegado a su nuevo convento que ya para entonces estaba completamente terminado. La estructura de su iglesia es la característica de los templos conventuales de Valladolid, sus fachadas y sus puertas son dos, y con la misma disposición que en las Rosas, su cúpula esbelta, su torre como todas las morelianas parece elevar un dardo agudo en el cielo; además, está llena de remates que parecen arponcillos y rompen la silueta del chapitel que la termina. Anexo estaba el nuevo convento preparado para recibir a sus angélicas habitantes. Allí se efectuaron suntuosas ceremonias y después las monjas penetraron despidiéndose del mundo, de la Valladolid que acababan de ver como una visión de sueño, para enterrarse por luengos años en la clausura severa de su regla.

Si nosotros continuamos por esta calle, la principal de Morelia, llegamos a una bella plaza formada por un acueducto que la bordea en forma caprichosa: es el viejo acueducto que surtía de agua
204 a Valladolid, y cuya construcción se debe al famoso obispo fray Antonio de San Miguel, que dio principio a la obra hacia 1785, para terminarla cuatro años después. Sus arcos robustos recuerdan los viejos arcaduces romanos y la perspectiva que se pone en esta parte de la ciudad es de una belleza inconfundible. Atravesando el arco principal del acueducto se encuentra una calzada formada
203 de piedra; es la calzada de Guadalupe que termina en el santuario así designado, y en el convento de San Diego. Al sur se extiende el anchuroso y feliz bosque de San Pedro, adonde los habitantes de esta noble ciudad acuden frecuentemente en pos de reposo, salud y solaz.

Morelia, noviembre de 1936.

38. Yuririapúndaro

YURIRIAPÚNDARO —¡qué bella palabra del idioma michoacano mal llamado tarasco!— Significa *Laguna de Sangre* y en la población designada así, que pertenece hoy al Estado de Guanajuato, se levanta un monumento extraordinario: el antiguo monasterio de los frailes de San Agustín. En este año de 1950 se cumplen cabales los cuatro siglos de su fundación. Debióse ésta, así como la obra que tardó nueve años, a aquel hombre excelso por su actividad y energía: fray Diego de Chávez. La provincia agustiniana de San Nicolás de Tolentino, en Michoacán, le es deudora de sus mejores preseas: entre ellas, junto al convento de Cuitzeo, el de Yuriria es una joya.

Cuéntanos el cronista fray Matías de Escobar en su ingenua si que alrevesada *América Tebaida,* que el arquitecto se llamaba Pedro del Toro el cual, orgulloso de tal obra, quiso legar en ella a la posteridad su *vera efigie,* así como la de su consorte y para ello esculpió sus retratos en la portería del convento. Me figuro que deben haber sido medallones con bustos, que tanta boga tuvieron en la época del arte llamado plateresco al que pertenece de fijo este monumento. ¡Pobre artista! No se imaginaba que a la primera reforma, él y su mujer irían a parar al auténtico basurero. Así fue: hoy, aun cuando el monumento ofrece características de gran antigüedad, inconfundible olor a siglo XVI, por ningún lado aparecen esos retratos.

¡Qué convento el de Yuriria! Para nosotros, apasionados del arte colonial que no lo conocíamos, era una obsesión. Al fin llegamos a él, después de peregrinar por Querétaro, Salvatierra, Tarimoro y quién sabe cuántos pueblos más. Los peregrinos del arte colonial éramos Alfonso Caso, que no había sido aún contaminado por la *Espiroqueta Arqueológica,* Agustín Loera y Chávez y yo. Polín se nos agregó como apéndice. ¡Y pensar que hoy en un solo día se puede visitar Yuriria y volver a la ciudad de México! (Claro, con un buen coche y madrugando.)

Cuando contemplamos por primera vez el convento de Yuriria, a la distancia, nos asombra la fortaleza de su construcción: es un verdadero castillo inexpugnable con una torre (¿torre? no, torreón), que ha resistido incólume el embate de los siglos y el más feroz, el de los hombres. Mas, cuando nos acercamos, los ornatos de sus portadas, platerescos, renacentistas, nos provocan una leve sonrisa: una emoción de arte que viene a dulcificar la férrea impresión del conjunto. Es que este convento reúne, como ninguno, las características de las construcciones de la época: la espada y la cruz; la fuerza y el arte.

La sabia política de don Antonio de Mendoza, primer virrey de Nueva España, organizó la construcción de los monasterios de las tres órdenes misioneras. Pero en su plan la iglesia, el santuario, debía presentar caracteres de fortaleza para defensa del pueblo y para defensa de España. Y el convento de Yuriria sirvió para defensa del pueblo muchas veces: los feroces chichimecas asaltaban de pronto. Entonces todos los habitantes de la población se refugiaban en el convento.

Visitémoslo ahora, sin peligro de chichimecas. Sus portadas son suntuosísimas; la principal recuerda *205* su indubitable parentesco con la del convento de Acolman, obra prócer debida sin duda a artífices *206* europeos. El artista de Yuriria copia al de Acolman pero agrega detalles pintorescos, populares. Su- *207* pongo que era un indio que buscaba mayor lujo u ostentación en su obra. El plateresco de Yuriria puede ser clasificado, seguramente, como un plateresco popular.

Penetramos al monasterio y nos encontramos con un claustro de bóvedas ojivales y soportes, machones, que presentan al exterior ángulos como de proa de navío.

208

La iglesia es también extraordinaria, ofrece un gran crucero, con bóvedas góticas y otras ornadas de casetones.

Una visita a este gran monumento, con ojos que quieran ver y corazón que quiera sentir, equivale a un millón de vitaminas.

39. La primitiva Catedral de Michoacán

Todos los escritores que se han ocupado en la historia de Michoacán, se muestran de acuerdo en sostener que una vez que don Vasco de Quiroga, Oidor de la segunda Audiencia de Nueva España, fue designado obispo de ese reino, se trasladó a su diócesis y tomó posesión de su iglesia, en la ciudad de Tzintzuntzan, que era la cabecera del señorío indígena antes de la Conquista.

En lo que no concuerdan las opiniones es en el punto relativo al tiempo que ocupó dicha población antes de trasladar su iglesia a Pátzcuaro, por los inconvenientes que en Tzintzuntzan había encontrado. Unos afirman que duró varios años; que trató de hacer un edificio adecuado para la nueva iglesia, en tanto que otros dicen que solamente pasó un año en Tzintzuntzan, donde pretendió construir su templo y que después pasó a Pátzcuaro.

No con el fin de hacer crítica destructiva negando empíricamente las aseveraciones aceptadas hasta hoy sin discusión ninguna, sino con objeto de poner en claro este punto tan importante para la historia de nuestra cultura y de nuestras artes plásticas, voy a tratar de dilucidar el asunto, recurriendo a los documentos más arcaicos y por ende más dignos de crédito.

Entre los datos más antiguos que podemos tener en cuenta, hay que considerar la *Relación de Pátzcuaro,* que forma parte del conjunto de descripciones geográficas que ordenó hacer Felipe II, y fue hecha en la ciudad de Pátzcuaro, el día 8 de abril de 1581, 40 años después de la fundación de la ciudad.[1] En el punto conducente a nuestra historia dice: "Fue fundador de esta dicha ciudad D. Vasco de Quiroga, primer Obispo de esta Provincia que antes fue Oidor de la Real Audiencia de México... trasladóse la silla catedral a esta dicha ciudad que la de Cinzonza, donde estuvo primero pocos años por causa de la ruin comodidad del sitio." En la *Historia del Colegio de la Compañía de Jesús de Pátzcuaro,* que escribió el padre Francisco Ramírez, hacia el año de 1600, afirma rotundamente: "Cuando el santo Don Vasco de Quiroga trasladó la Catedral de Tzintzuntzan a esta ciudad, en el año de 1538..."[2] Fray Alonso de la Rea, en su *Crónica de San Francisco de la Provincia de Michoacán,* publicada en México en 1643, no da opinión al respecto. Juan Díez de la Calle, en su *Memorial,* dice: "Obispado y Obispos que ha tenido (Michoacán).— Erigióse en 3 de agosto del año de 1536 con la advocación de San Francisco, siendo Pontífice Romano la Santidad de Paulo Tercero en el lugar de Zinzonza, en donde estuvo hasta el año de 1544 que la pasó a la ciudad de Páscaro, ocho leguas de Valladolid, el Ilustrísimo señor don Vasco de Quiroga su segundo prelado."[3]

El padre Basalenque, en su *Crónica de la Provincia de San Nicolás de Tolentino de Michoacán,* se produce en los términos siguientes: "El año de 1537 vino por primer Obispo de esta Provincia el señor D. Vasco de Quiroga, que era oidor de México, y tal Juez que el señor Emperador Carlos V le juzgó por Obispo y Obispo primero, que requería más santidad, más capacidad para fundar una Cathedral. Traxo orden de asentar la cathedral donde mejor le pareciere... y así fue derecho a Tzintzuntzan cabesa del reino y centro de la Provincia. Assí, estuvo algunos años, en los cuales ex-

[1] Fue publicada por el doctor don Nicolás León, en los *Anales del Museo Michoacano,* tomo II, páginas 41 a 48, según copia de don Joaquín García Icazbalceta.

[2] El documento fue publicado en el *Boletín del Archivo General de la Nación,* tomo X, núm. 1, enero de 1939. Por una confusión, más tarde aclarada, se creyó que la historia se refería al Colegio de San Nicolás.

[3] Juan Díez de la Calle. *Memorial y Noticias Sacras y Reales de las Indias Occidentales.* Segunda edición. México. Bibliófilos Mexicanos. 1932 (Primera edición, 1646).

perimentó las calidades de la ciudad, ser muy sombría y falta de agua. Y vio que Pázquaro tenía el sitio más agradable."[4]

Gil González Dávila, en su *Teatro eclesiástico,* nos dice lo siguiente: "De la Visita de Michoacán (en que procedió con muy gran prudencia y blandura) resultó el presentarle el Emperador Don Carlos en el año de 1537 por Obispo de esta Santa Iglesia, y comissión y mandato para que erigiese en Catedral, como lo hizo, y dio principio al edificio de ella en la ciudad de Pázquaro, siguiendo la planta de la de San Pedro de Roma, que es vna de las maravillas del mundo."[5]

Como hemos podido ver, los autores de los siglos XVI y XVII no concuerdan en ninguna manera para resolver el punto, veamos si los del siglo XVIII son más razonables.

Fray Pablo Beaumont, en su *Crónica de Michoacán,* nos dice refiriéndose a uno de los Códices que reproduce en su obra: "Por ahora, presciendiendo de la fecha errada, sin duda, que trae esta pintura antiquísima (que he tenido en mi poder, trabajada sobre palma), digo que siempre este instrumento es apreciable, y que corrobora en el fondo que el señor Quiroga fabricó iglesia en Tzintzuntzan, porque representa en él el convento de San Francisco y la Capilla de Santa Ana, adonde vivió este venerable e Ilustrísimo señor, y más abajo las campanas destinadas para colocarlas o en la catedral que se iba fabricando, o para llevarlas a Pátzcuaro . . ."[6]

Don Juan José Moreno, biógrafo el más autorizado hasta hoy de don Vasco de Quiroga, afirma terminantemente que don Vasco residió un año en Tzintzuntzan y que mudó la Catedral a Pátzcuaro en 1540.[7]

Los autores del siglo XVIII tampoco están acordes para resolver el problema.

Entre los escritores del siglo XIX hay que considerar en primer término a don José Guadalupe Romero, cuyas *Noticias estadísticas de Michoacán,* si bien defectuosas, son indispensables aún. Don José Guadalupe en dos ocasiones nos da la misma opinión: "El señor Quiroga fijó en Tzintzuntzan la Capital del Obispado . . . el año de 1540 fundó la ciudad de Pátzcuaro y trasladó a ella la silla episcopal con la Iglesia Matriz" (p. 11). Y más adelante: "La población cristiana de esta ciudad (Pátzcuaro) reconoce por fundador al Ilmo. señor D. Vasco de Quiroga, quien trasladó a ella, el año de 1540, la Iglesia Catedral que estaba antes en Tzintzuntzan, antigua capital del Reino de Michoacán" (p. 71).[8]

Entre los historiadores más modernos debemos citar desde luego al doctor don Nicolás León, cuya biografía de don Vasco constituye una de sus más apreciables obras, no sólo por el criterio moderno que en ella campea, sino sobre todo por los documentos que a guisa de apéndice publica. El doctor León se pronuncia por la opinión de que don Vasco permaneció un año en Tzintzuntzan y de ahí se trasladó a Pátzcuaro: "No se sabe nada con especialidad, o en detalles, de lo que el señor Quiroga haya ejecutado durante el año que permaneció en Tzintzuntzan la sede episcopal. Algunos autores se inclinan a creer que fabricó una iglesia con intención de que le sirviera de Catedral; mas esto no es probable, pues parece que solamente tanteó la obra."[9]

Los escritores que más tarde se han ocupado de Michoacán adoptan las opiniones de los que los han precedido inclinándose más bien todos a lo que sostiene el doctor Moreno y acepta más tarde el doctor León, así el señor Jorge Bay Pisa en sus *Rincones históricos de Pátzcuaro,* dice: "Al tras-

---

4 *Historia de la provincia de San Nicolás de Tolentino de Michoacán, de la Orden de N. P. S. Agustín,* por el P. M. F. Diego Basalenque. 1673. Edición de la *Voz de México.* México, 1886. pp. 447-8.

5 *Teatro eclesiástico de la primitiva iglesia de las Indias Occidentales* . . . por el Maestro Gil González Dávila. Madrid, MXCXLIX.

6 Fray Pablo Beaumont. *Crónica de Michoacán.* Tomo II .México, 1932. Publicaciones del Archivo General de la Nación (XVIII). pp. 367-8.

7 Juan José Moreno. *Fragmentos de la vida y virtudes del V. Ilmo. Rmo. Señor Dr. D. Vasco de Quiroga.* México, 1766.

8 Doctor D. José Guadalupe Romero. *Noticias para formar la historia y la estadística del obispado de Michoacán.* México, 1862.

9 Dr. D. Nicolás León. *Ilmo. Sr. D. Vasco de Quiroga, primer obispo de Michoacán.* México (1904), p. 39.

ladar en el año 1540 la silla episcopal de Tzintzuntzan a esta ciudad."[10] Igualmente Justino Fernández en su pequeña monografía de *Pátzcuaro* sostiene: "En 1539 fijó la sede en la ciudad de Tzintzuntzan, aprovechando como Iglesia Catedral la pobrísima de Santa Ana. . ." "Un año permaneció en Tzintzuntzan el señor Quiroga, durante el cual pudo darse cuenta de los inconvenientes del sitio y decidió trasladar su sede a Pátzcuaro. Tuvo que vencer grandes obstáculos para llevar a cabo su propósito, pues tanto la población indígena, como los españoles se oponían a ello, mas no obstante la traslación se efectuó en 1540."[11]

Vemos, pues, cómo es imposible conciliar tanta diversidad de opiniones. Casi podemos asegurar que ninguno de los autores que hemos citado conocieron los documentos originales contemporáneos del ilustre prelado michoacano. Y lo más curioso es que algunos, como el doctor León, nos los dan a conocer publicándolos en su libro; pero no los aprovecha al hacer la historia del prelado, sino que entonces sigue a los autores anteriores.

Para mí el asunto es de una claridad meridiana, si se toman en cuenta las propias palabras de don Vasco, pero antes de citarlas textualmente conviene fijar un poco la cronología del señor Quiroga para atenernos a ella, y después ver las conclusiones que pueden sacarse.

La cédula de nombramiento de Oidor fue dada el 2 de enero de 1530.[12]

La bula de erección de la catedral data del 8 de agosto de 1536.[13]

Don Vasco fue presentado obispo en 1537.[14]

La cédula de construcción de la Catedral de Michoacán fue expedida el 27 de septiembre de 1537.[15]

La toma de posesión de la iglesia de don Vasco, se efectuó el 6 de agosto de 1538.[16]

El doctor León al publicar el acta de toma de posesión de don Vasco, permite resolver el asunto en una forma definitiva y nos asombra, repito, que él no haya tenido en cuenta su propio documento para dar una nueva opinión que es la verdadera. El número 3 de los documentos que publica en su Apéndice contiene la posesión que se tomó en Pátzcuaro para la traslación de la iglesia; pero del texto de la posesión se desprende que esa posesión fue tomada primero en Tzintzuntzan el día 6 de agosto de 1538 y luego al otro día en Pátzcuaro. Después de presentar las bulas que lo declaraban obispo, tomó posesión de su iglesia; pero hay párrafos verdaderamente reveladores que demuestran, primero: que don Vasco al tomar posesión en Tzintzuntzan tenía ya la intención firmísima de trasladarse a Pátzcuaro. Segundo, que ya se estaba fundando la ciudad de Pátzcuaro, y tercero, que ya se había tomado sitio para edificar la Iglesia Catedral bajo la advocación de San Salvador.

Con objeto de que no se crea que hablo de memoria reproduzco algunos de los párrafos de este interesantísimo documento: "Que no entendía por ese auto de aprensión de posesión atribuir derecho alguno a la dicha Iglesia (la pequeñísima iglesia de Tzintzuntzan donde tomaba la posesión) y sitio de ella más de lo que con derecho le pertenezca, por razón de la destemplanza del aire que en ella y el sitio de ella y en la parte la dicha ciudad donde está al presente corre, y mala situación que tiene en parte donde carece de agua y de las otras cosas y calidades convenientes y necesarias a Iglesia Catedral."[17] "Si en aquella mejor dha forma que de derecha haya lugar, la entiende mudar y trasladar con el dicho clero y pueblo de ella por mejor por las dichas causas y otras legítimas que para ello haya en otro sitio y lugar que es sano y muy útil y provechoso y de muchas y buenas aguas

10 Jorge Bay Pisa. *Los rincones históricos de la ciudad de Pátzcuaro*. Pátzcuaro, 1930. p. 13.
11 Justino Fernández. *Pátzcuaro*. México, 1936. p. 36.
12 León. pp. 171–72.
13 Moreno. p. 38.
14 Moreno. p. 44.
15 Moreno. pp. 40–41.
16 León. pp. 173 a 179.
17 León. p. 174.

y aires sanos . . . y es una parte y barrio de ella que los naturales llaman Pátzcuaro, donde por mandato de su Cesárea y Católica Majestad ya se comienza a fundar y funda la dicha ciudad de Michoacán en forma de buena policía y está señalado y tomado sitio para edificar la Iglesia Catedral so la invocación de San Salvador para que ahí se junten los naturales de todos los barrios y familias."[18]

Adelante describe don Vasco la iglesia en que estaba tomando posesión: "Mayormente no habiendo al presente cosa hecha que se pierda ni aventure a perder, antes habiéndose de hacer Iglesia Catedral y ciudad toda de nuevo, y juntarse de nuevo la gente para ello y siendo como es la dicha iglesia nombrada so la invocación de San Francisco, de adobes y de paja, paupérrima y muy pequeña donde todo edificio que en ella se hiciere acrecentase y edificase sería perdido, por las razones y causas que dichas son . . . y en fin, por ser tal la dicha iglesia que por inhabitable la desampararon ciertos religiosos de San Francisco que la edificaron y pasaron a otro lugar como es cosa cierta, notoria y manifiesta en la dicha ciudad y su comarca."[19]

¿Dónde están, pues, las cavilaciones de don Vasco para pasar su Catedral de Tzintzuntzan a Pátzcuaro? ¿Cómo afirman que necesitó por lo menos un año para darse cuenta de las incomodidades del sitio? ¿Cuáles fueron las terribles oposiciones que haya entre los indios y los españoles de Tzintzuntzan para pasar su templo cuando él afirma que la iglesia en que tomaba posesión no tenía derecho alguno a reclamarle nada más de lo que el simple acto de posesión indicaba?

El doctor León se pregunta cómo hemos visto qué hizo don Vasco de Quiroga durante el año que permaneció en Tzintzuntzan. Fundándonos en el documento que él mismo publica podemos asegurarle que no hizo nada, puesto que la mayor parte del tiempo se encontraba en Pátzcuaro. Si, se encontraba en Pátzcuaro, puesto que al día siguiente de la toma de posesión en Tzintzuntzan efectuó el mismo acto en Pátzcuaro como lo dice textualmente el documento en que nos estamos fundando: "Y así mismo luego otro día primero siguiendo adelante en el dicho sitio de Pátzquaro con voluntad y consentimiento de Don Pedro Governador, y Don Alonso, y Don Ramiro y otros principales de la dicha ciudad y barrio de Páscuaro y Provincia de Mechuacán y de los dichos Alcaldes y Regidores, aprendió y fue metido en la posesión del sitio en donde el sitio de Páscuaro está señalado, que se ha de fundar y trasladar la dicha Iglesia Cathedral y se han de edificar las casas y palacio y Audiencia Episcopales, del dicho Obispado, como están comenzadas a hacer y edificar, juntamente con la dicha iglesia Cathedral so la invocación de San Salvador, que es todo lo uno y lo otro en la dicha ciudad de Mechoacán y barrio de Pásquaro, que es parte de ella como está dicho."[20] Si apuramos la lectura del documento podemos afirmar que ya desde la fecha en que fue otorgado, es decir, desde el 6 de agosto de 1538, don Vasco de Quiroga vivía en Pátzcuaro, pues al deslindar los terrenos que han de ocupar la iglesia y los edificios episcopales, dice que se tienen que hacer donde solían morar y residir los que cuidaban los Cúes más importantes de toda la Provincia, donde se hacían los sacrificios más importantes y ahí habían de ser construidos además un Hospital y un Colegio "donde sean curados del cuerpo y enseñados los hijos de los naturales y los mestizos, y librados de la seguedad y tiniebla de la ignorancia."[21] Y para definir el sitio más precisamente dice que es toda la plaza donde estaban los dichos Cúes "y así como va y vuelve la cerca alta de piedra seca, todo lo cercado por la parte alta, y por la parte baja, toda la hacera que pasa por los aposentos del dicho S. electo, al dar a la calle que ha de ser el medio de los aposentos nuevos que al presente hace Don Pedro Governador."[22] Se ve pues, que don Vasco tenía ya en Pátzcuaro sus aposentos donde es natural que viviera desde que había llegado a tomar posesión de su iglesia.

[18] León. p. 175.
[19] León. p. 176.
[20] León. pp. 177–78.
[21] León. p. 178.
[22] León. pp. 178–79.

Ningún signo de opinión vemos de parte de nadie. Mal podía haberlo después de los tratamientos feroces de que habían sido víctimas aquellos infelices indígenas. Lo que don Vasco hacía, bien hecho estaba, y no había sino que colaborar con él.

Una vez que la catedral fue empezada a construir en Pátzcuaro, don Vasco solicitó de la Corte la aprobación de efectuar ese cambio, dicha aprobación le fue concedida en Real Cédula de 25 de junio de 1539.[23]

¿Cómo es posible conciliar tantas opiniones diversas y aceptar lo que dice el propio don Vasco? Si queremos dar una explicación adecuada de estos hechos debemos definir la índole de cada uno de ellos. Por una parte tenemos la toma de posesión de don Vasco en Tzintzuntzan. Desde el punto de vista canónico y jurídico es indudable que el misérrimo templo de Tzintzuntzan en el que don Vasco hizo la toma de posesión fue por ese solo hecho la primera Catedral de Michoacán. Pero entre fundar y construir hay diferencia enorme. Ateniéndonos a lo que el propio prelado dice, no hubo construcción de catedral en Tzintzuntzan. El pequeño templo bajo la advocación de San Francisco, y no de Santa Ana, como han dicho algunos, fue la catedral pasajera mientras don Vasco construía un templo suyo en Pátzcuaro. ¿Por qué no hizo la toma de posesión don Vasco en Pátzcuaro desde un principio? Porque Pátzcuaro era sitio menos poblado que Tzintzuntzan. La erección de la catedral decía que el nuevo obispo era el de *Michoacán* y Tzintzuntzan recibía entonces esa designación. Cuando don Vasco trasladó su catedral a Pátzcuaro insiste en que Pátzcuaro sea designado como Michoacán y su insistencia sigue cuando, ya fundada la ciudad de Valladolid, el obispo sostiene un pleito con los vecinos de la nueva población para que no la llamen Michoacán, nombre que correspondía, según él, al sitio en que estaba la catedral.

Don Vasco era ante todo un abogado. Necesitaba cumplir todos los requisitos legales para que su conciencia estuviera tranquila, por eso la toma de posesión es hecha con todos los requisitos necesarios: en una iglesia ya construida, en una población nutrida de habitantes. Pero ya cumplidos estos requisitos que legalizaban su nombramiento como obispo, dejó obrar los ímpetus de su voluntad creadora y, como resultado de su actividad que se ha libertado de las trabas legales, tenemos, desde los primeros momentos, su creación más vigorosa y más entrañable: Pátzcuaro.

Una vez construida la iglesia de Pátzcuaro que debe haberse tardado poco más o menos en ella un año o dos, el de 1540, ya con la autorización de los Reyes efectúa el traslado legal que materialmente había hecho desde 1538.

Desde entonces Tzintzuntzan languidece. El centro de la vida de Michoacán está en Pátzcuaro. No contento con el primer templo que había edificado, sueña en su fantasía de gigante creador, hacer una fábrica única, para asombro de propios y extraños y entonces empieza a construir aquella célebre catedral de cinco naves que tantos dolores de cabeza le trajera; pero que tanto renombre le creara. Esa obra magna, tan grandiosa que no pudo llegar a ser realizada quedó, como emblema de la formidable ambición de don Vasco en el símbolo que vemos figurado en el Escudo de Pátzcuaro. *210*

Estas ideas acerca de que no existió una catedral especialmente construida en Tzintzuntzan, son perfectamente corroboradas si se hace una visita minuciosa a esta población. Lo primero que nos asombra es la cantidad de edificios aislados: por una parte tenemos la actual parroquia con su convento anexo. Esta parroquia no es primitiva, pues hay que ver que su fachada mira al oriente y no al poniente como todos los templos monásticos del siglo XVI. Su portada, de un plateresco ya decadente, no es primitiva. El claustro del monasterio anexo, es del siglo XVII como puede verse por la fecha que se lee en una de las vigas que lo techan y comprobarse con el estilo de su arquitectura. Al lado de este edificio se encuentra otro convento, acaso más antiguo, edificado con piedra arqueoló-

<hr>

[23] Dicha Cédula está publicada recientemente en la *Biblioteca Histórica Mexicana de Obras Inéditas,* núm. 17. Curioso es comprobar que tampoco la interpretó el doctor León en su verdadero sentido, pues simplemente copia el título del expediente al cual en nada se refiere la Cédula.

gica y cuyo claustro ha desaparecido. Cerca, en sentido perpendicular está la Iglesia del Tercer Orden, ya posterior, como lo indican sus líneas y enfrente de ella una capilla abierta que no había descrito ninguno de los historiadores y críticos y que, a pesar de su evidente arcaísmo, lleva la fecha de 1619. Por descripciones antiguas se sabe que esta capilla pertenecía al hospital. Entre el Tercer Orden y la parroquia hay restos de otra capilla al parecer también del siglo XVII. No se encuentran, pues, en Tzintzuntzan despojos de un templo, no digamos ya contemporáneo de don Vasco; pero ni siquiera de mediados del siglo XVI. Casi me atrevería yo a afirmar que, en vista de los edificios cuyos restos vemos en Tzintzuntzan, esta población tuvo un apogeo posterior ya en el siglo XVII, cuando Pátzcuaro había decaído por el auge de Valladolid que atrajo a su centro todas las actividades materiales y espirituales de Michoacán.

Creo, pues, haber demostrado los siguientes puntos:

I. Don Vasco de Quiroga tomó posesión de su catedral en la iglesia de San Francisco de Tzintzuntzan, el día 6 de agosto de 1538.

II. Al día siguiente, 7 de agosto de 1538, tomó posesión del sitio en que debía construir su catedral en Pátzcuaro.

III. No hizo ninguna construcción especial para templo catedralicio en Tzintzuntzan.

IV. La traslación oficial de la Catedral de Tzintzuntzan al templo terminado en Pátzcuaro, fue aprobada el 25 de junio de 1539.

V. En 1540 don Vasco hizo la traslación oficial de Tzintzuntzan al templo que había terminado en Pátzcuaro.

VI. Don Vasco residió en Pátzcuaro desde que llegó a tomar posesión de su obispado.

VII. La iglesia de San Francisco de Tzintzuntzan, fue catedral del 8 de agosto de 1538 a un día que desconocemos del año de 1540, es decir, de un año y medio a dos años y medio.

Así las cosas, estimo que debe tenerse presente para la Historia de nuestro Arte Colonial que cuando se habla de Catedral de Michoacán en Tzintzuntzan, debe entenderse que se refiere a un templo modestísimo en que don Vasco tomó la posesión canónica; pero que desde el punto de vista arquitectónico no existió ningún templo especialmente construido para tal objeto. La primer catedral construida por don Vasco fue el templo que más tarde pasó a poder de los jesuitas; la segunda, 209 la gran iglesia de cinco naves proyectada y construida por Toribio de Alcaraz y de la cual sólo llegó a ser edificada una nave, que es la actual Basílica de la Salud después de muchas reparaciones. En 1580, la catedral pasó a Valladolid y en esta ciudad se levantaron otros edificios y en el transcurso 199 del tiempo se construye la actual Iglesia Catedral, antes de Valladolid, hoy de Morelia.

Mayo de 1940.

40. Panotla

Es ASOMBROSO comprobar que cada día descubrimos una nueva joya del arte colonial de México. Agotada la materia, estudiados todos los templos, escudriñados todos los rincones, de pronto surge, inesperado, un monumento desconocido. ¡Oh, México, fecundo semillero de obras de arte! Si por un lado te las están destruyendo sistemáticamente, por otro surgen otras que damos a conocer y que serán destruidas más tarde.

Casi en las inmediaciones de Tlaxcala se levanta sobre una colina el pueblo de Panotla, nombre indígena que quiere decir "entre caminos" y en el centro señoreándolo todo con amorosa y señera arrogancia, se yergue la parroquia de San Nicolás.

Se sabe que fue fundada por el señor obispo Santa Cruz en 1693, segregándola de Tlaxcala. El *213* hecho de que en la gran portada aparezca la estatua de San Francisco hace suponer al señor Vera y Zuría que los franciscanos fundaron el templo primitivo. Al pie de la torre aparece una inscripción con la fecha de 1769 que puede corresponder a la misma fachada. En el atrio se ve una interesante pequeña cruz esculpida en piedra con ingenuos relieves; está empotrada en un dado de cantería que le sirve de base y ostenta dos inscripciones en náhuatl y la fecha 1728.

Penetramos al templo y poco hallamos de interés, su planta es de cruz latina con cúpula sin tambor y bóvedas de cañón con lunetos. Los altares son modernos y carecen de mérito. Alguno ofrece un gran cuadro al óleo que representa a Cristo, como árbol de la vida erguido sobre una fuente, y seis santos alrededor que en vez de peanas descansan en flores. Está firmado por Cayetano Pérez en 1759.

Pero la gran obra de arte de Panotla es su portada, su imafronte como dicen los técnicos. Ofrece *212* la forma de un nicho con arco de medio punto muy ornamentado que descansa en grandes pilastras. Los ornatos de la fachada parecen de azúcar *candi*. Su arco trilobulado, su óculo mixtilíneo, sus *214* pilastras estípites, sus esculturas, sus relieves, todo nos traslada a un país de fantasía en que los dedos magos del artista no dejaron huella humana en su obra. Es un espíritu profundamente religioso el que inspira esta fantasía, esta "locura de amor divino" que nos arrebata, confundidos en uno con el creador celeste y el creador humano, en un vértigo de misticismo y de arte.

En esta mañana lechosa de junio los perfiles de la portada parecen querer borrarse; se tornan evanescentes, como si la parte espiritual tomase ventaja sobre la materia y la limase, la evaporase en consonancia con el instante. Mas la naturaleza se impone: atraviesa volando una paloma y va a posarse sobre el puño de un santo que inicia un grandilocuente ademán barroco. Alcándara divina, nos vuelve a la realidad terrena. Dentro de nosotros persiste el eco del arrobamiento interior.

Es evidente el parentesco entre la portada de Panotla y la del Santuario de Ocotlán: pertenecen *215* a la misma familia, la misma locura estremece a las dos. A mi modo de ver la de Panotla es más *216* audaz, más movida, menos razonable, más churrigueresca y, por ende, mejor.

Panotla, agosto de 1950.

ÍNDICE DE ILUSTRACIONES

Manifestamos nuestro agradecimiento a las siguientes personas e instituciones, que nos favorecieron con gran número de fotografías con las que se ilustra esta edición, si alguna ha escapado involuntariamente a nuestra memoria pedimos disculpas por ello.

Señor Jesús Espinosa H., México, D. F. 6, 20, 29, 31, 68, 69, 88, 89, 92, 93, 94, 96, 125, 152, 153, 155, 168, 169, 170, 171, 172, 173, 174, 181, 182, 183, 184, 185, 186.—Señor John McAndrew, E.E. U.U. 98, 99, 100, 101, 108, 109, 110, 111, 156.—Señor José Rojas Garcidueñas, México, D. F., 124.— Señor Carlos de la Vega, México, D. F., 190, 191.—Señor doctor Javicr Castro Mantecón, Oaxaca, Oax., 17, 36, 37, 39, 40, 41, 42.—Señor Germán Georgge, México, D. F., 212, 213, 214, 215, 216.— Señor Manuel Romero de Terreros, México, D. F., 131, 132, 133, 134.—Señora Elisa Vargas Lugo de Bosch, México, D. F., 179, 180.—Señor Manuel Toussaint, México, D. F., 14, 15, 16, 18, 23, 24, 30, 38, 55, 58, 76, 107-A, 114, 121, 122, 123, 126, 128, 129, 146, 147, 148, 149, 150, 151, 158, 159, 162, 163, 166, 167, 176, 177, 178.—Señor A. García, México, D. F., 19.—Señor Efraín Castro, Puebla, Pue., 73, 74.—Señor Luis Márquez, México, D. F., 77, 211.—Señor Alfonso Sereno, Morelia, Mich., 192, 193, 194, 195, 196, 198, 199, 201, 202, 204.—Instituto Nacional de Antropología e Historia, 7, 9, 11, 12, 13, 21, 22, 26, 27, 28, 32, 33, 34, 35, 43, 44, 45, 46, 47, 48, 49, 50, 51, 52, 53, 54, 56, 59, 60, 61, 62, 63, 64, 65, 66, 67, 70, 71, 72, 75, 90, 91, 102, 103, 104, 105, 107-B, 112, 113, 115, 116, 117, 118, 119, 120, 127, 130, 135, 136, 137, 138, 139, 140, 141, 142, 143, 144, 145, 154, 157, 160, 161, 164, 165, 175, 187, 188, 189, 197, 200, 203, 205, 206, 207, 208.—Banco Nacional de México, 81, 82, 83, 84, 85, 86, 87.

69. Tepotzotlán, Méx. Capilla de los novicios. Detalle.
70. Atitalaquia, Hgo. Iglesia parroquial. Planta. Siglo XVIII.
71. Atitalaquia, Hgo. Iglesia parroquial. Fachada. Siglo XVIII.
72. Puebla, Pue. Casa "de alfeñique". Siglo XVIII.
73. Puebla, Pue. Casa "de alfeñique". Detalle del exterior.
74. Puebla, Pue. Casa "de alfeñique". Patio.
75. Villa de Guadalupe, D. F. Capilla del Pocito. Siglo XVIII.
76. Villa de Guadalupe, D. F. Capilla del Pocito. Portada.
77. Villa de Guadalupe, D. F. Capilla del Pocito. Cúpulas.
78. Plano de una capilla. Serlio. Edición de Toledo, 1552.
79. Plano de la Capilla del Pocito. *Gazeta de México.* 27 de noviembre de 1791.
80. Capilla del Pocito. Planta. Según Silvestre Baxter, 1901.
81. México, D. F. Casa del Conde de San Mateo de Valparaíso. Siglo XVIII.
82. México, D. F. Casa del Conde de San Mateo de Valparaíso. Portada.
83. México, D. F. Casa del Conde de San Mateo de Valparaíso. Patio.
84. México, D. F. Casa del Conde de San Mateo de Valparaíso. Escalera.
85. México, D. F. Casa del Conde de San Mateo de Valparaíso. Portada interior
86. México, D. F. Casa del Conde de San Mateo de Valparaíso. Corredores.
87. México, D. F. Casa del Conde de San Mateo de Valparaíso. Cúpulas.
88. Dolores Hidalgo, Gto. Parroquia. Siglo XVIII.
89. Dolores Hidalgo, Gto. Parroquia. Portada. Siglo XVIII.
90. Dolores Hidalgo, Gto. Parroquia. Retablo Virgen de Guadalupe.
91. Dolores Hidalgo, Gto. Parroquia. Retablo Virgen de Guadalupe. Detalle.
92. Dolores Hidalgo, Gto. Casa del Subdelegado. Siglo XVIII.
93. Dolores Hidalgo, Gto. Casa del Subdelegado.
94. México, D. F. Iglesia de San Bernardo. Siglo XVII. Portada. (Modificada en 1935.)
95. México, D.F. Iglesia de San Bernardo. Planta original. Tomada de la revista *Arquitectura y Decoración.*
96. México, D. F. Iglesia de San Bernardo. Portada principal. Detalle.
97. México, D. F. Iglesia de San Bernardo. Planta modificada. Tomada de la revista *Arquitectura y Decoración.*
98. Angahua, Mich. Iglesia de Santiago. Siglo XVI.
99. Angahua, Mich. Iglesia de Santiago. Detalle de la portada.
100. Angahua, Mich. Iglesia de Santiago. Detalle de la portada.
101. Angahua, Mich. Iglesia de Santiago. Portada.
102. Angahua, Mich. Iglesia de Santiago. Portada. Detalle.
103. Oaxtepec, Mor. Iglesia del convento dominico. Siglo XVI.
104. Oaxtepec, Mor. Claustro del convento dominico. Siglo XVI.
105. Oaxtepec, Mor. Bóvedas de la iglesia.
106. Oaxtepec, Mor. Convento dominico. Planta de conjunto. Croquis de Justino Fernández.
107. A y B. Oaxtepec, Mor. Claustro. Frescos. Siglo XVI.
108. Tecali, Pue. Iglesia franciscana. Fachada. Siglo XVI.
109. Tecali, Pue. Iglesia franciscana. Interior. Siglo XVI.
110. Tecali, Pue. Iglesia franciscana. Ábside.
111. Tecali, Pue. Iglesia franciscana. Detalle de la estructura.
112. Jonacatepec, Mor. Convento agustino. Capilla abierta. Siglo XVI.
113. Jonacatepec, Mor. Convento agustino. Claustro. Siglo XVI.

114. Jonacatepec, Mor. Convento agustino. Detalle del claustro.
115. Cuitzeo, Mich. Iglesia y convento agustinos. Siglo XVI.
116. Cuitzeo, Mich. Iglesia agustina. Portada. Siglo XVI.
117. Cuitzeo, Mich. Iglesia agustina. Detalle de la portada.
118. Cuitzeo, Mich. Convento agustino. Claustro. Siglo XVI.
119. Cuitzeo, Mich. Convento agustino. Claustro. Siglo XVI.
120. Cuitzeo, Mich. Convento agustino. Detalle del claustro.
121. Huaquechula, Pue. Iglesia y convento franciscano. Siglo XVI.
122. Huaquechula, Pue. Iglesia franciscana. Portada. Siglo XVI.
123. Huaquechula, Pue. Iglesia franciscana. Detalle de la portada.
124. Huaquechula, Pue. Capilla abierta. (Tapiada.)
125. Huaquechula, Pue. Capilla abierta. Bóveda. Siglo XVI.
126. Huaquechula, Pue. Iglesia franciscana. Portada lateral. Siglo XVI.
127. Huaquechula, Pue. Iglesia franciscana. Detalle de la portada lateral.
128. Huaquechula, Pue. Iglesia franciscana. Detalle de la portada lateral.
129. Huaquechula, Pue. Iglesia franciscana. Púlpito de piedra policromada. Siglo XVI.
130. Zinacantepec, Méx. Convento franciscano. Capilla abierta. Siglo XVI.
131. Zinacantepec, Méx. Convento franciscano. Capilla abierta. Detalle.
132. Zinacantepec, Méx. Convento franciscano. Retablo de la capilla abierta.
133. Zinacantepec, Méx. Convento franciscano. Capilla abierta. Frescos.
134. Zinacantepec, Méx. Convento franciscano. Pila bautismal. Siglo XVI.
135. Jilotepec, Méx. Capilla abierta. (De un códice del siglo XVI.)
136. Jilotepec, Méx. Convento franciscano. Pila bautismal. Siglo XVI.
137. Jilotepec, Méx. Convento franciscano. Cruz en el claustro. Siglo XVI.
138. Jilotepec, Méx. La Cruz de Doendó. Siglo XVI.
139. Tepoztlán, Mor. Iglesia dominica. Siglo XVI.
140. Tepoztlán, Mor. Iglesia dominica. Ábside.
141. Tepoztlán, Mor. Iglesia dominica. Portada.
142. Tepoztlán, Mor. Convento dominico. Portería y capilla posa. Siglo XVI.
143. Tepoztlán, Mor. Convento dominico. Capilla posa.
144. Tepoztlán, Mor. Convento dominico.
145. Tepoztlán, Mor. Convento dominico. Almenas.
146. Atotonilco, Hgo. Iglesia agustina. Portada. Siglo XVI.
147. Atotonilco, Hgo. Convento agustino. Claustro.
148. Atotonilco, Hgo. Convento agustino. Pinturas al fresco. Siglo XVI.
149. Atotonilco, Hgo. Convento agustino. Pinturas al fresco.
150. Atotonilco, Hgo. Convento agustino. Pinturas al fresco.
151. Atotonilco, Hgo. Convento agustino. Pinturas al fresco.
152. Tecamachalco, Pue. Iglesia franciscana. Siglo XVI.
153. Tecamachalco, Pue. Iglesia franciscana. Portada.
154. Tecamachalco, Pue. Iglesia franciscana. Relieve. Siglo XVI.
155. Tecamachalco, Pue. Iglesia franciscana. Portada lateral. Siglo XVI.
156. Tecamachalco, Pue. Iglesia franciscana. Pinturas del sotocoro. Siglo XVI.
157. Tecamachalco, Pue. Iglesia franciscana. Pinturas. Detalle.
158. Tecamachalco, Pue. Iglesia franciscana. Pinturas. Detalle.
159. Tecamachalco, Pue. Iglesia franciscana. Pinturas. Detalle.
160. Alfajayucan, Hgo. Convento franciscano. Pinturas al fresco, 1576.

161. Alfajayucan, Hgo. Convento franciscano. Pinturas al fresco, 1576.

162. Alfajayucan, Hgo. Iglesia franciscana. Siglo XVI.

163. Alfajayucan, Hgo. Convento franciscano. Claustro.

164. Oaxaca, Oax. Iglesia de San Francisco. Portada. Siglo XVIII.

165. Oaxaca, Oax. Iglesia de San Francisco. Planta. Dibujo de R. García.

166. Oaxaca, Oax. Iglesia de San Francisco. Portada. Detalle.

167. Oaxaca, Oax. Iglesia de San Francisco. Portada. Detalle.

168. Tlalpujahua, Mich. Parroquia. Portada. Siglo XVIII.

169. Tlalpujahua, Mich. Parroquia. Detalle de la portada.

170. Tlalpujahua, Mich. Parroquia. Detalle de la portada.

171. Tlalpujahua, Mich. Parroquia. Detalle de la portada.

172. Tlalpujahua, Mich. Parroquia. Portada lateral. Siglo XVIII.

173. Tlalpujahua, Mich. Parroquia. Portada de la sacristía. Siglo XVIII.

174. Tlalpujahua, Mich. Parroquia. Interior decorado en el siglo XX.

175. Lagos de Moreno, Jal. Parroquia. Siglo XVIII.

176. Lagos de Moreno, Jal. Parroquia. Portada lateral. Siglo XVIII.

177. Lagos de Moreno, Jal. Parroquia. Portada lateral. Detalle.

178. Lagos de Moreno, Jal. Parroquia. Portada principal. Detalle.

179. Lagos de Moreno, Jal. Parroquia. Portada de la sacristía, 1743.

180. Lagos de Moreno, Jal. Parroquia. Interior.

181. Tepalcingo, Mor. Santuario. Portada. Siglo XVIII.

182 y 183. Tepalcingo, Mor. Santuario. Detalles de la portada.

184. Tepalcingo, Mor. Santuario. Detalle de la portada.

185 y 186. Tepalcingo, Mor. Santuario. Detalles de la portada.

187. Puebla, Pue. Capilla del Rosario. Siglo XVII.

188. Puebla, Pue. Capilla del Rosario. Detalle.

189. Puebla, Pue. Capilla del Rosario. Detalle.

190. Morelia, Mich. *Traslado de Monjas.* Óleo, 1738.

191. Morelia, Mich. *Traslado de Monjas.* Detalle.

192. Morelia, Mich. Iglesia de *Las Rosas.* Portadas. Siglo XVIII.

193. Morelia, Mich. Iglesia de *Las Rosas.* Detalle de las portadas.

194. Morelia, Mich. Iglesia de *Las Rosas.* Detalle de las portadas.

195. Morelia, Mich. Iglesia de *Las Rosas.* Retablo. Siglo XVIII.

196. Morelia, Mich. Ex-Colegio de Santa Rosa de Lima. Siglo XVIII.

197. Morelia, Mich. Iglesia de *Las Monjas.* Portadas. Siglo XVIII.

198. Morelia, Mich. Iglesia de *Las Monjas.* Retablo. Siglo XVIII.

199. Morelia, Mich. Catedral.

200. Morelia, Mich. Palacio de Gobierno (Ex-seminario.) Siglo XVIII.

201. Morelia, Mich. Antiguo Colegio de los jesuitas. Siglo XVIII.

202. Morelia, Mich. Iglesia de Capuchinas. Siglo XVIII.

203. Morelia, Mich. Santuario de Guadalupe. Siglo XVIII.

204. Morelia, Mich. Acueducto. Siglo XVIII.

205. Yuririapúndaro, Gto. Iglesia agustina. Portada. Siglo XVI.

206. Yuririapúndaro, Gto. Iglesia agustina. Portada lateral.

207. Yuririapúndaro, Gto. Iglesia agustina. Portada principal. Detalle.

208. Yuririapúndaro, Gto. Convento agustino. Claustro bajo. Siglo XVI.

209. Proyecto para la primitiva Catedral de Michoacán.

ÍNDICE DE PERSONAS

ÍNDICE GENERAL

Ilustraciones

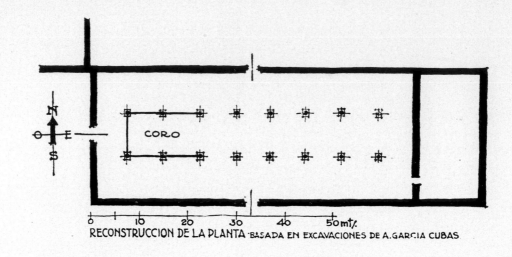

RECONSTRUCCION DE LA PLANTA ·BASADA EN EXCAVACIONES DE A. GARCIA CUBAS

CORO

0   10   20   30   40   50 mts.

MEDIADOS DEL SIGLO XVI.

DEL PLANO DE LA C. DE MEXICO DE ALONSO
DE SANTA CRUZ.

ANTES DE LA RECONSTRUCCION DE 1585.

DESPUES DE LA RECONSTRUCCION DE 1585.

1. La primitiva catedral de México.

2. Una casa de la Ciudad de México en el siglo XVI.

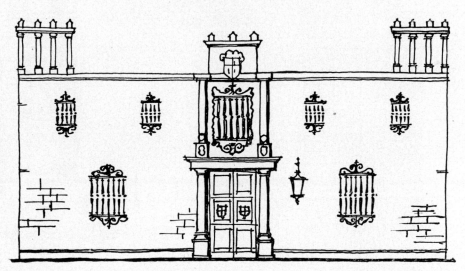

3. Una casa de la Ciudad de México en el siglo XVI.

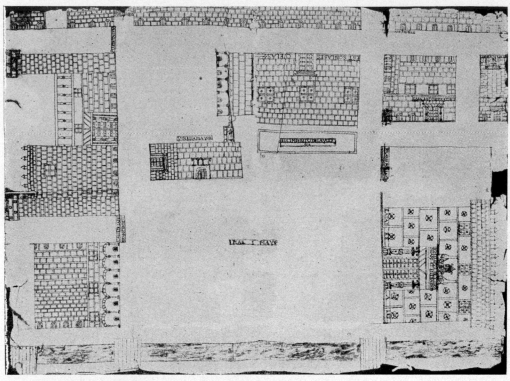

4. La Plaza Mayor de México. 1596.

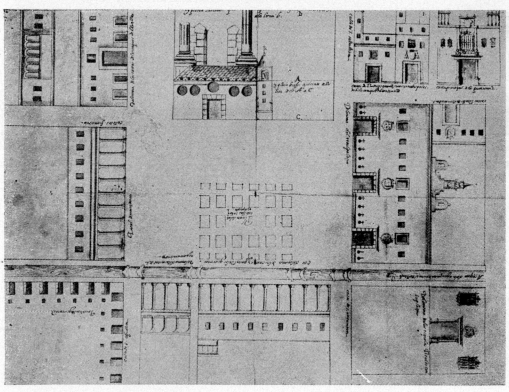

5. La Plaza Mayor de México. 1570.

6. Santa Cruz Atoyac, D. F. Cruz en el atrio. Siglo XVI.

7. Santa Cruz Atoyac, D. F. Portada de la capilla. Siglo XVI.

9. Tepetlaóxtoc, Méx. *Fray Domingo de Betanzos.* Óleo.

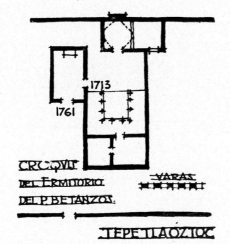

8. Tepetlaóxtoc Planta del Ermitorio.

11. Tacuba, D. F. Capilla de Sanctorum.

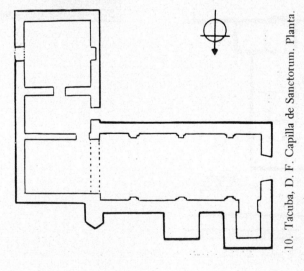

10. Tacuba, D. F. Capilla de Sanctorum. Planta.

13. Tacuba, D. F. Capilla de Sanctorum. Portada del presbiterio.

12. Tacuba, D. F. Capilla de Sanctorum. Portada exterior.

14. Zacatlán, Pue. Iglesia franciscana. Siglo XVI.

15. Zacatlán, Pue. Claustro del convento franciscano. Siglo XVI.

16. Zacatlán, Pue. Interior de la iglesia.

17. Yanhuitlán, Oax. Iglesia del convento dominico. Siglo XVI.

18. Yanhuitlán, Oax. Iglesia del convento dominico. Ábside.

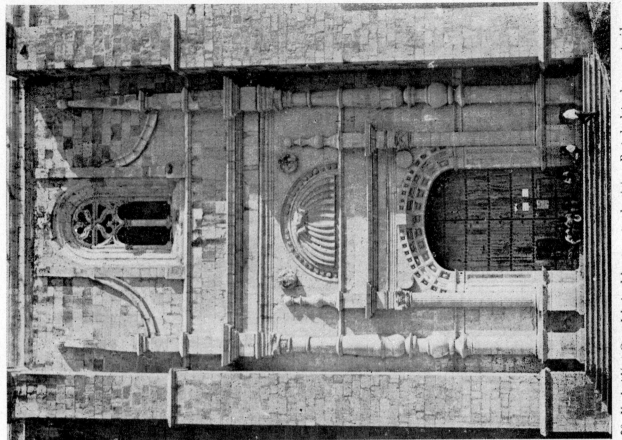

20. Yanhuitlán, Oax. Iglesia del convento domínico. Portada lateral, reconstruida.

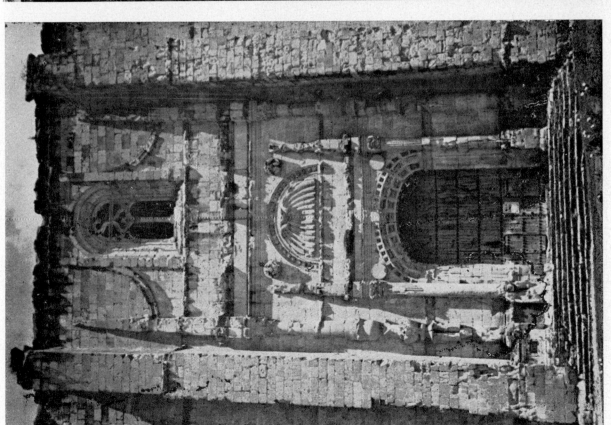

19. Yanhuitlán, Oax. Iglesia domínica. Portada lateral, antes de la reconstrucción.

21. Yanhuitlán, Oax. Interior de la iglesia dominica. Siglo XVI.

22. Yanhuitlán, Oax. Retablo mayor. Detalle. Siglo XVII.

23. Yanhuitlán, Oax. *El Descendimiento*. Altorrelieve en mármol policromado. Siglo xvi.

24. Yanhuitlán, Oax. Iglesia dominica. Portada del Sagrario. Siglo xvi.

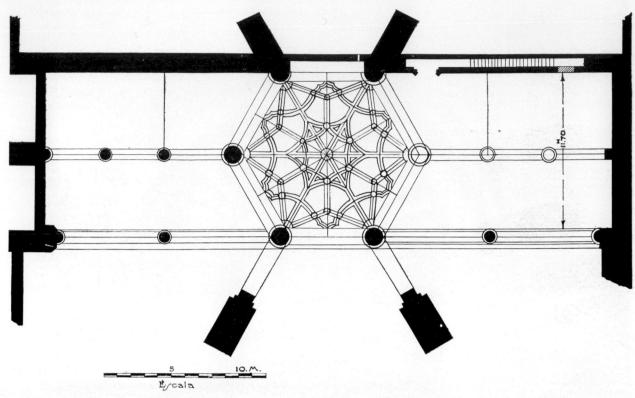

25. Teposcolula, Oax. Planta de la capilla abierta. Siglo XVI.

26. Teposcolula, Oax. Capilla abierta. Siglo XVI.

27. Teposcolula, Oax. Capilla abierta.

28. Teposcolula, Oax. Iglesia dominica y capilla abierta. Siglo XVI.

30. Coixtlahuaca, Oax. Capilla abierta. Bóvedas. Siglo XVI.

29. Teposcolula, Oax. Capilla abierta.

31. Teposcolula, Oax. Capilla abierta.

33. Teposcolula, Oax. Iglesia dominica. Confesionario. Siglo XVIII.

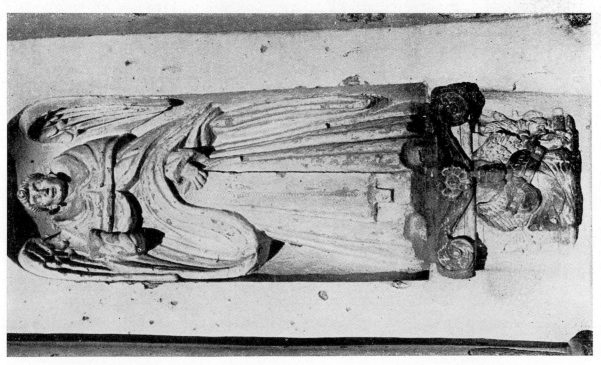

32. Teposcolula, Oax. Iglesia dominica. Altorrelieve. Portada.

34. Coixtlahuaca, Oax. Iglesia dominica y capilla abierta. Siglo XVI.

35. Coixtlahuaca, Oax. Capilla abierta.

37. Coixtlahuaca, Oax. Iglesia dominica. Portada lateral. Siglo XVI.

36. Coixtlahuaca, Capilla abierta.

38. Coixtlahuaca, Oax. Iglesia dominica. Portada principal. Siglo XVI.

40. Coixtlahuaca, Oax. Iglesia dominica. Portada del coro.

39. Coixtlahuaca, Oax. Iglesia dominica. Portada del bautisterio.

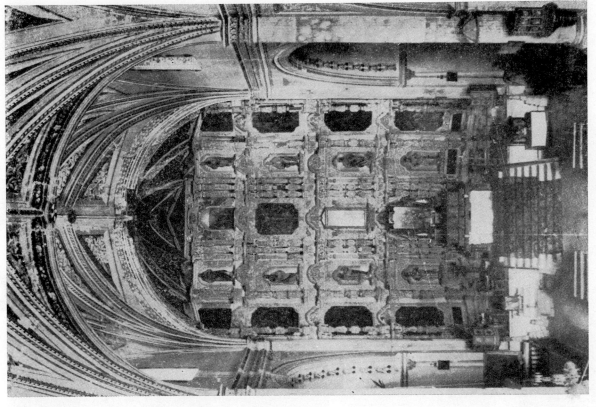

42. Coixtlahuaca, Oax. Iglesia dominica. Retablo mayor del Siglo XVIII.

41. Coixtlahuaca, Oax. Iglesia dominica. Bóvedas.

43. Yecapixtla, Mor. Iglesia y convento agustino. Siglo XVI.

44. Yecapixtla, Mor. Iglesia agustina. Ventana del coro.

46. Yecapixtla, Mor. Iglesia agustina. Portada. Detalle.

45. Yecapixtla, Mor. Iglesia agustina. Portada principal.

47. Tepeaca, Pue. Iglesia franciscana. Siglo xvi.

48. Tepeaca, Pue. Iglesia franciscana. Siglo xvi.

50. Tepeaca, Pue. Iglesia franciscana. Paso de ronda.

49. Tepeaca, Pue. Iglesia franciscana. Remate (tronera).

52. Tepeaca, Pue. Claustro del convento franciscano. Siglo xvi.

51. Tepeaca, Pue. Iglesia franciscana. Portada.

54. Tepeaca, Pue. Iglesia franciscana. Interior.

53. Tepeaca, Pue. Convento franciscano. Entrada.

55. Tepeaca, Pue. *El Rollo*. Siglo XVI.

56. Tizatlán, Tlax. Capilla abierta. Interior. Siglo XVI.

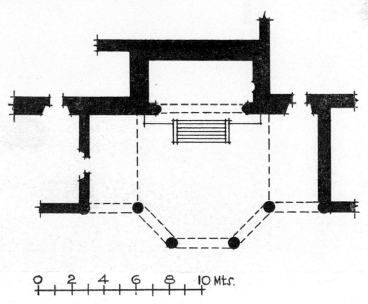

57. Tizatlán. Tlax. Capilla abierta. Planta.

59. Tizatlán, Tlax. Capilla abierta. Pintura mural.

58. Tizatlán, Tlax. *Bautismo de los Senadores de Tlaxcala.* Óleo.

61. Tepotzotlán, Méx. Iglesia. Detalle de la portada. Siglo XVIII.

60. Tepotzotlán, Méx. Iglesia. Fachada. Siglo XVIII.

62. Tepotzotlán, Méx. Iglesia. Portada de la Santa Casa de Loreto.

63. Tepotzotlán, Méx. Iglesia. Retablos. Siglo XVIII.

65. Tepotzotlán, Méx. Capilla de San José. Interior. Siglo XVIII.

64. Tepotzotlán, Méx. Iglesia. Retablo. Siglo XVIII.

66. Tepotzotlán, Méx. Iglesia. Altar de San Francisco Javier. Siglo XVIII.

67. Tepotzotlán, Méx. Camarín de la Virgen. Bóveda.

69. Tepotzotlán, Méx. Capilla de los novicios. Detalle.

68. Tepotzotlán, Méx. Capilla de los novicios. Detalle.

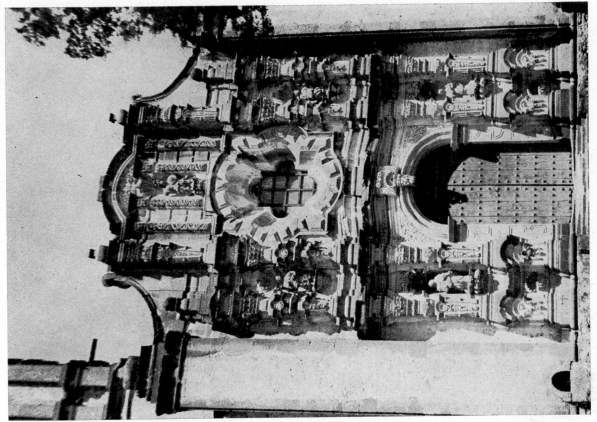

71. Atitalaquia, Hgo. Iglesia parroquial. Fachada. Siglo XVIII.

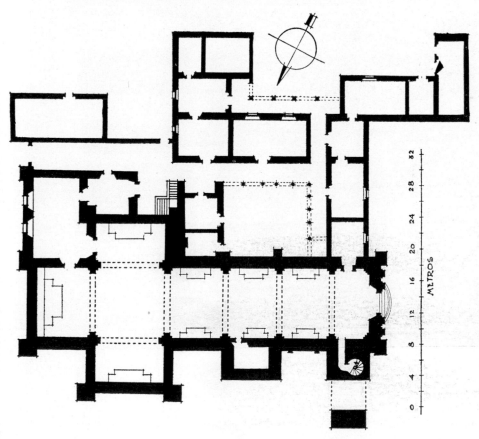

METROS

70. Atitalaquia, Hgo. Iglesia parroquial. Planta. Siglo XVIII.

72. Puebla, Pue. Casa "de alfeñique". Siglo XVIII.

74. Puebla, Pue. Casa "de alfeñique". Patio.

73. Puebla, Pue. Casa "de alfeñique". Detalle del exterior.

75. Villa de Guadalupe, D. F. Capilla del Pocito. Siglo XVIII.

76. Villa de Guadalupe, D. F. Capilla del Pocito. Portada.

77. Villa de Guadalupe, D. F. Capilla del Pocito. Cúpulas.

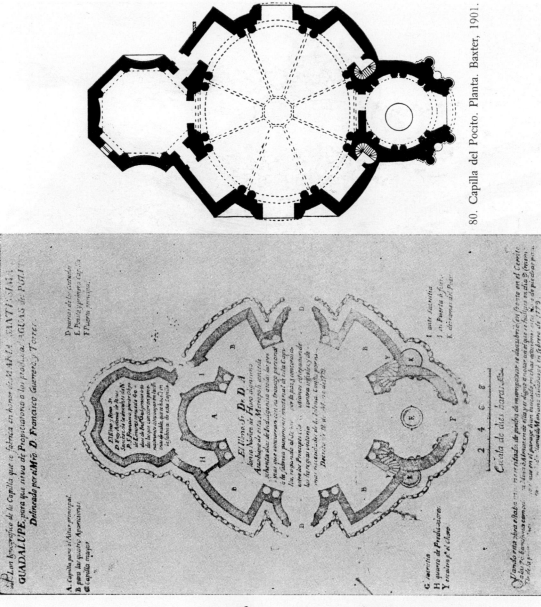

Plan topográfico de la Capilla que se fabrica en honor de MARIA SANTISSIMA
GUADALUPE, para que sirva de Propiciatoria a los prodigiosas AGUAS de POZITO.
Delineado por el Mtro. D. Francisco Guerrero y Torres.

A. Capilla para el Altar principal.
B. para las quatro Apariciones.
C. Capilla mayor.

D. puertas de los Costados.
E. Pasillo y primera Capilla.
F. Puerta principal.

G. Sacristía.
H. quarto de Predicadores.
Y. escalera p.ª el Choro.

Escala de diez Varas.

2 4 6 8

78. Plano de una capilla. Serlio. Toledo, 1552.

79. Capilla del Pocito. *Gazeta de México.* 27 de Nov. 1791.

80. Capilla del Pocito. Planta. Baxter, 1901.

81. México, D. F. Casa del Conde de San Mateo de Valparaíso. Siglo xviii.

82. México, D. F. Casa del Conde de San Mateo de Valparaíso. Portada.

83. México, D. F. Casa del Conde de San Mateo de Valparaíso. Patio.

84. México, D. F. Casa del Conde de San Mateo de Valparaíso. Escalera.

85. México, D. F. Casa del Conde de San Mateo de Valparaíso. Portada interior.

86. México, D. F. Casa del Conde de San Mateo de Valparaíso. Corredores.

87. México, D. F. Casa del Conde de San Mateo de Valparaíso. Cúpulas.

88. Dolores Hidalgo, Gto. Parroquia. Siglo xviii.

89. Dolores Hidalgo, Gto. Parroquia. Portada. Siglo XVIII.

90. Dolores Hidalgo, Gto. Parroquia. Retablo de la Virgen de Guadalupe. Siglo XVIII.

91. Dolores Hidalgo, Gto. Parroquia. Retablo de la Virgen de Guadalupe. Detalle.

92. Dolores Hidalgo, Gto. Casa del Subdelegado. Siglo XVIII.

93. Dolores Hidalgo, Gto. Casa del Subdelegado.

94. México, D. F. Iglesia de San Bernardo. Siglo XVII. Portada (Modificada en 1935).

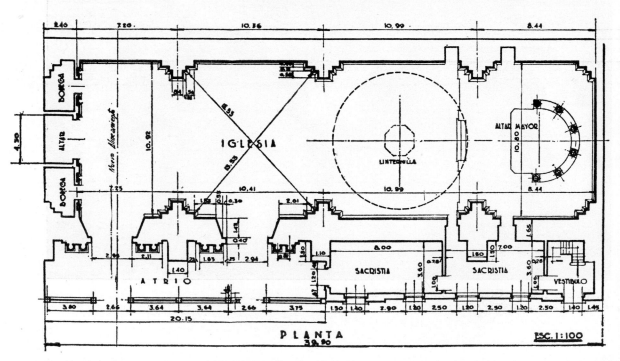

95. México, D. F. Iglesia de San Bernardo. Planta original.

96. México, D. F. Iglesia de San Bernardo. Portada principal. Detalle.

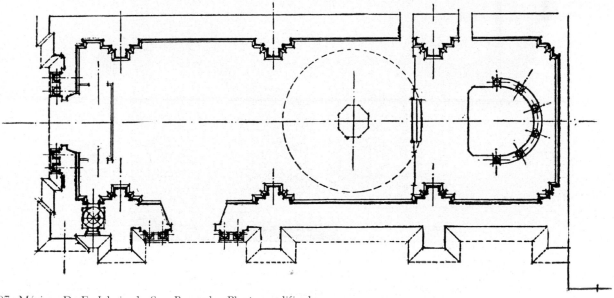

97. México, D. F. Iglesia de San Bernardo. Planta modificada.

100. Angahua, Mich. Iglesia de Santiago. Detalle de la portada.

101. Angahua, Mich. Iglesia de Santiago. Portada.

102. Angahua, Mich. Iglesia de Santiago. Portada. Detalle.

104. Oaxtepec, Mor. Claustro del convento dominico. Siglo XVI.

103. Oaxtepec: Mor. Iglesia del convento dominico. Siglo XVI.

105. Oaxtepec, Mor. Convento dominico. Bóvedas.

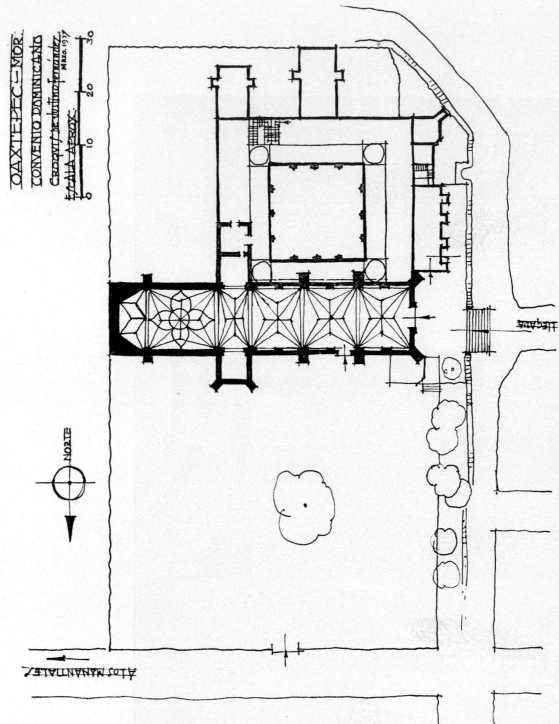

NORTE

A LOS MANANTIALES

LLEGADA

106. Oaxtepec. Mor. Convento domínico. Planta de conjunto.

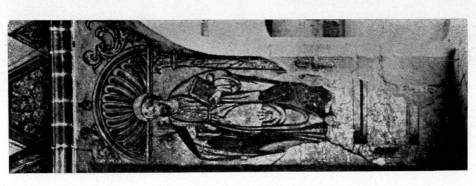

107. A y B. Oaxtepec, Mor. Claustro. Pinturas al fresco.

108. Tecali, Pue. Iglesia franciscana. Fachada. Siglo XVI.

109. Tecali, Pue. Iglesia franciscana. Interior. Siglo xvi.

112. Jonacatepec, Mor. Convento agustino. Capilla abierta. Siglo XVI.

114. Jonacatepec, Mor. Convento agustino. Detalle del claustro.

113. Jonacatepec, Mor. Convento agustino. Claustro. Siglo XVI.

115. Cuitzeo, Mich. Iglesia y convento agustinos. Siglo XVI.

117. Cuitzeo, Mich. Iglesia agustina. Detalle de la portada. Siglo XVI.

116. Cuitzeo, Mich. Iglesia agust:na. Portada.

118. Cuitzeo, Mich. Convento
agustino. Claustro. Siglo XVI.

119. Cuitzeo, Mich. Convento
agustino. Claustro. Siglo XVI.

120. Cuitzeo, Mich. Convento agustino. Detalle del claustro.

121. Huaquechula, Pue. Iglesia y convento franciscano. Siglo XVI.

123. Huaquechula, Pue. Iglesia franciscana. Detalle de la portada.

122. Huaquechula, Pue. Iglesia franciscana. Portada. Siglo XVI.

124. Huaquechula, Pue. Capilla abierta (Tapiada).

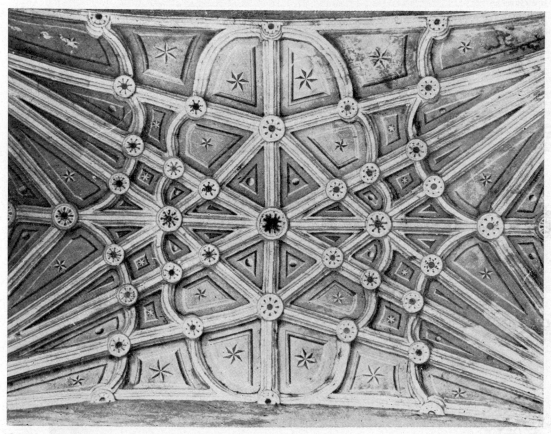

125. Huaquechula, Pue. Capilla abierta. Bóveda. Siglo XVI.

126. Huaquechula, Pue. Iglesia franciscana. Portada lateral. Siglo XVI.

127. Huaquechula, Pue. Iglesia franciscana. Detalle de la portada lateral.

129. Huaquechula, Pue. Púlpito de piedra policromada.

128. Huaquechula, Pue. Iglesia franciscana.—Detalle de la portada lateral.

130. Zinacantepec, Méx. Convento franciscano. Capilla abierta. Siglo XVI.

131. Zinacantepec, Méx.
Capilla abierta. Detalle.

132. Zinacantepec, Méx.
Capilla abierta. Retablo.

133. Zinacantepec, Méx. Convento franciscano. Capilla abierta. Frescos.

134. Zinacantepec, Méx. Convento franciscano. Pila bautismal. Siglo xvi.

135. Jilotepec, Méx. Capilla abierta (De un códice del siglo XVI).

136. Jilotepec, Méx. Convento franciscano. Pila bautismal. Siglo XVI.

138. Jilotepec, Méx. La Cruz de Doendó. Siglo xvi.

137. Jilotepec, Méx. Convento franciscano. Cruz en el claustro. Siglo xvi.

139. Tepoztlán, Mor. Iglesia
dominica. Siglo XVI.

140. Tepoztlán, Mor. Iglesia
dominica. Ábside. Siglo XVI.

141. Tepoztlán, Mor. Iglesia dominica. Portada. Siglo XVI.

143. Tepoztlán, Mor. Convento domínico. Capilla posa.

142. Tepoztlán, Mor. Convento domínico. Portería y capilla posa Siglo XVI.

144. Tepoztlán, Mor. Convento dominico. Siglo XVI.

145. Tepoztlán, Mor. Convento dominico. Almenas.

147. Atotonilco, Hgo. Convento agustino. Claustro. Siglo XVI.

146. Atotonilco, Hgo. Iglesia agustina. Portada. Siglo XVI.

149. Atotonilco, Hgo. Convento Agustino. Pinturas al fresco. Siglo XVI.

148. Atotonilco, Hgo. Convento agustino. Pinturas al fresco. Siglo XVI.

150. Atotonilco, Hgo. Convento agustino. Pinturas al fresco. Siglo XVI.

151. Atotonilco, Hgo. Convento agustino. Pinturas al fresco. Siglo XVI.

153. Tecamachalco, Pue. Iglesia franciscana. Portada. Siglo XVI.

152. Tecamachalco, Pue. Iglesia franciscana. Siglo XVI.

155. Tecamachalco, Pue. Iglesia franciscana. Portada lateral. Siglo xvi.

154. Tecamachalco, Pue. Iglesia franciscana. Relieve. Siglo xvi.

156. Tecamachalco, Pue. Iglesia franciscana. Pinturas del sotocoro. Siglo xvi.

157. Tecamachalco, Pue. Iglesia franciscana Pinturas. Detalle.

159. Tecamachalco, Pue. Iglesia franciscana. Pinturas. Detalle.

158. Tecamachalco, Pue. Iglesia franciscana. Pinturas. Detalle.

161. Alfajayucan, Hgo. Convento franciscano. Pinturas al fresco 1576.

160. Alfajayucan, Hgo. Convento franciscano. Pinturas al fresco 1576.

163. Alfajayucan, Hgo. Convento franciscano. Claustro. Siglo XVI.

162. Alfajayucan, Hgo. Iglesia franciscana. Siglo XVI.

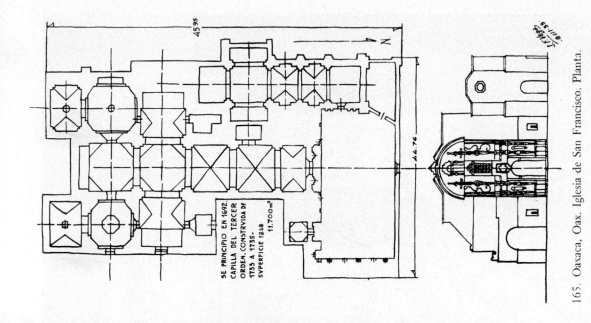

SE PRINCIPIO EN 1692.
CAPILLA DEL TERCER
ORDEN. CONSTRVIDA DE
1733 A 1735-
SVPERFICIE 1349
11.700 m²

45.95

14.76

N

165. Oaxaca, Oax. Iglesia de San Francisco. Planta.

164. Oaxaca, Oax. Iglesia de San Francisco. Portada. Siglo XVIII.

167. Oaxaca, Oax. Iglesia de San Francisco. Portada. Detalle.

166. Oaxaca, Oax. Iglesia de San Francisco. Portada. Detalle.

168. Tlalpujahua, Mich. Parroquia. Portada. Siglo xviii.

169. Tlalpujahua, Mich. Parroquia. Detalle de la portada.

170. Tlalpujahua, Mich. Parroquia. Detalle de la portada.

171. Tlalpujahua, Mich. Parroquia. Detalle de la portada.

173. Tlalpujahua, Mich. Parroquia. Portada de la sacristía. Siglo XVIII.

172. Tlalpujahua, Mich. Parroquia. Portada lateral. Siglo XVIII.

174. Tlalpujahua, Mich. Parroquia. Interior decorado en el siglo xx.

175. Lagos de Moreno, Jal. Parroquia. Siglo XVIII.

177. Lagos de Moreno, Jal. Parroquia. Portada lateral. Detalle.

176. Lagos de Moreno, Jal. Parroquia. Portada lateral.

179. Lagos de Moreno, Jal. Parroquia. Portada de la sacristía, 1743.

178. Lagos de Moreno, Jal, Parroquia. Portada principal. Detalle.

180. Lagos de Moreno, Jal. Parroquia. Interior.

181. Tepalcingo, Mor. Santuario. Portada. Siglo XVIII.

182 y 183. Tepalcingo, Mor. Santuario. Detalles de la portada.

184. Tepalcingo, Mor. Santuario. Detalle de la portada.

185 y 186. Tepalcingo, Mor. Santuario. Detalles de la portada.

187. Puebla, Pue. Capilla del Rosario. Siglo XVII.

189. Puebla, Pue. Capilla del Rosario. Detalle.

188. Puebla, Pue. Capilla del Rosario. Detalle.

190. Morelia, Mich. *Traslado de monjas. Óleo,* 1738.

191. Morelia, Mich. *Traslado de monjas.* Detalle.

192. Morelia, Mich. Iglesia de *Las Rosas*. Portadas. Siglo XVIII.

193. Morelia, Mich. Iglesia de *Las Rosas*. Detalle de las portadas.

194. Morelia, Mich. Iglesia de *Las Rosas*. Detalle de las portadas.

196. Morelia, Mich. Ex-Colegio de Santa Rosa de Lima.

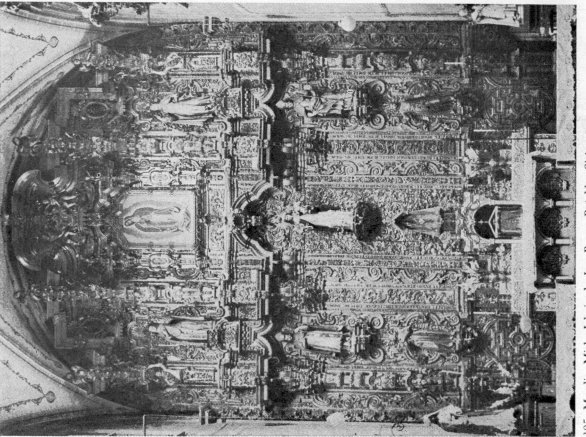

195. Morelia, Mich. Iglesia de Las Rosas. Retablo. Siglo XVIII.

197. Morelia, Mich. Iglesia de *Las Monjas*. Portadas. Siglo XVIII.

198. Morelia, Mich. Iglesia de *Las Monjas*. Retablo. Siglo XVIII.

199. Morelia, Mich. Catedral.

200. Morelia, Mich. Palacio de Gobierno (Ex-seminario). Siglo XVIII.

201. Morelia, Mich. Antiguo Colegio de los jesuitas. Siglo XVIII.

203. Morelia, Mich. Santuario de Guadalupe. Siglo xviii.

202. Morelia, Mich. Iglesia de Capuchinas. Siglo xviii.

204. Morelia, Mich. Acueducto. Siglo XVIII.

205. Yuririapúndaro, Gto. Iglesia agustina. Portada. Siglo xvi.

206. Yuririapúndaro, Gto. Iglesia agustina. Portada lateral. Siglo XVI.

207. Yuririapúndaro, Gto. Iglesia agustina. Portada principal. Detalle.

208. Yuririapúndaro, Gto. Convento agustino. Claustro bajo. Siglo XVI.

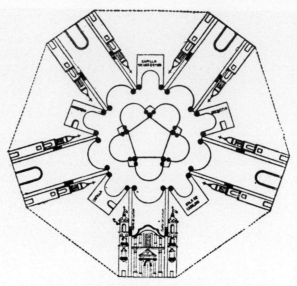

209. Proyecto para la primitiva Catedral de Michoacán.

210. Pátzcuaro, Mich. Relieve en la Capilla del Humilladero.

211. Pátzcuaro, Mich. Basílica. *Nuestra Señora de la Salud.*

212. Panotla, Tlax. Parroquia. Detalle de la portada. Siglo XVIII.

214. Panotla, Tlax. Parroquia. Detalle de la portada.

213. Panotla, Tlax. Parroquia. Portada. Siglo XVIII.

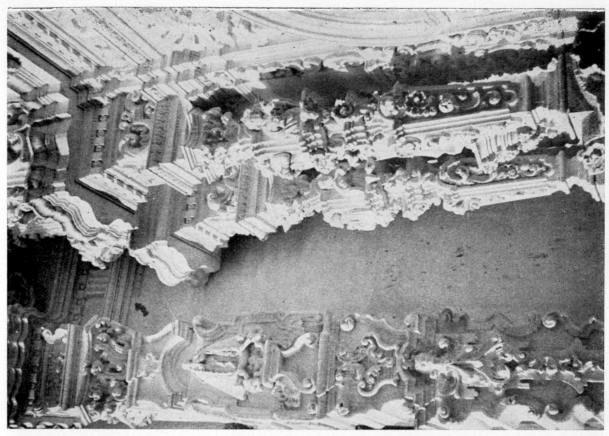

216. Panotla, Tlax. Parroquia. Detalle de la portada.

215. Panotla, Tlax. Parroquia. Detalle de la portada.

Siendo director general de publicaciones Rubén Bonifaz Nuño, se terminó la edición de este libro el 30 de octubre de 1962. Se hicieron 3 000 ejemplares. Diseñaron y cuidaron la edición Justino Fernández y Xavier Moyssén. En la parte técnica colaboraron el subdirector de publicaciones Enrique Reyes, el regente de la Imprenta Universitaria Manuel T. Moreno, los editores Jesús Arellano y Heriberto Malváez, el jefe del departamento de cajas Salvador López Robles, y Abel Perea V. que se encargó de la formación. La composición del texto en monotipo fue hecha por Leopoldo Díaz de Castro y Juvencio Carrillo, en tipos Times New Roman. Imprimió las láminas Ricardo Malváez, bajo la dirección del jefe de prensas Ignacio Yáñez. Los grabados fueron hechos por Eduardo Martínez, y el libro se encuadernó en los talleres de la *Encuadernación Progreso, S. A.*, de Tarsicio Villicaña. Todos los materiales utilizados son de manufactura nacional.